W9-BYO-585

СЕСИЛИЯ АХЕРН

P.S. Я люблю тебя

Роман

Перевод с английского
Ольги Дубицкой, Михаила Визеля,
Екатерины Владимирской

Издательство «Иностранка»
Москва, 2008

УДК 821.111–3Ахерн
ББК 84(4Ирл)–44
А95

Ахерн С.

А95   P.S. Я люблю тебя: Роман / Пер. с англ. М.Визеля, Е.Владимирской,
О.Дубицкой. — М.: Иностранка: 2008. — 528 с.
ISBN 978-5-389-00231-9

Бестселлер прославленной ирландки Сесилии Ахерн «P.S. Я люблю тебя» —
современная история о том, как любовь оказывается сильнее смерти. По-
теряв любимого мужа, тридцатилетняя Холли Кеннеди впадает в отчаяние,
перестает выходить из дому, общаться с людьми. И вдруг получает по почте
пакет с письмами: распечатывать их можно лишь по одному в месяц, а на-
писаны они тем самым человеком, расставание с которым приносит ей такие
страдания. Оказывается, незадолго до смерти он решил помочь ей жить
дальше. Всякий раз она с нетерпением ждет первого числа, чтобы вскрыть
очередной конверт и, строго следуя наставлениям, сделать еще один шаг,
возвращающий ее к жизни: купить новое платье, принять участие в конкурсе
караоке, съездить на море.
Роман переведен почти на полсотни языков, а кинофильм «P.S. Я люблю
тебя», созданный компанией *Warner Brothers*, триумфально шествует по
экранам всего мира.

УДК 821.111–3Ахерн
ББК 84(4Ирл)–44

ISBN 978-5-389-00231-9

© Cecelia Ahern 2004
© О.Дубицкая (главы 1–18), М. Визель (главы 19–35),
Е. Владимирская (главы 36–51), перевод на русский
язык, 2008
© ООО «Издательская Группа Аттикус», 2008
Издательство Иностранка®

Дэвиду

Глава первая

Холли зарылась лицом в голубой свитер, вдохнула знакомый запах, и невыносимое горе снова накрыло ее тяжелой удушливой волной, пронзило ее насквозь, разрывая сердце. По спине и шее прокатился озноб, в горле встал комок, не давая вздохнуть. Ее охватила паника. В доме стояла тишина, нарушаемая только жужжанием холодильника на кухне да редким постаныванием труб. Она была одна. Желчь поднялась к самому горлу. Она побежала в туалет и рухнула на колени перед унитазом.

Реальность заключалась в том, что Джерри ушел и никогда не вернется. Никогда больше ей не провести рукой по его мягким волосам, не засмеяться его шутке за ужином с друзьями, не заплакать на его плече после тяжелого дня на работе, когда ей так нужно, чтобы он ее обнял, не уснуть с ним в одной постели и не проснуться утром от его оглушительного чиха, никогда не хохотать вместе с ним до колик в животе, никогда не спорить, чья очередь вылезать из постели, чтобы выключить свет в спальне. Все, что ей осталось, — это ворох воспоминаний и его лицо, которое с каждым днем утрачивало ясность очертаний.

Их план был предельно прост: прожить вместе всю жизнь. Все, кто их знал, не сомневались: этот план вполне осуществим. Лучшие друзья и любовники, они подходили друг другу как две половинки одного целого, обреченные быть вместе, — так думали все. Но, как это часто случается, настал день, когда злая судьба распорядилась по-другому.

Конец пришел слишком рано. Джерри несколько дней мучился головной болью, и Холли заставила его пойти к врачу. В следующую среду он в обеденный перерыв поехал в больницу. Поначалу врач предположил, что головные боли вызваны стрессом или усталостью, так что самое страшное, что ожидает Джерри, — это необходимость носить очки. Эта перспектива не очень-то его обрадовала. Он расстроился, представив себя очкариком. Но он зря беспокоился — с глазами у него все оказалось в порядке. У него нашли опухоль в мозгу.

Холли нажала на кнопку смыва и, дрожа от холода, с трудом поднялась с кафельного пола. Ему было тридцать. Может, он и не был таким уж здоровяком, но все-таки выглядел вполне нормальным, чтобы... ну, чтобы прожить нормальную жизнь. Когда ему стало совсем худо, он все мужественно шутил, что не стоило так себя беречь. Что ему мешало баловаться наркотиками, пить, путешествовать, прыгать с парашютом, удалять воском волосы на ногах... Он включал в этот список все новые и новые пункты. И хотя он вроде бы смеялся, Холли видела в его глазах сожаление. Он жалел о том, чего уже не успеет сделать, о местах, в которых так и не побывает, о будущем, которого у него больше не будет. Жалел ли он о годах, которые прожил с ней? Холли никогда не сомневалась в том, что он ее любит, но теперь испугалась: вдруг ему покажется, что он зря потратил с ней драгоценное время.

Теперь ему отчаянно хотелось дожить до старости, которая перестала видеться неизбежным кошмаром. Раньше они не верили, что старость может стать пределом мечтаний — какая самонадеянность! Они изо всех сил старались отсрочить старость.

Холли слонялась из комнаты в комнату, глотая крупные соленые слезы. Глаза покраснели и причиняли боль. Ей казалось, что эта ночь никогда не кончится. Ни в одной из комнат она не находила покоя, во всем доме царила угрюмая тишина. Она посмотрела на мебель, и ей вдруг так захотелось, чтобы диван протянул к ней руки и обнял ее. Нет, он оставался равнодушным.

Джерри бы ее не одобрил, подумала она. Она сделала глубокий вдох, вытерла слезы и постаралась взять себя в руки. Нет, ему это совсем не понравилось бы.

Как и все эти последние недели, она только под утро забылась некрепким сном. И, как каждое утро, проснулась в неудобной позе там, где накануне заснула, — сегодня на диване в гостиной. И снова ее разбудил телефонный звонок. Очередной заботливый родственник или кто-то из друзей. Они, наверное, думали, что она спокойно спала всю ночь. Где они были, когда она бродила по дому как зомби, не находя себе места в поисках... Чего? Что она пыталась найти?

— Алло, — ответила она слабым голосом, хриплым от пролитых слез. Она уже давно бросила попытки храбриться. Умер ее самый лучший друг, и разве кому-нибудь понять, что никаким количеством косметики, свежего воздуха или шопинга не заполнить дыру в ее сердце.

— Ой, прости меня, солнышко, я тебя разбудила? — Холли узнала обеспокоенный голос своей матери. Мать звонила каждое утро, чтобы убедиться: Холли пережила еще одну одинокую ночь. Как ни боялась она ее разбудить, все же каждый раз, услышав ее, испытывала радостное облегчение — значит, дочь снова сумела сразиться с ночными призраками.

— Нет, ничего страшного, я просто вздремнула. — Холли всегда отвечала одно и то же.

— Твой отец и Деклан уехали, и я подумала о тебе, зайка.

Почему при звуках этого родного, утешающего голоса у Холли на глаза всегда наворачивались слезы? Она представила себе лицо матери с тревожно нахмуренными бровями, с наморщенным лбом. Оно ее не успокоило, а, наоборот, заставило вспомнить, почему родные так о ней беспокоятся. Лучше бы не беспокоились, лучше бы все шло нормально, и Джерри сидел бы сейчас рядом, закатывал глаза и смешил ее, пока мать что-то болтала по телефону. Как часто Холли приходилось передавать трубку Джерри, потому что сама она от хохота не могла больше вымолвить ни слова! Он непринужденно беседовал с ее мамой, не обращая никакого внимания на Холли, которая скакала, как сумасшедшая, вокруг кровати, корча дурацкие гримасы, пытаясь в отместку и его рассмешить. Ей это редко удавалось.

Она старательно агакала и хмыкала на протяжении всего разговора, хотя мало что из него понимала.

— Сегодня чудесная погода, Холли. Почему бы тебе не пойти прогуляться? Подышишь свежим воздухом.

— Ну да, наверное. — Опять она о свежем воздухе, как будто он панацея от всех ее бед.

— Хочешь, я заеду к тебе попозже и мы поболтаем?

— Нет, мам, спасибо, не надо.

Они помолчали.

— Ну, хорошо... Если передумаешь, перезвони. Я сегодня весь день дома.

— Хорошо.

Снова молчание.

— Спасибо, мам.

— Ну ладно, береги себя, детка.

— Хорошо, мам. Не волнуйся.

Холли собиралась повесить трубку, когда мать спохватилась:

— Ой, Холли, чуть не забыла. То письмо все еще ждет тебя — помнишь, я тебе о нем говорила? Оно на кухонном столе. Может, заедешь? А то оно валяется у нас уже несколько недель... А вдруг там что-то важное?

— Да вряд ли. Наверное, просто еще одно выражение соболезнований.

— Нет, зайка, не думаю. Оно адресовано тебе, и там еще приписано... Подожди, я за ним схожу...

Мать Холли положила трубку на стол, и Холли услышала стук каблуков по кафельному полу, скрежет передвигаемого стула, снова стук шагов. Мать снова заговорила:

— Ты слушаешь?

— Да.

— Здесь сверху стоит слово «Список». Может, это с работы или что-то в этом роде? Ты бы все-таки заехала, а?..

Холли выронила трубку.

Глава вторая

— Джерри, выключи свет!

Холли хихикала, глядя, как ее муж раздевается перед ней. Он показывал стриптиз, нарочито медленно расстегивая своими длинными худыми пальцами белую рубашку. Он подмигнул Холли и приподнял одну бровь, рубашка соскользнула с его плеч, он поймал ее правой рукой и через голову швырнул в угол спальни.

Холли снова расхохоталась.

— Выключить свет? Но тогда ты ничего этого не увидишь!

Джерри, играя мышцами, лукаво улыбнулся. Он никогда не кичился своей фигурой, хотя и мог бы — поводов ему хватало, подумала Холли. У него было сильное и прекрасно тренированное тело. Часы в тренажерном зале сделали его длинные ноги мускулистыми. Не отличаясь особенно высоким ростом, он все-таки возвышался над Холли, которая со своими пятью футами пятью дюймами рядом с ним чувствовала себя совершенно защищенной. Ей страшно нравилось, обнимая его, уткнуться головой ему в подбородок и ощутить у себя на волосах его дыхание.

Ее сердце забилось сильнее, когда он спустил трусы, поймал их пальцами ноги и бросил в нее так, что они приземлились ей на голову.

— Ну, по крайней мере, так темнее, — засмеялась она. Он всегда умел ее рассмешить. Когда она возвращалась с работы, усталая и злая, он с сочувствием выслушивал ее жалобы. Они очень редко ругались, а если и ссорились, то по пустякам, над которыми потом вместе смеялись, например, по поводу того, кто оставил свет на террасе гореть целый день или кто забыл вечером включить сигнализацию.

Джерри закончил свой сеанс стриптиза и прыгнул в постель. Он удобно устроился рядом с ней, сунув свои ледяные ступни ей под ноги, чтобы согреться.

— А-а-а-а! Джерри, у тебя вместо ног ледышки!

Холли знала, что означала эта поза, — что он не сдвинется ни на дюйм.

— Джерри! — В голосе Холли звучала угроза.

— Холли, — передразнил он.

— Ты ничего не забыл?

— Нет, по-моему, нет, — ответил он.

— А свет?

— Ах, да, свет, — сказал он сонным голосом и изобразил громкий храп.

— Джерри!

— Насколько я помню, вчера ночью мне уже пришлось вылезать из-под одеяла и выключать свет.

— Но ты же секунду назад стоял рядом с выключателем!

— Да-да... — сонно повторил он. — Всего секунду назад.

Холли вздохнула. Ей ужасно не хотелось вылезать из уютной теплой постели, шлепать по холодному полу, а потом, спотыкаясь в темноте, пробираться обратно к кровати.

— Не могу же я все время все делать сам. Понимаешь, Хол? Когда-нибудь меня не станет, и как ты будешь тогда?

— Заставлю выключать свет своего нового мужа, — сердито буркнула Холли, выбираясь из-под его холодных ног.

— Ах вот как?!

— Или сама буду не забывать выключить свет, пока не легла.

— Вот уж чему не бывать, тому не бывать, — фыркнул Джерри. — Ну ладно. Накануне кончины я прилеплю на выключатель записку. Тогда ты, моя хорошая, может, еще и вспомнишь.

— Какая забота! Но лучше просто завещай мне все свои деньги.

— И еще одну записку на обогреватель, — продолжил он.

— Ха-ха.

— И на пакет с молоком.

— Очень смешно, Джерри!

— Да, чуть не забыл — еще на окна, чтобы ты по утрам не открывала их при включенной сигнализации.

— Слушай, может, тебе просто составить для меня список всего, что я должна делать? И приложи его к завещанию! Раз уж ты так уверен, что без тебя я прожить не в состоянии?

— Неплохая идея, — рассмеялся он.

— Прекрасно, я сама выключу этот чертов свет.

Недовольная Холли вылезла из кровати, ступила на ледяной пол, скорчив гримасу, и выключила свет. Затем она вытянула руки перед собой и как слепая начала медленно продвигаться к кровати.

— Эй, Холли! Ты что, заблудилась? Ау! Здесь есть кто-нибудь? — кричал Джерри из темноты.

— Есть, есть! О-о-ой-ой-ой! — взвизгнула она, ударившись ногой о ножку кровати. — Черт, черт, черт, черт, блин, черт, дерьмо!

Джерри подавил рвущийся наружу смех и спрятал голову под одеяло.

— Второй пункт в моем списке: опасайся ножек кровати... — прогудел он оттуда.

— Джерри, заткнись! И перестань говорить о смерти, — огрызнулась Холли, массируя свой бедный палец.

— Хочешь, я его поцелую? — спросил он.

— Ничего, все нормально, — скорбно отозвалась Холли. — Сейчас просто суну ноги под одеяло, чтобы согреться...

— А-а-а-а-а! Боже, они как ледышки!

И это ее снова рассмешило.

Так и родилась эта самая шутка про список. Этой дурацкой идеей они поделились со своими лучшими друзьями — Шэрон и Джоном Маккарти.

Именно Джон, когда им было по четырнадцать, подошел в школьном коридоре к Холли и произнес классическую фразу: «Один мой друг хочет с тобой гулять». Потратив несколько дней на горячие обсуждения с подругами, Холли в конце концов уступила.

— Да соглашайся ты, Холли, — убеждала ее Шэрон. — Он такой красавчик! По крайней мере, не такой прыщавый, как Джон.

Как Холли теперь завидовала своей подруге! Шэрон и Джон поженились в тот же год, что и Холли с Джерри. Холли исполнилось двадцать три, и она считалась в их компании малявкой — остальным стукнуло по двадцать четыре. Кое-кто говорил, что ей рано выходить замуж, — в таком возрасте надо путешествовать и вообще получать от жизни удовольствие. Ну и что? Джерри и Холли просто стали путешествовать вместе. Так было намного лучше, потому что, стоило им расстаться, Холли чувствовала себя так, словно ее тело лишилось какого-то жизненно важного органа.

День, когда они поженились, не стал лучшим днем ее жизни. Как большинство девчонок, она мечтала о сказочной свадьбе: платье как у принцессы и солнечная погода, романтическое место, а рядом — все те, кого она любит. Она ждала праздничного вечера и предвкушала, как будет танцевать с друзьями, как все будут ею восхищаться и она в полной мере ощутит свою исключительность. Реальность оказалась совсем другой.

Она проснулась в родительском доме от громких криков отца («Куда запропастился мой галстук?!») и матери («У меня на голове полный бардак»), заглушаемых воплем: «Черт, я похожа на бегемотиху! Не собираюсь идти на эту чертову свадьбу в таком виде! Да я от стыда сгорю! Мам, посмотри на меня! Пусть Холли ищет себе другую подружку невесты, потому что я никуда не иду! Эй, Джек, отдай этот чертов фен, я еще не закончила!» Это незабываемое выступление принадлежало младшей сестре Холли Киаре, которая регулярно устраивала истерики и отказывалась выходить из дома под тем предлогом, что ей нечего надеть, хотя ее шкаф ломился от тряпок. Теперь она живет где-то в Австралии, и единственным средством связи с ней стала электронная почта, по которой родственники раз в несколько недель получают от нее письмо. Родители Холли потратили оставшуюся часть утра на то, чтобы убедить Киару, что она самая красивая девушка на свете. А Холли в это время в ужасном настроении одевалась у себя в комнате. Киара в конце концов все-таки согласилась выйти из дома, но лишь после того, как отец, вообще-то человек очень спокойный, заорал на нее так, что все вокруг рот разинули от изумления. «Киара, — кричал он, — эта чертова свадьба Холли, а НЕ ТВОЯ! И ты, черт возьми, поедешь с нами и будешь радоваться за сестру, а когда Холли спустится вниз, ты скажешь ей, что она прекрасно выглядит, и чтоб я больше звука от тебя не слышал весь день!»

Поэтому, когда Холли спустилась вниз, все заохали и заахали, а Киара посмотрела на нее сквозь слезы, как ребенок, которого только что отшлепали, и дрожащими губами проговорила: «Ты выглядишь прекрасно, Холли». Всемером они втиснулись в лимузин — Холли, родители, три брата и Киара — и всю дорогу до церкви сидели в испуганном молчании.

Теперь воспоминания о том дне сливались для нее в одно расплывчатое пятно. Ей почти не дали перемолвиться с Джерри — их тянули в разные стороны, чтобы познакомить с двоюродной бабушкой Бетти, которая жила черт знает где и которую Холли до того ни разу в жизни не видела, или двоюродным дедушкой Тоби, который прибыл из Америки и о существовании которого прежде никто даже не упоминал, но который теперь вдруг сделался очень важным членом семьи.

Никто не предупредил ее, что этот день окажется таким утомительным. К концу вечера челюсть у Холли разболелась от улыбок для фотографий, а ноги от беготни на этих идиотских каблуках просто отваливались. Ей ужасно хотелось присоединиться к большому столу, за которым собрались ее друзья, весь вечер радостно хохотавшие и, судя по всему, прекрасно проводившие время. Хорошо некоторым, думала Холли. Но, как только Холли вошла вместе с Джерри в номер для новобрачных, все ее беспокойство растаяло без следа и весь смысл этого дня стал ей совершенно ясен.

Слезы покатились по лицу Холли, и она поняла, что опять бредит наяву. Она неподвижно сидела на диване, а телефонная трубка все еще лежала рядом. В эти дни время как будто текло мимо нее, и она понятия не имела, который сейчас час или даже день недели. Ей казалось, что она живет вне собственного тела, не чувствуя ничего, кроме боли в сердце, в костях, в голове. Она ужасно устала... У нее заурчало в животе, и она попыталась вспомнить, когда ела в последний раз. Вроде бы вчера?

Шаркая, она потащилась на кухню, набросив на плечи халат Джерри и сунув ноги в свои любимые розовые тапочки диско-дивы, которые Джерри подарил ей на прошлое Рождество. Он называл ее своей диско-дивой. Она всегда выходила на танцпол первой и покидала клуб последней. Где теперь эта девушка? Она открыла холодильник и уставилась на пустые полки. Какие-то овощи и давно просроченный йогурт, источавший кошмарную вонь. Она слабо улыбнулась, встряхнув пакет молока. Пустой. Третий пункт в его списке…

Два года назад перед самым Рождеством Холли вместе с Шэрон отправилась по магазинам, купить платье для бала в отеле «Берлингтон», на который они ходили каждый год. Шопинг в компании с Шэрон всегда был рискованным занятием, и Джон с Джерри шутили, что и на этот раз из-за транжирства своих жен они останутся без рождественских подарков. Они не так уж и ошибались. Бедные забытые мужья — так называли их подруги.

В магазине «Браун Томас» Холли уплатила совершенно неприличную сумму денег за белое платье — самое красивое, какое она когда-либо видела.

— Черт, Шэрон, оно прожжет огромную дыру в моем кармане, — виновато сказала она, закусывая губу и ощупывая мягкую ткань.

— Да не волнуйся ты, Джерри ее заштопает, — ответила Шэрон со своим неподражаемым хохотком. — И перестань называть меня «черт Шэрон». Ты постоянно меня так обзываешь, когда мы ходим по магазинам, а я ведь могу и обидеться. Купи это чертово платье, Холли. В конце концов, сейчас Рождество, время подарков, и все такое.

— Боже, ты просто искусительница, Шэрон! Чтоб я еще пошла с тобой по магазинам! Это платье сожрет половину моей зарплаты. Что я буду делать в оставшиеся две недели?

— Холли, что для тебя важнее — есть или классно выглядеть?

— Я беру его, — обращаясь к продавцу, возбужденно сказала Холли.

У платья был глубокий вырез, выгодно подчеркивавший аккуратную небольшую грудь Холли, а сбоку — разрез, открывавший взорам ее стройные ноги. Джерри глаз от нее не мог оторвать. Но не потому, что она понравилась ему в этом платье. Просто он был не в состоянии понять, почему такой маленький кусок материи так дорого стоит. На балу миссис Диско-дива, как обычно, слишком увлеклась спиртными напитками и умудрилась испортить платье, забрызгав его красным вином. Холли пыталась сдержать слезы, но ей это не удалось, а подвыпившие мужчины сочли своим долгом напомнить женам, что под номером пятьдесят четыре в списке идет запрет на употребление красного вина во время ношения безумно дорогих белых платьев. После этого уже никто не спорил, что предпочтительным напитком в этом случае является молоко, так как оно не оставляет следов на безумно дорогих белых платьях.

Чуть позже, когда Джерри уронил свой стакан и пиво полилось со стола прямо на колени Холли, она со слезами на глазах серьезно объявила друзьям и сидящим за соседними столиками посетителям: «Правило пиддисят пятое. НИКАДА-НИКАДА не пкпайте дрррогих белых платьев!» С этим все радостно согласились, и даже Шэрон, лежавшая в коме где-то под столом, очнулась и зааплодировала в знак моральной поддержки. Они дождались, когда потрясенный официант принесет поднос, заставленный стаканами молока, и подняли тост за Холли и предложенный ею прекрасный новый пункт списка.

— Соболезную по поводу твоего безумно дорогого белого платья, Холли, — сказал Джон, икнув, после чего выпал из такси и волоком потащил Шэрон к дому.

21

Неужели Джерри сдержал слово и действительно накануне смерти составил для нее список? Она безотрывно сидела рядом с ним все последние дни его жизни, до самой кончины, но он ни о чем таком не заговаривал и ничего при ней не писал. Хватит, Холли, приказала она себе, возьми себя в руки и не будь дурой. Она так отчаянно хотела, чтобы он вернулся, что воображала самые невероятные вещи. На самом деле, он не стал бы его писать. Или стал бы?

Глава третья

Холли шла по поляне, сплошь поросшей тигровыми лилиями. Дул легкий ветерок, и, когда она пробиралась через длинные ярко-зеленые стебли травы, шелковистые лепестки щекотали кончики ее пальцев. Земля мягко пружинила под ее голыми ступнями, а тело казалось таким легким, словно она не шла, а плыла над податливой землей. Птицы деловито носились вокруг нее, насвистывая веселые песенки. Солнце в безоблачном небе светило так ярко, что ей приходилось прикрывать глаза рукой, и с каждым дуновением ветерка ее ноздри наполнялись сладким ароматом лилий. Она чувствовала себя такой счастливой, такой свободной...

Вдруг быстрорастущая серая туча заслонила солнце, и небо потемнело. Ветер усилился, стало холодно. Лепестки лилий закружились в воздухе как безумные, застя ей взгляд. Мягкая земля превратилась в нагромождение острых камней, которые кололи и резали ее ступни при каждом шаге. Птицы перестали петь, расселись по веткам и уставились на нее. Что-то пошло не так, и ее охватил страх. Тут она увидела в высокой траве серый камень. Ей хотелось убежать назад, к прекрасным цветам, но она понимала: ей надо узнать, что там прячется в траве.

Она крадучись двинулась вперед и вдруг услышала оглушительный стук: «БУМ! БУМ! БУМ!» Она ускорила шаг и побежала. Острые камни ранили ей ноги, трава резалась и кололась. Добежав до серой плиты, она рухнула перед ней на колени и закричала от боли, поняв, что это такое. Могила Джерри. БУМ! БУМ! БУМ! Он пытался выбраться из могилы. Он звал ее по имени, она слышала его голос!

Холли чуть не подскочила, проснувшись от громкого стука во входную дверь.

— Холли! Холли! Я знаю, что ты там! Пожалуйста, открой! — БУМ! БУМ! БУМ!

Еще не до конца проснувшись, она как в тумане доплелась до двери, открыла ее и увидела взволнованную Шэрон.

— Господи! Что ты там делала? Я целую вечность колочу в дверь!

Все еще одурманенная недавним сном, Холли выглянула на улицу. Было светло и немного прохладно — должно быть, утро.

— Ну, ты меня впустишь наконец?

— Конечно, Шэрон, извини. Я просто задремала на диване.

— Господи, ты выглядишь кошмарно, Хол. — Шэрон внимательно посмотрела ей в лицо и крепко ее обняла.

— О, спасибо. — Холли закатила глаза и повернулась, чтобы закрыть дверь. Шэрон никогда не ходила вокруг да около, но именно за это Холли ее и любила. По этой же причине Холли весь этот месяц старательно избегала подругу. Она не хотела слышать правду. Не хотела слышать, что должна жить дальше. Она просто хотела… Она сама не знала, чего хотела. Ей нравилось быть несчастной. Это казалось ей правильным.

— Боже, как здесь душно! Когда ты открывала окна в последний раз? — Шэрон быстро пошла по дому, открывая окна и собирая пустые чашки и тарелки. Она отнесла их на кухню, положила в посудомоечную машину и принялась наводить порядок.

— Слушай, Шэрон, брось ты это… — вяло запротестовала Холли. — Я сама…

— Когда? В будущем году? Мне не нравится, что ты живешь в помойке, а мы все делаем вид, что ничего не замечаем. Почему бы тебе не пойти наверх и не принять душ, а потом, когда ты спустишься, выпьем чаю?

Душ. Когда она мылась в последний раз? Шэрон права, она, наверное, выглядит ужасно — сальные волосы с отросшими темными корнями, грязный халат. Халат Джерри. Эту вещь она ни за что не стала бы стирать. Она хотела, чтобы халат оставался в точности таким, каким его носил Джерри. К сожалению, запах Джерри постепенно выветривался, сменяясь противным запахом ее собственного немытого тела.

— Хорошо, только молока нет. Я давно не выходила…

Холли стало стыдно, что она так запустила себя и свой дом. Она ни за что не позволит Шэрон заглянуть в холодильник, иначе та точно сдаст ее в психушку.

— Танцуй! — пропела Шэрон, покачивая пакетом, которого Холли вначале не заметила. — Не волнуйся, я обо всем позаботилась. Судя по твоему виду, ты несколько недель не ела.

— Спасибо, Шэрон. — В горле Холли образовался комок, на глаза навернулись слезы.

— Стоп! Сегодня никаких слез! Только веселье, смех и всеобщее счастье! Вот так-то, дорогая подруга. А теперь быстро в душ!

Когда Холли снова спустилась вниз, она чувствовала себя почти человеком. Она надела голубой спортивный костюм и распустила свои длинные светлые — темные у корней — волосы. Все окна внизу были распахнуты настежь, и в лицо ей дунуло прохладным ветерком. Ей даже показалось, что он уносит прочь всю ее печаль и страхи. Мысль о том, что, возможно, ее мать все-таки права, вызвала у Холли улыбку. Она сбросила оцепенение, огляделась вокруг и от удивления разинула рот. Она отсутствовала не больше получаса, но за это время Шэрон успела все пропылесосить, вымыть полы, вытереть пыль, взбить подушки на диване и разбрызгать во всех комнатах освежитель воздуха. Холли двинулась на шедший из кухни звук — это Шэрон чистила плиту. Столы и шкафы, краны и сушка для посуды сверкали чистотой.

— Шэрон, ты просто ангел! Я поверить не могу, что ты все это сделала. Когда ты успела?!

— Ха! Тебя больше часа не было. Я уж начала думать, что тебя засосало в слив. Что при твоих нынешних размерах пара пустяков. — Она оглядела Холли с ног до головы.

Неужели целый час? Холли, похоже, снова бредила наяву.

— Короче, я купила овощи и фрукты, сыр и йогурты, и молоко конечно. Где ты держишь макароны и консервы, я не знаю, поэтому пока положила их вот сюда. А в морозильник сунула несколько упаковок готовых ужинов — разогреешь в микроволновке. На какое-то время тебе хватит. Правда, судя по твоему виду, тебе этого и за год не съесть. На сколько ты похудела?

Холли взглянула на себя. Спортивные штаны сзади обвисли и, несмотря на то что пояс на талии она затянула как можно туже, уже успели сползти до самых бедер. А она и не заметила, что так сильно похудела.

Голос Шэрон снова вернул ее к реальности:

— Я купила тебе печенье к чаю — «Джэмми Доджерс», твое любимое.

Ну нет, это уже слишком. Мысль о печенье опять вызвала у нее слезы.

— Спасибо тебе, Шэрон, — запричитала она, — спасибо! Ты такая добрая, а я, я вела себя как последняя стерва! — Она села за стол и схватила Шэрон за руку. — Не знаю, что бы я без тебя делала! — Шэрон сидела напротив нее в молчании, словно приглашая подругу излить душу. Именно этого Холли и боялась — что может разрыдаться на людях в самый неподходящий момент. Но сейчас она не чувствовала стыда. Шэрон спокойно пила свой чай и держала Холли за руку, как будто так и надо. Наконец она перестала плакать.

— Спасибо.

— Я твоя лучшая подруга, Хол. Если не я, то кто тебе поможет? — сказала Шэрон, сжав руку Холли и ободряюще улыбнувшись.

— Наверное, я сама могла бы помочь себе.

— Ну-ну, — фыркнула Шэрон, махнув рукой. — Поможешь, когда будешь к этому готова. И не обращай внимания на тех, кто говорит, что ты должна вернуться к нормальной жизни через месяц. Горе — это тоже часть помощи самой себе.

Шэрон всегда умела найти правильные слова.

— Ага, по этой части я уже профессионал. Горе льется из меня рекой.

— Еще бы! — сказала Шэрон в шутливом раздражении. — Всего через месяц после того, как ты похоронила мужа.

— Ой, не надо об этом! Хотя ведь остальные будут постоянно мне об этом напоминать, правда?

— Наверное, но наплюй на них! Есть грехи пострашнее, чем снова научиться быть счастливой.

— Наверное.

— Пообещай мне, что начнешь есть.

— Обещаю.

Они помолчали.

— Спасибо, что зашла, Шэрон. Я правда рада, что мы с тобой поговорили, — сказала Холли, с благодарностью обнимая подругу. — Мне уже намного лучше.

— Знаешь, тебе надо чаще бывать с людьми, Хол. Друзья и родные — хорошая помощь. Хотя твои родные вряд ли, — пошутила Шэрон. — Но уж мы-то, по крайней мере, всегда подставим тебе плечо.

— Теперь я это понимаю. Просто сначала я думала, что смогу справиться сама.

— Пообещай, что заедешь к нам. Или хотя бы выберешься из дома.

— Обещаю. — Холли закатила глаза. — Ты говоришь, как моя мать.

— Мы просто все за тебя волнуемся. Ну ладно, увидимся! — сказала Шэрон, целуя Холли в щеку. — И ешь! — добавила она, ткнув ее пальцем в ребра.

Холли помахала Шэрон рукой, когда та отъезжала от ее дома. Уже почти стемнело. Они провели вместе весь день, смеясь над общим прошлым, потом поплакали и снова смеялись, а потом опять плакали. Холли взглянула на происшедшее глазами Шэрон. До этого Холли даже не думала, что Шэрон и Джон потеряли своего лучшего друга, что ее родители потеряли зятя, а родители Джерри — своего единственного сына. Она была слишком занята мыслями о самой себе. Хорошо снова быть с живыми — куда лучше, чем тосковать по призракам прошлого. Завтра будет новый день. Завтра она обязательно заберет тот конверт.

Глава четвертая

Холли хорошо начала утро пятницы — во-первых, встала рано. И все же, хотя спать она ложилась полной оптимизма в радостном предвкушении новых перспектив, утром на нее снова обрушилась жестокая реальность: отныне ничто в ее жизни не будет таким, как прежде. Она снова проснулась в пустой постели, в тишине пустого дома. Впрочем, кое-что изменилось. Впервые за целый месяц она проснулась сама, никто не будил ее телефонным звонком. И, как и каждое утро, ей опять пришлось мучительно приучать себя к мысли о том, что сны, в которых они с Джерри были вместе, — не более чем сны.

Она приняла душ, натянула свои любимые удобные джинсы, светло-розовую футболку, обулась в кроссовки. Насчет ее веса Шэрон попала в самую точку: джинсы, когда-то сидевшие на ней в обтяжку, теперь держались на талии только благодаря ремню. Она скорчила собственному отражению в зеркале гримасу. Выглядела она ужасно: темные круги под глазами, потрескавшиеся искусанные губы, на голове полный кошмар. Первым делом она должна отправиться к парикмахеру и упросить, чтобы он принял ее без записи.

— Го-о-осподи, Холли! — воскликнул Лео, ее стилист. — Ты только посмотри на себя! На кого ты похожа! Люди, расступитесь, дайте ей пройти! Пропустите! У меня здесь женщина в критическом состоянии! — Он подмигнул ей, продолжая теснить посетителей и работников салона. Затем выдвинул кресло и втолкнул ее в него.

— Спасибо, Лео. Теперь я чувствую себя очень привлекательной, — пробормотала Холли, стараясь спрятать свое лицо цвета помидора.

— И совершенно напрасно, потому что выглядишь ты ужасно. Сандра, смешай мне то же, что всегда. Колин, готовь фольгу! Таня, принеси мне мою сумку со второго этажа! Да, и скажи Уиллу, чтобы не вздумал уйти обедать, — он будет стричь мою клиентку, которая записана на двенадцать. — Лео раздавал приказы, размахивая руками, как безумный, как будто ему предстояла срочная хирургическая операция. Вероятно, так оно и было.

— Извини, Лео, я не хотела путать твои планы.

— Конечно, хотела, дорогая. Иначе зачем бы ты прибежала сюда в обеденное время в пятницу без записи? Ради мира во всем мире?

Холли виновато прикусила губу.

— Но я бы не поменял свои планы ни для кого, кроме тебя, дорогая.

— Спасибо.

— Ну как ты? — Он повернулся лицом к Холли, пристроив свою худую задницу на край стола. Ему было уже за пятьдесят, но выглядел он не старше тридцати пяти. С волосами цвета меда, прекрасно гармонировавшими с такой же медовой кожей, всегда безупречно одетый, он одним своим присутствием заставлял любую женщину почувствовать себя замарашкой.

— Ужасно.

— Заметно.

— Спасибо.

— Ну, по крайней мере, когда ты отсюда выйдешь, одна из твоих проблем будет решена. Я занимаюсь волосами, а не сердцами.

Холли благодарно улыбнулась за такой своеобразный способ выказывать сочувствие.

— Го-о-осподи, Холли! Разве ты не заметила, что написано на двери салона?! «Маг и волшебник»! Ты бы видела, кто у меня сегодня был. Молодящаяся старуха лет под шестьдесят. Дает мне журнал с Дженнифер Энистон на обложке и заявляет: «Хочу выглядеть точно так же».

На лице Лео появилось такое выражение, что Холли расхохоталась. Рассказывая, он корчил гримасы и бурно жестикулировал.

— Господи ты боже мой, говорю я ей, я парикмахер, а не пластический хирург! Есть только один способ сделать так, чтобы вы выглядели, как она, — вырезать из журнала фотографию и прикрепить ее степлером к вашей голове.

— Не может быть! — От удивления у Холли отвисла челюсть. — Лео, неужели ты ей так и сказал?

— Так и сказал! Кто-то же должен был сказать ей правду! И разве я ей этим не помог? Заявилась сюда одетая, как тинейджер. Ты бы ее видела!

— И что она ответила? — Холли вытерла слезы, выступившие на глаза от смеха. Она несколько месяцев так не смеялась.

— Ну, я полистал журнал, нашел симпатичную фотографию Джоан Коллинз и сказал, что это как раз для нее. Она вроде осталась довольна.

— Лео, может, ты просто слишком ее запугал? Попробовала бы она сказать, что недовольна!

— Да мне все равно! У меня и без нее друзей хватает.

— Не ясно только откуда, — засмеялась Холли.

— Не двигайся, — приказал ей Лео. Неожиданно он стал очень серьезным. Разделяя волосы Холли на пряди, чтобы начать окраску, он сжал губы с таким сосредоточенным видом, что Холли снова не выдержала.

— Ну хватит, Холли! — сказал Лео в отчаянии.

— Ничего не могу с собой поделать! Сам меня рассмешил, а теперь я не могу остановиться...

Лео замер и бросил на нее веселый взгляд:

— Я всегда говорил, что ты кончишь в психушке. Только меня никто никогда не слушает.

Она залилась еще пуще:

— Прости, Лео. Не знаю, что со мной, просто не могу остановиться. — От смеха у Холли заболел живот. Она видела, что клиенты салона удивленно косятся на нее, но перестать смеяться не могла. Как будто весь смех, скопившийся за последние два месяца, хлынул из нее разом.

Лео оперся о стойку и смотрел на нее:

— Слушай, брось извиняться! Смейся сколько хочешь. Говорят, для сердца полезно.

— Я давно так не смеялась, — сквозь смех проговорила Холли.

— Мне кажется, у тебя давно не было повода, — грустно улыбнулся Лео. Он тоже любил Джерри. Они подкалывали друг друга, когда встречались, но оба понимали, что это в шутку. Лео вышел из задумчивости, игриво взъерошил волосы Холли и поцеловал ее в макушку. — У тебя все будет хорошо, Холли Кеннеди.

— Спасибо, Лео, — сказала она, успокаиваясь. Ее тронула его забота. Он принялся за работу, и на его лице снова появилось забавное выражение сосредоточенности, опять рассмешившее Холли.

— Смейся, смейся... Посмотрим, что ты скажешь, если чисто случайно я тебя покрашу в полоску. Посмотрим, кто тогда будет смеяться.

— А как там Джо? — спросила Холли, меняя тему, пока на нее не напал новый приступ смеха.

— Он меня бросил, — сказал Лео, агрессивно нажимая ногой на педаль кресла, отчего Холли начала рывками подниматься выше.

— О-о-о, Лео, как жа-а-а-алко... Вы были такой чудесной па-а-а-арой.

— Наверное. Но мы больше не пара. Мне кажется, он с кем-то встречается. Слушай, я использую два оттенка: золотистый и светлый, который был у тебя раньше. Иначе получится медный, а его я приберегаю только для дам легкого поведения.

— О, Лео. Мне так жаль. Будь у него мозги, он бы понял, как много потерял.

— Значит, у него их нет. Мы разошлись два месяца назад, но пока он этого не понял. Или понял, но ему все равно. И вообще, мужчины мне надоели. Я склоняюсь к традиционной ориентации.

— В жизни не слышала ничего глупее, Лео...

Холли выскочила из салона в отличном настроении. Она была одна, без Джерри, и несколько мужчин посмотрели в ее сторону. Отвыкшая от такого внимания, она смутилась и поспешила спрятаться в машине. Надо подготовиться к встрече с родителями. Пока день складывался удачно. Она правильно поступила, побывав у Лео. Несмотря на свое разбитое сердце, он так старался ее рассмешить. Холли это оценила.

Она остановила машину возле родительского дома в Портмарноке и, прежде чем выйти, глубоко вдохнула. Рано утром Холли позвонила матери — договориться, когда они увидятся, чем немало ее удивила. Сейчас часы показывали половину четвертого, Холли сидела в машине рядом с родительским домом, и ее бил легкий озноб. В последние два месяца Холли почти не общалась с родителями, хотя они несколько раз навещали ее. Она не хотела ничьей заботы, не хотела, чтобы ее постоянно спрашивали, как она себя чувствует и что собирается делать дальше. Но теперь настало время побороть страх. Ведь это же ее семья.

Прямо через дорогу от дома лежало море. На пляже развевался голубой флаг — свидетельство его чистоты. Холли вышла из машины и посмотрела на море. Она жила здесь с рождения до того дня, когда переехала к Джерри. Она любила слушать, как волны бьются о камни, как взволнованно кричат чайки. Пляж вместо сада перед домом — разве это не здорово, особенно летом? Шэрон жила за углом, и в жаркие дни девчонки в своих лучших летних платьях бегали через дорогу, высматривая самых симпатичных мальчиков. Холли и Шэрон были полной противоположностью друг другу: Шэрон — белокожая брюнетка с большим бюстом, Холли — смугловатая блондинка с маленькой грудью. Шэрон всегда вела себя шумно, перекрикивалась с мальчишками, приглашая их присоединиться к ним. Холли предпочитала молчаливый флирт — она просто сидела и смотрела на понравившегося мальчика, пока тот этого не заметит. На самом деле обе они с тех пор не слишком сильно изменились.

Холли не собиралась долго сидеть у родителей. Перекинется парой слов с матерью и заберет конверт — неужели это и в самом деле письмо от Джерри? — вот и все. Сколько можно мучиться, раздумывая, что же там такое? Сделав глубокий вдох, она нажала на звонок и растянула свой рот в улыбке.

— Привет, детка! Входи, входи! — Мать встретила ее, как всегда, ласково. Всякий раз, видя это доброе лицо, Холли хотелось его расцеловать.

— Привет, мам! Как ты? — Холли вошла и сразу почувствовала уютный запах родного дома. — Ты одна?

— Да. Отец с Декланом поехали покупать краску для его комнаты.

— Только не говори мне, что вы с папой до сих пор все ему покупаете!

— Ну, отец наверное, а я точно нет. Деклан теперь работает по ночам, так что хоть какие-то карманные деньги у него есть. Но на хозяйство не тратит ни пенни, — усмехнувшись, сказала она, провела Холли на кухню и поставила чайник.

Младший брат Холли Деклан до сих пор считался в семье «малышом», и родители все еще полагали, что должны его баловать. Но «малышу» стукнуло уже двадцать два, он учился в колледже на кинопродюсера и постоянно носился с камерой в руках.

— И что за работу он нашел?

Мать подняла глаза к небу:

— Играет в какой-то группе. «Рыба в оргазме», или что-то в этом роде. Мне до смерти надоело слышать об этом, Холли. Если опять начнет плести, кто пришел к ним на концерт, обещал контракт, чтобы они поскорее прославились, я с ума сойду.

— Ах, бедный Дек. Не волнуйся, он в конце концов что-нибудь найдет.

— Да знаю. На самом деле о нем я волнуюсь меньше, чем о любом из вас. Он себе место в жизни найдет.

Они взяли чашки, прошли в гостиную и сели перед телевизором.

— Ты прекрасно выглядишь, киска. Удачный цвет. Как ты думаешь, Лео согласится надо мной поработать? Или я для этого слишком старая?

— Ну, если ты не хочешь прическу, как у Дженнифер Энистон, у тебя не будет с ним проблем. — Холли пересказала матери историю про клиентку парикмахера, и обе покатились со смеху.

— Выглядеть, как Джоан Коллинз, я тоже не хочу, поэтому мне лучше держаться от него подальше.

— Мудрое решение.

— Как дела с поисками работы? — Мать говорила небрежным тоном, но Холли знала, что этот вопрос ее всерьез беспокоит.

— Пока ничего не нашла. Если честно, я еще и не начинала искать. Не знаю, чем бы я хотела заниматься.

— Ну и правильно, — кивнула мать. — Не торопись. Подумай хорошенько, чего хочешь, а то опять будешь ненавидеть свою работу, как в прошлый раз. — Холли удивилась, услышав это. По правде сказать, в эти дни ее все удивляли. Возможно, это с ней что-то не так, а не с остальным миром.

До последнего времени Холли работала секретарем в адвокатской конторе, у редкостного мешка с дерьмом. Ей пришлось уволиться, потому что этот урод не понимал, что у нее умирает муж и ей нужно время, чтобы быть с ним. Теперь снова придется искать. Нет, не мужа. Работу. Но пока сама мысль о том, чтобы вставать рано утром и идти на службу, казалась ей невозможной.

Холли просидела с матерью еще часа два. Они болтали о том о сем, пока Холли наконец не набралась храбрости и не спросила про конверт.

— Ой, конечно, детка, я совсем о нем забыла. Он давно тут лежит. Надеюсь, в нем нет ничего важного.

— Скоро узнаю.

Они попрощались. Холли не терпелось остаться одной.

Усевшись на лужайке, с которой открывался вид на золотистый пляж, Холли погладила конверт руками. Мать описала его не совсем точно. Это оказался вовсе не конверт, а толстый пакет из коричневой бумаги. Адрес, напечатанный на белой наклейке, никакого имени отправителя. И самое главное — слово «СПИСОК», набранное крупным жирным шрифтом прямо над адресом.

Ее опять затрясло. Если это не от Джерри, значит, ей придется наконец смириться с тем, что он окончательно ушел из ее жизни, придется думать, как существовать без него. Но если это *от него...* Тогда в этом будущем без Джерри у нее по крайней мере останется от него хоть что-то. Новое воспоминание. Воспоминание, которое она сохранит на всю жизнь.

Дрожащими пальцами она осторожно надорвала край пакета и, перевернув, вытряхнула его содержимое. На траву выпало десять маленьких конвертиков — такие обычно прикрепляют к букету цветов. На каждом значилось название месяца. Ее сердце остановилось на несколько мгновений, когда на листе бумаги, выскользнувшем из пакета, она увидела знакомый почерк.

Она узнала руку Джерри.

Глава пятая

У Холли перехватило дыхание. Со слезами на глазах, с колотящимся сердцем она читала письмо, а в голове у нее билась одна мысль: человек, который написал эти слова, больше никогда ничего не напишет. Она провела пальцами по строчкам, написанным рукой Джерри, зная, что последним, кто прикасался к ним до нее, был он.

«Моя любимая Холли!

Не знаю, где ты и когда именно ты это читаешь. Просто надеюсь, что ты здорова и с тобой все в порядке. Недавно ты прошептала мне, что не сможешь жить дальше. Ты можешь, Холли.

Ты сильная и храбрая. Ты можешь с этим справиться. Мы провели вместе множество прекрасных минут, и ты сделала мою жизнь... Да нет, ты просто была моей жизнью. Я ни о чем не жалею.

Но я — лишь глава в твоей жизни, а их будет еще много. Помни наши прекрасные минуты, но, пожалуйста, не бойся проживать новые.

Спасибо тебе за то, что ты оказала мне честь, став моей женой. Я тебе вечно благодарен за все.

Когда бы я тебе ни понадобился, помни, что я с тобой.

С вечной любовью,
твой муж и лучший друг Джерри

P.S. Я обещал составить для тебя список, так что вот он. Вскрывай конверты в те месяцы, которые на них указаны, и обязательно выполняй все указания. Помни, я присматриваю за тобой. Если ослушаешься, я все узнаю…»

Холли разрыдалась. Горе снова обрушилось на нее всей тяжестью. Вместе с тем она почувствовала облегчение: Джерри еще побудет с ней какое-то время. Она перебрала маленькие белые конверты с названиями месяцев. Так, сейчас апрель. Март уже прошел, поэтому она осторожно взяла мартовский конверт. Холли открывала его медленно, растягивая сладкие мгновения. Внутри лежала маленькая карточка, на которой почерком Джерри было написано:

«Купи ночник и избавься от синяков!
P.S. Я люблю тебя…»

Холли сама не заметила, как перестала плакать и тихонько засмеялась. Ее Джерри вернулся!

Она снова и снова перечитывала письмо, вызывая в памяти его образ, пока глаза опять не заволокло слезами и строчки не начали расплываться. Она перевела взгляд на море. Вид моря всегда успокаивал ее. Ребенком она часто бегала сюда, когда у нее случались огорчения и она хотела спокойно все обдумать.

Родители знали: если Холли нет в доме, значит, она на берегу.

Она закрыла глаза и задышала в такт с ласковыми волнами. Море словно тоже дышало, то глубоко вбирая в себя воду, то выталкивая ее обратно на песок. Она продолжала дышать в одном ритме с морем, и вскоре сердце забилось ровнее, она успокоилась. Ей вспомнилось, как в самые последние дни она ложилась рядом с Джерри и слушала его дыхание. Она боялась оставить его даже на минуту, чтобы открыть дверь, приготовить поесть или сходить в туалет, боялась, что он именно в этот миг покинет ее. Возвращаясь к его постели, она в ужасе замирала, прислушивалась к звуку его дыхания и смотрела, поднимается ли его грудь.

И он ее дожидался. Своей силой и решимостью жить Джерри ставил докторов в тупик, не собираясь сдаваться без боя. И до самого конца сохранил чувство юмора. Он совсем ослаб, голос его звучал чуть слышно, но Холли научилась понимать его новый язык, как мать понимает лепет ребенка, который только учится говорить. Иногда они смеялись вместе до глубокой ночи, иногда обнимали друг друга и плакали. До самого конца Холли оставалась сильной, потому что понимала: она должна быть рядом, когда ему понадобится помощь. Только теперь до нее дошло: она нуждалась в нем больше, чем он в ней. Сознание того, что она ему нужна, позволяло ей не просто праздно стоять рядом с ним, чувствуя себя отчаянно беспомощной.

Второго февраля в четыре часа утра, когда Джерри сделал последний вдох и закрыл глаза, Холли крепко держала его за руку и ободряюще улыбалась ему. Она не хотела, чтобы он боялся, не хотела, чтобы он видел ее страх, — по правде сказать, в тот момент она не испытывала никакого страха. Она почувствовала одно только облегчение: потому что он перестал страдать, потому что она сидела рядом, когда он тихо угас. Она радовалась тому, что знала и любила его и он ее любил, радовалась, что последним, что он видел, стали ее лицо и улыбка, без слов говорившая ему, что его мучениям приходит конец.

Последующие дни слились для нее в одно смутное пятно. Она занималась приготовлениями к похоронам, встречалась и разговаривала с родственниками и старыми школьными друзьями, которых не видела много лет. Все это время она оставалась спокойной и сильной, способной здраво рассуждать. И благодарила судьбу, что месяцы его страдания кончились. Ни следа злости или обиды за жизнь, которую у нее отняли. Чувство потери пришло позже, когда она отправилась за свидетельством о смерти мужа.

Но когда оно пришло, то накрыло ее с головой.

Она ждала своей очереди в битком набитом холле местной больницы, и тогда ее вдруг пронзила мысль: почему очередь Джерри наступила так рано. С двух сторон от нее сидели, тесно прижавшись друг к другу, две пары — совсем юная и пожилая. Ей подумалось, что она сейчас сидит между своим и Джерри прошлым и будущим — будущим, которого у них уже не будет. Вся несправедливость случившегося вдруг обрушилась на нее. Плечи прошлого и несбывшегося будущего сдавили ее так, что она начала задыхаться. Она не должна быть здесь!

Никто из ее друзей не сидел здесь.

Никто из родственников.

Если уж на то пошло, большая часть населения Земли понятия не имела, что это такое — сидеть вот здесь.

Это показалось ей чудовищно несправедливым.

Это и было несправедливо.

Устав без конца предъявлять служащим банков и страховых компаний официальное доказательство смерти своего мужа — как будто одного ее вида им не хватило бы, — Холли вернулась домой, забилась в свою нору и отгородилась от мира, в котором осталось слишком много воспоминаний о ее прежней жизни. В той жизни она была безмерно счастлива. Но почему тогда ей дали другую жизнь, намного хуже той, прежней?

Это случилось два месяца назад, и до сегодняшнего дня она не покидала дома. Но какой радушный прием, оказывается, ее ждал, думала она, с улыбкой глядя на конверты. Джерри вернулся.

Холли с трудом сдерживала волнение, дрожащими пальцами набирая номер Шэрон. Несколько раз попав не туда, она все-таки сосредоточилась и набрала нужные цифры.

— Шэрон! — закричала она, как только на том конце взяли трубку. — Ты ни за что не догадаешься! Господи, я не могу в это поверить!

— Э-э, нет... Это Джон, но сейчас я ее позову. — Обеспокоенный Джон поспешил за Шэрон.

— Что, что, что? — проговорила запыхавшаяся Шэрон. — Что случилось? Ты в порядке?

— Да, у меня все хорошо! — Холли истерически взвизгнула, не зная, смеяться ей или плакать, и вдруг поняла, что не помнит, как соединять слова в предложения.

Джон смотрел, как Шэрон с растерянным видом присела за кухонный стол. Она напряженно вслушивалась в то, что на другом конце провода сбивчиво объясняла ей Холли. Вроде бы, с трудом разобрала Шэрон, миссис Кеннеди дала Холли коричневый пакет, в котором находился ночник. Все это очень ей не понравилось.

— *Хватит!* — крикнула Шэрон, изумив Холли и Джона. — Я ни слова не понимаю! Поэтому, пожалуйста, — очень медленно произнесла она, — остановись, сделай глубокий вдох и начни с самого начала, желательно по-английски.

Неожиданно она услышала тихие всхлипывания.

— О, Шэрон, — заговорила Холли слабым голосом, — он составил для меня список. Джерри составил для меня список.

Шэрон застыла, переваривая новость.

Джон увидел, как расширились глаза его жены, быстро придвинул стул, сел рядом с ней и приблизил голову к телефонной трубке, чтобы слышать разговор.

— Хорошо, Холли. Я хочу, чтобы ты как можно скорее приехала сюда, но в целости и сохранности. — Она снова сделала паузу и хлопнула Джона по голове, словно назойливую муху, мешающую ей сосредоточиться на только что услышанном. — Это ведь... хорошие новости?

Джон с обиженным видом встал из-за стола и, не понимая, что происходит, начал ходить взад-вперед по кухне.

— Конечно, Шэрон, — всхлипывала Холли. — Прекрасные!

— Хорошо, приезжай к нам, и мы все обсудим.

— Хорошо.

Шэрон повесила трубку и продолжала молча сидеть в задумчивости.

— Что там еще? Что случилось? — Джон требовал объяснений, не желая оставаться в неведении.

— Ой, прости, любимый. Холли едет к нам. Она… м-м-м… Она сказала, что… Э-э-э…

— Что? Господи, да говори же!

— Она сказала, что Джерри составил для нее список.

Джон внимательно посмотрел на нее, не решаясь поверить, что это не шутка. Когда Шэрон подняла на него обеспокоенный взгляд, он понял, что ей не до шуток. Он сел рядом с ней за стол, и оба в молчании уставились на стену, погрузившись каждый в свои мысли.

Глава шестая

— Вау, — только и смогли вымолвить Шэрон и Джон, когда вместе с Холли они все втроем устроились за кухонным столом и принялись разглядывать содержимое пакета. На протяжении последних минут разговор между ними сводился к минимуму — каждый пытался разобраться в собственных чувствах. Изредка они обменивались отрывистыми репликами:

— Но как ему удалось…

— И как мы не заметили, что он… Ну… Господи…

— Как ты думаешь, когда он?.. Ну да, наверное… Он же иногда оставался один…

Холли и Шэрон просто сидели, глядя друг на друга, а Джон, запинаясь и заикаясь, пытался рассуждать вслух. Когда и как его смертельно больной друг сумел в одиночку осуществить свою идею так, что никто ни о чем не догадался.

— Вау, — в конце концов повторил он, придя к заключению, что Джерри вполне мог все это проделать сам.

— Разумеется, — согласилась Холли. — Значит, вы оба понятия об этом не имели?

47

— Ну, не знаю, как для тебя, Холли, но для меня очевидно, что тайным вдохновителем всей затеи был Джон, — с сарказмом заметила Шэрон.

— Ха-ха, — сухо ответил Джон. — В любом случае он сдержал свое слово, не так ли? — Джон с улыбкой посмотрел на обеих женщин.

— Это точно, — тихо сказала Холли.

— Холли, ты как? — снова спросила явно обеспокоенная Шэрон. — Что ты обо всем этом думаешь? Все-таки это выглядит... как-то странно...

— Да я нормально. — Холли задумалась. — Если честно, я думаю, что это лучшее, что могло сейчас произойти! И, собственно, почему мы так удивляемся? Мы же без конца говорили о списке. Наверное, мне следовало ожидать чего-то в этом роде.

— Говорить говорили, но кто же мог подумать, что он это сделает! — не согласился Джон.

— Но почему нет? — спросила Холли. — В этом была вся идея! Помочь тому, кого любишь, когда тебя не станет.

— Мне кажется, Джерри единственный из всех нас отнесся к этому серьезно.

— Шэрон, Джерри — единственный из нас, кто умер! Откуда нам знать, как мы бы к этому отнеслись, окажись мы на его месте?

Все замолчали.

— Слушайте, давайте все это получше изучим, — оживился Джон, неожиданно для себя начавший получать от происходящего удовольствие. — Сколько всего конвертов?

— М-м-м... десять, — посчитала Шэрон, сменив тон на деловой.

— На какие месяцы? — продолжил Джон.

Холли разложила конверты по порядку.

— Март, про лампу, этот я уже открыла. Дальше апрель, май, июнь, июль, август, сентябрь, октябрь, ноябрь и декабрь.

— То есть по одному посланию на каждый месяц до конца года, — медленно сказала Шэрон.

Они все подумали об одном и том же: Джерри планировал свою затею, зная, что не доживет до марта. После короткого молчания Холли вдруг посмотрела на своих друзей с выражением счастья на лице. Что бы ни приготовил для нее Джерри, в любом случае благодаря ему она уже чувствовала себя почти нормально. Они с Джоном и Шэрон строили шутливые догадки о содержимом других конвертов, и все это время ей казалось, что Джерри все еще с ними.

— Погодите! — строго прикрикнул на них Джон.

— Что?

Джон подмигнул Холли своими голубыми глазами:

— Сейчас апрель, а ты еще не открыла конверт.

— Ой, я и забыла! Может, вскрыть прямо сейчас?

— Давай, — подбодрила ее Шэрон.

Холли взяла конверт и начала медленно открывать его. После этого их останется всего восемь, и ей хотелось насладиться каждой секундой ожидания неизвестного, пока оно не превратится в еще одно воспоминание.

Она достала из конверта карточку.

«Диско-дива всегда должна выглядеть лучше всех. Пойди и купи себе новый наряд. Он тебе понадобится в следующем месяце!

P.S. Я люблю тебя...»

— О-о-о-о, — в волнении пропели Джон и Шэрон, — он начинает говорить загадками!

Глава седьмая

Холли лежала на кровати, с улыбкой на лице механически включая и выключая ночник. Они с Шэрон поехали за ним в магазин «Кровати, ручки и швабры» в Малахайде и в конце концов выбрали эту лампу на красивой резной деревянной ножке под кремовым абажуром, которая прекрасно подходила к деревянной мебели и кремовым тонам спальни Холли (естественно, дабы не нарушать традицию, они отдали предпочтение безумно дорогой модели). И хотя Джерри не стоял рядом с ней в магазине, ее не покидало чувство, что они сделали эту покупку вместе.

Чтобы опробовать свое приобретение, она задернула в спальне шторы. Свет лампы делал атмосферу спальни мягче и теплее. Как легко эта лампа прекратила бы их ежевечерние споры! Впрочем, неизвестно, хотели ли они их прекращать.

Эти привычные шутливые ссоры заставляли их еще острее ощущать близость друг к другу. Она отдала бы все что угодно, чтобы сейчас поучаствовать в такой вот ссоре. И с радостью вылезла бы ради него из мягкой и теплой постели, прошла бы по холодному полу и ударилась ногой о ножку кровати, на ощупь возвращаясь в темноте к постели. Но это время ушло навсегда.

Ее вернула к реальности мелодия песни Глории Гейнор «I Will Survive». Звонил мобильный.

— Алло!

— Привет, это я! — завизжал знакомый голос. — Я до-о-о-о-ома!

— О боже, Киара! Я и не знала, что ты приезжаешь!

— Ну, вообще-то я тоже не знала, но у меня кончились деньги, и я решила сделать вам всем сюрприз!

— Вау! Представляю, как удивились мама с папой.

— Ну, папа так испугался, что уронил полотенце, которым прикрывался. Он как раз выходил из душа.

Холли прикрыла лицо рукой:

— Киара, как ты могла!

— Обниматься к нему я сразу не полезла! — засмеялась Киара.

— Гадость какая! Смени тему, а то я начинаю представлять себе эту сцену, — сказала Холли.

— Короче, я звоню сказать, что я дома и что мама собирает сегодня всех на праздничный ужин.

— А что празднуем?

— То, что я жива.

— А, хорошо. Я уж думала, ты собираешься о чем-то объявить.

— О том, что я жива.

— Хорошо. И кто будет?

— Вся семья.

— Ой, я совсем забыла! Я же сегодня иду к зубному! Он вырвет мне все зубы, так что я прийти не смогу.

— Как я тебя понимаю! Я сказала маме то же самое. Но мы и правда так давно все вместе не собирались. Когда ты в последний раз видела Ричарда и Мередит?

— Ну как же, милый добрый Дик! На похоронах он просто блистал. Сказал мне массу мудрых и утешительных вещей. Типа: «А ты не думала пожертвовать его мозг для медицинских исследований?» Прелесть что за брат у нас с тобой.

— О черт, Холли, извини. Я забыла про похороны. — Голос ее сестры изменился. — Прости, что не смогла приехать.

— Киара, не говори глупостей, мы обе решили, что тебе лучше остаться в Австралии, — быстро сказала Холли. — Слишком дорого летать туда-сюда, так что не будем об этом, хорошо?

— Ладно.

Холли предпочла сменить тему:

— Ты сказала, вся семья. Кого ты имела в виду?

— Ну как кого? Ричард и Мередит явятся с нашими чудесными племянником и племянницей. Радуйся, будут Джек и Эбби. Деклан будет с нами телом, но, возможно, не душой, мама, папа, я, само собой, и ты тоже *будешь* с нами.

Холли застонала. Как бы она ни жаловалась на своих родных, с братом Джеком у нее сложились прекрасные отношения. Старше ее всего на два года, он с самого детства был к ней ближе всех остальных, к тому же всегда ее защищал. Мать звала их «парочкой эльфов», потому что они беспрестанно замышляли какие-нибудь шалости, жертвой которых чаще всего становился их старший брат Ричард. Джек походил на Холли и внешне, и характером, и она считала его самым нормальным из всех своих братьев. Их отношения особенно окрепли после того, как Холли подружилась с Эбби — девушкой Джека, с которой брат жил уже семь лет. Когда был жив Джерри, они вчетвером часто ходили в ресторан или в бар. Когда был жив Джерри... Боже, как страшно это звучало.

Зато Киара была совершенно не похожа на Холли. Джек и Холли были уверены, что она прилетела с планеты Киара с населением один человек. Длинноногая и темноволосая, Киара была копией отца. Она объездила чуть ли не весь мир, и в этих поездках разукрасила свое тело множеством татуировок — не считая пирсинга. По татуировке на страну, шутил отец. По татуировке на мужчину, подозревали Холли с Джеком.

Естественно, их старший брат Ричард (он же Дик, как называли его Джек и Холли) смотрел на это легкомыслие крайне неодобрительно. Ричард страдал серьезным заболеванием — он родился на свет стариком. Вся его жизнь вращалась вокруг выполнения правил, предписаний и инструкций. Помнится, в детстве у него был дружок, и как-то раз, им было тогда лет по десять, они подрались. После этого, насколько помнила Холли, он никогда никого не приводил домой. И девушки у него отродясь не было, и вообще он никуда не ходил и ни с кем из сверстников не общался. Холли и Джек считали чудом, что он встретил свою столь же унылую жену Мередит. Не иначе, на семинаре «Что такое счастье и как с ним бороться».

Холли не думала, что у нее самая плохая семья на свете, просто они представляли собой довольно причудливое смешение характеров. Слишком разные, они без конца ссорились или, как предпочитали выражаться родители, затевали серьезные дискуссии, к тому же в самое неподходящее время. Они могли и поладить, но для этого требовалось, чтобы каждый изо всех сил постарался вести себя как можно лучше.

Холли с Джеком часто вместе ходили обедать или встречались вечером в баре, просто чтобы узнать друг у друга, как дела. Они действительно интересовались друг другом. Холли нравилось общество брата, с которым ее связывала настоящая дружба. В последнее время они почти не виделись. Прекрасно понимая Холли, Джек знал, когда ей лучше побыть одной.

О том, что новенького у ее младшего брата Деклана, Холли узнавала, только если звонила родителям, а к телефону подходил сам Деклан, не склонный к излишней разговорчивости. Этот «мальчик» двадцати двух лет от роду до сих пор чувствовал себя неуютно в компании взрослых, и поэтому Холли редко удавалось выжать из него хоть что-нибудь. Неплохой, в сущности, парень, вот только немного витающий в облаках.

Холли соскучилась по Киаре — двадцатичетырехлетняя младшая сестра отсутствовала целый год. Слишком разные, даже девчонками они никогда не менялись нарядами и не хихикали по поводу знакомых мальчиков. Но все же они оставались сестрами в семье, где росло еще три брата, и это их объединяло. Ближе всех Киара была к Деклану — оба мечтатели. Джек и Холли, неразлучные в детстве, продолжали дружить и когда выросли. Оставался Ричард. Он всегда держался в семье наособицу, но Холли подозревала, что ему это даже нравилось, потому что он никогда не мог до конца понять своих близких. Холли с тоской ждала его нудных нотаций и бестактных вопросов, заранее мучась неловкостью от комментариев, которые он будет отпускать за ужином. А, ничего. Это же семейный ужин в честь Киары, и там будет Джек. Уж на него-то Холли всегда могла рассчитывать. Но сказать, что Холли с нетерпением предвкушала сегодняшний вечер? О нет.

Холли без всякого воодушевления постучала в дверь родительского дома и сразу же услышала топот маленьких ножек, сопровождаемый таким громким воплем, что с трудом верилось, что его издает ребенок.

— Мама! Папа! Это тетя Холли, это тетя Холли!

Это был ее племянник Тимоти. Племянник Тимоти.

Его восторги резко оборвал строгий голос. (Вообще говоря, странно, что племянник так обрадовался ее приходу, — она сейчас должна казаться ему настоящей занудой.)

— Тимоти! Сколько раз я тебе говорила, чтобы ты не смел носиться по дому?! Ты упадешь и поранишься! Ступай в угол и подумай хорошенько о своем поведении. Тебе ясно?

— Да, мам.

— Перестань, Мередит! Как он может пораниться на ковре или мягком диване?

Холли усмехнулась про себя — Киара и правда вернулась. Она еще не оставила мысль о побеге, когда дверь распахнулась и на пороге появилась Мередит с выражением лица еще более кислым и недружелюбным, чем обычно.

— А, Холли, — кивнула она в знак того, что заметила ее присутствие.

— А, Мередит, — передразнила Холли.

Оказавшись в гостиной, Холли поискала глазами Джека и с разочарованием убедилась, что его нигде не видно. Ричард стоял перед камином, одетый в удивительно яркий для него свитер: видимо, решил в этот вечер расслабиться. Сунув руки в карманы, он перекатывался взад-вперед с каблуков на носки ботинок, как будто готовился прочитать лекцию. Лекция адресовалась их бедному отцу Фрэнку, который с видом провинившегося школьника скрючился в своем любимом кресле. Ричард, целиком погруженный в свою речь, даже не заметил, как Холли вошла в комнату. Она послала отцу воздушный поцелуй, не желая втягиваться в разговор. Отец поймал ее поцелуй и улыбнулся ей в ответ.

Деклан в рваных джинсах и майке с персонажами из «Южного парка» развалился на диване, яростно затягиваясь сигаретой и внимательно слушая Мередит, которая сурово предупреждала его о вреде курения

— Да ну? А я и не знал, — взволнованно сказал он и затушил сигарету. На лице Мередит нарисовалось полное удовлетворение, длившееся до тех пор, пока Деклан, подмигнув Холли, не взял пачку и не прикурил еще одну сигарету. — Расскажи мне еще что-нибудь, пожалуйста, я умираю от любопытства. — Мередит глянула на него с отвращением.

Киара спряталась за диваном и оттуда бросалась попкорном в бедного Тимоти, который стоял лицом к стене в углу и боялся обернуться. Эбби, пригвожденная к полу, безропотно терпела мучения, которым ее подвергала пятилетняя Эмили, вооруженная какой-то кошмарного вида куклой. Встретившись взглядом с Холли, она послала ей безмолвный сигнал: «На помощь!»

— Привет, Киара. — Холли подошла к сестре, которая вскочила на ноги и крепко, с неожиданной теплотой ее обняла. — Шикарный цвет.

— Тебе нравится?

— Очень. Розовый — твой цвет.

— А что я вам говорила? — довольно проговорила Киара, скосив глаза на Ричарда и Мередит. — Ну, как поживает моя старшая сестричка? — тихо спросила она, нежно погладив Холли по руке.

— Ну, как тебе сказать? — Холли слабо улыбнулась. — Держусь.

— Если ты ищешь Джека, Холли, то он на кухне, помогает вашей маме с ужином, — сказала Эбби, широко раскрыла глаза и снова прошептала: «Помогите».

Холли подняла брови:

— Помогает маме? Как мило с его стороны!

— Ну что ты, Холли, разве ты не знаешь, что Джек очень любит готовить? Просто *обожает*. Как начнет, так не может остановиться, — добавила она саркастически.

Отец Холли усмехнулся себе под нос, чем сбил Ричарда с накатанных рельсов.

— Что тебя так рассмешило, отец?

Фрэнк нервно заерзал:

— Удивительно все же... Неужели все это происходит в одной маленькой пробирке?

Ричард неодобрительно вздохнул:

— Ну конечно. Ты пойми, они настолько малы, что это и есть самое удивительное. Организмы соединяются с... — И он снова пустился в рассуждения, а отец поудобнее устроился в кресле, стараясь не встречаться взглядом с Холли.

Холли тихо прошла на кухню, где обнаружила своего брата, который сидел, задрав ноги на стул, и что-то жевал.

— Ах, вот он где! Шеф-повар собственной персоной.

— Моя любимая сестра! — Джек улыбнулся и встал со стула. Он сморщил нос. — Вижу, тебя тоже заманили сюда обманом. — Он подошел к ней, протянул руки и сжал ее в крепком медвежьем объятии. — Как ты? — прошептал он ей на ухо.

— Нормально, спасибо. — Холли грустно улыбнулась, поцеловала его в щеку и повернулась к матери: — Дорогая мама, я здесь, чтобы предложить тебе помощь в этот сложный период твоей жизни, — сказала она, целуя мать в раскрасневшуюся щеку.

— О, разве я не самая счастливая женщина на свете! С такими заботливыми детьми! — с сарказмом ответила Элизабет. — Ну ладно, так и быть: можешь слить воду из картошки.

— Мам, расскажи, как ты была маленькая, и вся картошка сгнила, и настал страшный голод, — сказал Джек с нарочитым ирландским акцентом.

Элизабет шутливо хлопнула его кухонным полотенцем по голове.

— Это случилось задолго до моего рождения, сынок.

— Да? А мне казалось, ты это пережила, — сказал Джек.

— И все еще переживаешь, — добавила Холли, присоединяясь к брату за столом.

— Надеюсь, вы оба не собираетесь сегодня хулиганить. Я хотела бы, чтобы для разнообразия этот дом стал зоной, свободной от споров.

— Мам, я в шоке, что ты могла так о нас подумать. — Джек подмигнул Холли.

— То-то же, — сказала она, не веря ни единому
его слову. — Ладно, дети, извините, но делать здесь
вам больше нечего. Ужин будет готов через несколько
минут.

— Да-а? — Холли не скрывала разочарования.

Элизабет тоже присела к детям за стол, все втроем
они посмотрели на кухонную дверь, думая об одном
и том же.

— Нет, Эбби! — раздался визгливый голос
Эмили. — Ты неправильно делаешь! — Она громко
заревела. Тут же послышался оглушительный хохот
Ричарда: очевидно, пошутил он сам, потому что,
кроме него, никто не засмеялся.

— Пожалуй, нам лучше остаться здесь и присмотреть за ужином, — добавила Элизабет.

— Ну все, ужин готов, — объявила Элизабет, и все
двинулись в столовую. После небольшой толкотни, как
на детском празднике, когда каждый выбирает себе местечко рядом с лучшим другом, Холли уселась в конце
стола. Справа от нее устроилась мать, слева — Джек.
Эбби с хмурым видом заняла стул между Джеком и Ричардом. Дома Джеку придется расплачиваться за то, что
ей в соседи достался их старший братец. Деклан сел напротив Холли, рядом с пустым стулом, оставленным для
Тимоти, за ним расположились Эмили, Мередит и Киара. Отцу пришлось довольствоваться местом во главе
стола, между Ричардом и Киарой, — впрочем, только
он, с его спокойствием, был способен на нем усидеть.

Элизабет внесла первое блюдо, по комнате по-
плыли вкусные ароматы, и все дружно заохали и заахали.

Холли всегда любила мамину стряпню, та никогда не боялась экспериментировать с новыми рецептами и приправами. К сожалению, эту ее черту Холли не унаследовала.

— Слушайте, — воскликнула Киара, обращаясь к Ричарду. — Бедняжка Тимми там, наверное, с голоду умирает! Мне кажется, он уже настоялся в углу.

Она знала, что ступает по тонкому льду, но любила риск, а главное, обожала позлить Ричарда. В конце концов, она отсутствовала целый год — приходилось наверстывать упущенное.

— Киара, Тимоти должен сознавать, что нельзя вести себя как вздумается, — объяснил Ричард.

— Да, но разве нельзя ему просто об этом сказать?

Остальные еле сдерживались, чтобы не рассмеяться.

— Он должен понимать, что его действия приведут к серьезным последствиям, и не повторять их.

— Жалко, — сказала она, повышая голос, — у нас тут такая вкуснятина! М-м-м-м-м, — добавила она, облизывая губы.

— Перестань, Киара, — прервала ее Элизабет.

— Иначе тебя в угол поставят, — строго добавил Джек.

Стол взорвался от смеха, за исключением Мередит и Ричарда, конечно.

— Ладно, Киара, расскажи-ка нам о своих приключениях в Австралии, — быстро сменил тему Фрэнк.

Глаза Киары загорелись.

— О, папа, там так здорово, я всем рекомендую туда поехать!

— Перелет слишком долгий, — сказал Ричард.

— Конечно, но оно того стоит.

— Сделала новые татуировки? — спросила Холли.

— Смотри! — С этими словами Киара встала и спустила брюки, обнажив бабочку на попе.

Родители, Ричард и Мередит возмущенно запротестовали, зато все остальные зашлись в истерическом хохоте и долго не могли остановиться. Наконец, когда Киара извинилась, а Мередит убрала руку от глаз Эмили, волнение улеглось.

— Это отвратительно, — сказал Ричард с омерзением.

— По-моему, папа, бабочки очень симпатичные, — сказала Эмили, широко распахнув невинные глаза.

— Да, некоторые бабочки симпатичные, Эмили, но я говорю о татуировках. От них бывают разные болезни и проблемы. — Эмили перестала улыбаться.

— Слушай, я же не делаю татуировки в подворотнях! И не обмениваюсь иголками с наркоманами. В салоне была стерильная чистота.

— Ну, это один из ярчайших оксюморонов, какие мне приходилось слышать, — брезгливо сказала Мередит.

— Ты давно была в таком салоне, Мередит? — спросила Киара, пожалуй, чересчур зло.

— Э-э-э... нет, конечно, — запнулась она. — Я ни разу не посещала подобные места, еще не хватало, но я уверена, что там сплошная грязь. — Затем она обернулась к Эмили. — Это грязные, ужасные места, Эмили, и туда ходят только опасные люди.

— Разве тетя Киара опасная, мама?

— Только для пятилетних рыжих девочек, — сказала Киара, набивая рот едой.

Эмили замерла от страха.

— Ричард, дорогой, может быть, Тимми уже может выйти из угла и поесть? — вежливо спросила Элизабет.

— Его зовут Тимоти, — перебила Мередит.

— Да, мама, я думаю, он уже может выйти.

Несчастный Тимоти медленно вошел в комнату с опущенной головой и молча сел рядом с Декланом. Сердце Холли сжалось от жалости. Как жестоко так обращаться с детьми, как жестоко отнимать у них детство... Ее сочувствие притухло, когда она почувствовала, как под столом маленькая ножка племянника бьет ее по голени. Лучше бы остался стоять в углу.

— Киара, дорогая, расскажи что-нибудь интересное. Уж ты там, я думаю, почудила... — Холли хотелось узнать побольше.

— А как же! Один раз прыгнула с тросом. Точнее говоря, даже несколько раз. У меня есть фотография. — Она полезла в задний карман брюк, и все отвернулись, опасаясь, что она жаждет продемонстрировать еще одну часть своего тела. К счастью, она просто достала бумажник и пустила фотографию по кругу.

— Первый раз я прыгнула с моста и, когда упала, ударилась головой о воду...

— Киара, но это же опасно! — воскликнула мать, закрывая лицо руками.

— Да нет, совсем не опасно! — заверила ее Киара.

Фотография дошла до Холли с Джеком, и они расхохотались. Киара висела вниз головой на тросе с искаженным лицом, крича от ужаса. Волосы (на тот момент голубые) торчали во все стороны, как будто ее казнили на электрическом стуле.

— Удачная фотография, Киара. Мам, поставь ее в рамке над камином, — пошутила Холли.

— А что? — Глаза Киары загорелись. — Классная идея!

— Конечно, милая! Уберу твою фотографию с первого причастия и заменю на эту, — саркастически сказала Элизабет.

— Еще вопрос, какая из них страшнее, — сказал Деклан.

— Холли, что ты будешь делать в свой день рождения? — спросила Эбби. Ей явно не терпелось прервать беседу с Ричардом.

— Ой, точно! — закричала Киара. — Тебе же через пару недель тридцатник стукнет!

— Я не собираюсь устраивать никаких фейерверков, — предупредила всех Холли. — Никаких вечеринок-сюрпризов или чего-то в этом роде, *пожалуйста*.

— Да, но ты должна... — сказала Киара.

— Нет, не должна, если не хочет, — перебил ее отец и подмигнул Холли в знак поддержки.

— Спасибо, пап. Я просто позову девчонок, сходим в какой-нибудь клуб. Никаких безумств.

Когда фотография дошла до Ричарда, тот осуждающе поцокал и передал снимок отцу, который тихонько усмехнулся над видом Киары.

— Я полностью согласен с тобой, Холли, — сказал Ричард, — от этих вечеринок по случаю дня рождения одни неприятности. Взрослые ведут себя как дети и слишком много пьют. Ты совершенно права.

— Вообще-то я как раз люблю такие вечеринки, Ричард, — парировала Холли, — просто в этом году у меня не очень праздничное настроение, вот и все.

На мгновение все замолчали, а потом Киара воскликнула:

— Девичник так девичник.

— А можно, я приду с камерой? — спросил Деклан.

— Зачем?

— Просто поснимать для колледжа клубную жизнь, и все такое.

— Ну, если тебе нужно… Только учти, я не собираюсь идти в какой-нибудь модный клуб, которые ты так любишь.

— Да нет, мне все равно, куда вы пой-ДЕ-ТЕ! — закричал он и с угрозой посмотрел на Тимоти.

Тимми показал ему язык, и беседа продолжилась. После главного блюда Киара исчезла из комнаты, вернулась с большим пакетом в руке и объявила: «Подарки!»

Тимми и Эмили захлопали в ладоши. Холли надеялась, что Киара не забыла купить что-нибудь для них.

Отец получил ярко раскрашенный бумеранг и тут же сделал вид, что хочет бросить его своей жене, Ричард — майку с картой Австралии, по которой он немедленно начал давать Тимми и Эмили пояснения, Мередит осталась вообще без подарка, Джеку и Деклану досталось по майке с неприличными картинками и надписью «Я был в буше», маме — коллекция древних рецептов аборигенов. Холли растрогалась, когда Киара вручила ей ловушку для снов, сделанную из ярких перьев и палочек.

— Пусть твои мечты сбудутся! — прошептала Киара ей на ухо и поцеловала сестру в щеку.

К счастью, для Тимми и Эмили Киара припасла конфеты, правда, они подозрительно напоминали те, что продавались в местном магазине. Ричард и Мередит сразу же отобрали у детей конфеты под тем предлогом, что от них портятся зубы.

— Тогда верните их мне, чтобы я могла испортить свои, — потребовала Киара.

Тимми и Эмили понуро глядели на подарки других членов семьи и тут же получили нагоняй от Ричарда за то, что отвлеклись от карты Австралии. Тимми скорчил рожу Холли, и у нее на душе потеплело. Ее не так угнетало, что с детьми обращаются слишком строго, когда они и в самом деле вели себя не совсем хорошо. Честно говоря, она уже начинала получать некоторое удовольствие от того, что их одергивают.

— Нам пора ехать, Ричард, а то дети уснут за столом, — объявила Мередит. Дети при этом проявляли чудеса бодрости, постоянно пиная Холли и Деклана под столом.

— Пока вы все не разъехались, — провозгласил отец, перекрывая шум болтовни, — я хочу поднять тост за нашу замечательную дочь Киару, потому что мы собрались, чтобы отпраздновать ее возвращение домой. — Он улыбнулся Киаре, и все взгляды обернулись к ней. — Мы скучали по тебе, милая, и мы рады, что ты вернулась домой целая и невредимая, — закончил свою речь Фрэнк. Он поднял свой бокал: — За Киару!

— За Киару! — повторили все и выпили до дна.

Когда дверь за Ричардом, Мередит и детьми закрылась, остальные тоже начали потихоньку расходиться. Холли вдохнула холодный воздух и направилась к своей машине. Родители стояли на пороге и махали ей вслед, но все равно она чувствовала себя страшно одинокой. Обычно она уходила с вечеринок вместе с Джерри, но даже если и без него, то всегда знала, что возвращается домой, где он ее ждет. Но не сегодня. И не завтра, и не послезавтра.

Глава восьмая

Холли стояла перед зеркалом и внимательно рассматривала себя. Она выполнила наказ Джерри и купила новый наряд. Для чего, она не знала, но несколько раз в день ей приходилось бороться с соблазном раньше времени вскрыть майский конверт. До того момента, когда она сможет это сделать, оставалось всего два дня, и нетерпеливое предвкушение вытеснило у нее из головы все остальные мысли.

Она решила одеться в черное, чтобы соответствовать своему настроению. Узкие, слегка расклешенные черные брюки делали ее ноги еще стройнее и идеально подходили к черным ботинкам. Черный корсет зрительно увеличивал грудь и прекрасно сочетался с брюками. Лео сделал ей красивую укладку: сверху поднял волосы повыше, оставив пряди спадать на плечи свободными волнами. Холли пробежала пальцами по волосам и улыбнулась, вспомнив свой последний визит к парикмахеру. В салон она влетела запыхавшись, с раскрасневшимся лицом:

— Прости, Лео, заболталась по телефону и забыла о времени.

— Не беспокойся, дорогая! Каждый раз, когда ты записываешься, я прошу своих сотрудников переписывать тебя на полчаса позже. Колин! — закричал он, щелкнув пальцами. Колин все бросил и куда-то умчался.

— Боже, ты что, лошадиные гормоны принимаешь? Посмотри, как обросла! Я же стриг тебя всего несколько недель назад.

Он решительно приподнял кресло вместе с Холли:

— Что-нибудь особенное сегодня вечером?

— Большой тридцатник, — сказала она, прикусив губу.

— Это что, номер автобуса?

— Если бы! Нет, это тридцать!

— Да я знаю, знаю. Колин! — закричал Лео, снова щелкая пальцами.

И тут из комнаты для персонала появился Колин с тортом в руках, за ним следовал строй парикмахеров, которые вместе с Лео хором запели «С днем рождения». Холли была потрясена. «Лео!» — только и могла вымолвить она. Она напрасно пыталась сдержать слезы, которые сами покатились из глаз. К этому моменту весь салон пел хором, окончательно ошеломляя Холли таким проявлением любви. Когда музыкальное поздравление кончилось, все зааплодировали, и нормальная работа салона восстановилась.

Холли не могла выговорить ни слова.

— Господи боже, Холли, в прошлый раз ты хохотала так, что чуть с кресла не упала, а сегодня рыдаешь!

— Это было что-то! Спасибо тебе, Лео, — сказала она, утирая слезы, крепко обняла его и поцеловала в щеку.

— Ну, считай, что мы с тобой в расчете за прошлый раз, — сказал он, отстраняясь. От такого бурного проявления чувств ему стало неловко.

Холли засмеялась, вспомнив вечеринку-сюрприз по случаю пятидесятилетия Лео. Темой вечера были «перья и кружева». Холли нарядилась в изумительное обтягивающее кружевное платье, а Джерри, который никогда не боялся подшутить над собой, надел боа из розовых перьев, в цвет рубашки и галстука. Лео заявил, что организаторы сюрприза ввергли его в жуткое смущение, но все знали, что в душе он ликовал от такого внимания к своей особе. Правда, на следующий день Лео обзвонил их всех и наговорил на автоответчики шутливые упреки. На всякий случай Холли поостереглась в ближайшие недели записываться к нему на стрижку — кто его знает, еще обкорнает в отместку. Поговаривали даже, что всю следующую неделю число посетителей в салоне резко понизилось…

— Ну, по крайней мере, стриптизер тебе в тот вечер понравился, — поддразнила Холли.

— Понравился? Я убил на него месяц. На такого козла!

Каждый клиент получил по куску торта, и все обернулись к Холли, наперебой выражая ей благодарность.

— Не понимаю, почему они благодарят тебя, — пробормотал Лео себе под нос, — это же я купил этот чертов торт!

— Не волнуйся, Лео, я включу его стоимость в чаевые.

— Шутишь? Твои чаевые не покрывают даже мой автобусный билет!

— Лео, ты живешь в соседнем доме.

— Вот именно!

Холли надула губы и притворилась, что обиделась.

— Тридцать лет, а ведешь себя, как ребенок, — засмеялся Лео. — Куда пойдешь сегодня?

— В какое-нибудь тихое место. Хочу провести спокойный вечер с девчонками.

— Именно это я сказал, когда мне исполнилось пятьдесят. Кто приглашен?

— Шэрон, Киара, Эбби и Дениз, сто лет ее не видела.

— Киара вернулась?

— Да, с розовыми волосами.

— Боже милосердный! Пусть держится от меня подальше, а то я за себя не отвечаю. А вот вы, мисс, выглядите потрясающе! Ты будешь королевой бала. И оторвись сегодня вечером по полной!

Холли вернулась к реальности и снова стала рассматривать свое отражение. Она совершенно не чувствовала себя на тридцать. С другой стороны, что это значит — чувствовать себя на тридцать? В юности тридцать лет казались чем-то настолько далеким… Тогда она думала, что в этом возрасте женщина должна все знать о жизни, быть мудрой и солидной, иметь мужа, детей и карьеру.

Ничего из перечисленного у нее не было. Она оставалась такой же недотепой в житейских делах, как и в двадцать, только теперь появились морщинки вокруг глаз и редкая седина в волосах. Она присела на край кровати и снова вгляделась в свое отражение. Что она собирается праздновать? Что ей стукнуло тридцать? В дверь позвонили, и Холли услышала доносившуюся снаружи возбужденную болтовню и хихиканье. Она постаралась взять себя в руки и растянула рот в улыбке.

— С днем рождения! — хором закричали гости.

При виде их счастливых лиц ее настроение сразу улучшилось.

Она провела их в гостиную и помахала рукой Деклану, который уже включил камеру.

— Брось, Холли, не обращай на него внимания, — зашептала Дениз, потащила ее за руку на диван, на котором все уже успели рассесться и теперь дружно протягивали ей подарки.

— Открой мой первым, — закричала Киара, пихнув Шэрон с такой силой, что та свалилась с дивана. От неожиданности Шэрон на секунду застыла, а потом расхохоталась.

— Да успокойтесь вы все, — изрек голос разума, принадлежащий Эбби, которая пыталась поднять с пола истерически хохочущую Шэрон. — Я думаю, что сначала надо открыть бутылочку шампанского, а уж *потом* — подарки.

— Ладно, но все равно, пусть мой откроет первым! — надула губы Киара.

— Киара, обещаю, что открою твой первым, — сказала Холли сестре как маленькому ребенку.

Эбби побежала на кухню и вернулась с подносом, на котором стояли фужеры для шампанского.

— Все пьют шампанское, девочки?

Эти фужеры Холли подарили на свадьбу, и на одном из них было выгравировано «Джерри и Холли». Этот бокал тактичная Эбби оставила на кухне.

— Давай, Холли, открывай бутылку, — сказала она, протягивая шампанское.

70

Холли начала открывать бутылку, и все бросились прятаться кто куда.

— Да не бойтесь вы, я не так уж плохо это делаю!

— Ага, к этому возрасту ты уже стала профессионалом, — сказала Шэрон, вставая из-за дивана с подушкой на голове.

Услышав звук вылетевшей пробки, девушки радостно крикнули «ура» и вылезли из своих убежищ.

— Божественный звук, — сказала Дениз, прижав руку к сердцу.

— Ну все, теперь открывай мой подарок! — снова закричала Киара.

— Киара! — запротестовали остальные.

— После тоста, — веско добавила Шэрон.

Все подняли бокалы.

— Ну хорошо, давайте выпьем за лучшую в мире подругу, у которой выдался очень тяжелый год, но, несмотря на это, она все время оставалась самым сильным и храбрым человеком, какого я когда-либо встречала. Она — образец для нас всех. Давайте выпьем за то, чтобы она нашла счастье на следующие тридцать лет своей жизни! За Холли!

— За Холли! — подхватили все. Глаза у всех блестели от слез, кроме, конечно, Киары, которая залпом выпила свое шампанское и стала снова настойчиво совать Холли свой подарок.

— Подожди! Сначала надень вот эту диадему! Сегодня ты — наша принцесса. И вот что я тебе дарю!

Девушки помогли Холли надеть сверкающую диадему, которая изумительно подошла к ее черному блестящему корсету. В этот момент, окруженная подругами, она действительно чувствовала себя принцессой. Холли начала осторожно разворачивать подарок.

71

— Да просто разорви бумагу! — сказала Эбби, удивив всех.

Холли в растерянности смотрела на коробку, которая оказалась внутри:

— Что это?

— Прочитай! — возбужденно велела Киара.

Холли начала вслух читать текст на коробке:

— Работающий от батареек… О боже! Киара! Развратная девчонка! — Холли и девушки истерично захохотали.

— Ну, теперь мне эта штука точно понадобится, — засмеялась Холли, поднимая коробку перед камерой.

У Деклана был такой вид, как будто его сейчас стошнит.

— Нравится? — спросила Киара, которой хотелось одобрения. — Я хотела подарить тебе его на ужине у родителей, но потом подумала, что, наверное, не стоит…

— Да уж, молодец, что приберегла до сегодняшнего дня! — засмеялась Холли, обнимая сестру.

— Так, теперь от меня, — сказала Эбби, протягивая Холли свой подарок. — Это от нас с Джеком, поэтому не жди ничего похожего на подарок Киары.

— Ну, если бы Джек вздумал подарить мне что-нибудь подобное, я бы испугалась, — сказала она, разворачивая подарок Эбби. — О, Эбби, какая прелесть! — воскликнула Холли, увидев фотоальбом, украшенный пластинами из серебра.

— Это для твоих новых воспоминаний, — тихо сказала Эбби.

— Чудесный подарок, — сказала Холли, обнимая Эбби. — Спасибо!

— Мой подарок не такой сентиментальный, но я уверена, что ты его оценишь, — сказала Дениз, протягивая ей конверт.

— Ой, как здорово! Всегда хотела туда попасть! — воскликнула Холли, открыв конверт. — Выходные в загородной клинике «Красота и здоровье»!

— Боже, ты заговорила как участница программы «Свидание вслепую», — передразнила Шэрон.

— Скажи, когда надумаешь туда поехать, и мы все запишемся на это же время. Билет действителен в течение года. Сделаем себе маленький отпуск!

— Отличная идея, Дениз, спасибо!

— Ну что, остался последний подарок! — Холли подмигнула Шэрон. Та нервно перебирала пальцами, следя за выражением лица Холли. Она принесла подруге большую серебряную рамку, в которую вставила фотографию Шэрон, Дениз и Холли на рождественском балу два года назад.

— О, на мне мое безумно дорогое белое платье! — дурачась, плаксиво протянула Холли.

— *До того*, как оно было испорчено, — подчеркнула Шэрон.

— Боже, а я даже не помню, что мы фотографировались!

— Я даже не помню, что я там была, — пробормотала Дениз.

Холли продолжала грустно рассматривать фотографию, пока шла к камину.

Это был последний бал, на который они пошли вместе с Джерри. В прошлое Рождество он уже был слишком болен, чтобы ходить по ресторанам.

— Я помещаю ее на почетное место, — объявила Холли, ставя рамку на каминную полку рядом со свадебной фотографией.

— Ну что, девочки, теперь давайте выпьем всерь-ез! — крикнула Киара, и все снова попрятались, пока Холли открывала вторую бутылку шампанского.

За шампанским последовало еще несколько бу-тылок красного вина, после чего девушки нетвердым шагом покинули дом и погрузились в такси. Беспре-рывно хихикая, они все же кое-как сумели объяснить водителю, куда им надо. Холли настояла на своем и уселась рядом с таксистом. Всю дорогу она изливала несчастному водителю — как выяснилось, по имени Джон, — свою душу, так что к тому моменту, когда они наконец добрались до места, он, похоже, готов был ее убить.

— Пока, Джон! — хором закричали все своему новому лучшему другу и дружно вывалились на тротуар в центре Дублина. Джон на бешеной ско-рости отчалил прочь. Они решили (это случилось, когда они приканчивали третью бутылку) попытать счастья в «Будуаре» — самом стильном дублинском клубе. Клуб был открыт только для самых богатых и знаменитых, и все прекрасно знали, что, если ты не богат и не знаменит, тебя сюда не пустят — разу-меется, если у тебя нет клубной карты. Дениз подо-шла к двери и спокойно помахала вышибалам своей карточкой видеопроката. Как ни странно, ее не про-пустили.

Единственными знаменитостями, которым уда-лось пройти в клуб, пока они спорили с вышибалами, оказались несколько телеведущих с общенациональ-ного канала. Пока они проходили мимо, Дениз улы-балась им и радостно повторяла: «Добрый вечер». К сожалению, после этого момента Холли больше не помнила ничего.

На следующее утро Холли проснулась с головой, раскалывающейся от боли. Во рту стояла великая сушь, и что-то странное творилось с глазами. Когда она подняла голову от подушки и попыталась их открыть, оказалось, что кто-то склеил ей веки. Она все-таки напряглась и разлепила глаза. Свет ослепил ее, но она успела заметить, что комната почему-то вращается. Происходило что-то очень странное. Холли поймала в зеркале собственное отражение и пришла в ужас. Может, она вчера попала в аварию? На этом силы ее иссякли, и она снова рухнула на постель. В этот миг вдруг раздался жуткий вой сирены — включилась сигнализация. Она чуть приподняла голову и приоткрыла один глаз. О, берите все, что хотите, главное — принесите мне стакан воды, когда будете уходить. Через некоторое время до нее дошло, что это была никакая не сигнализация. Звонил телефон.

— Алло, — хрипло сказала она.

— О, хорошо, значит, не одна я такая, — сказал больной голос на другом конце провода.

— Кто это? — спросила Холли.

— Кажется, меня зовут Шэрон, — услышала в ответ Холли, — только не спрашивай меня, кто я такая, потому что я не знаю. Мужчина рядом со мной утверждает, что мы знакомы. — Холли услышала, как Джон громко засмеялся.

— Шэрон, что вчера случилось? Просвети меня, пожалуйста.

— Вчера случился алкоголь, — сказала Шэрон сонным голосом. — Крайне много алкоголя.

— Еще информация есть?

— Нет.

— Ты знаешь, сколько сейчас времени?

— Два часа.

— Почему ты звонишь мне так поздно ночью?

— Сейчас два часа дня, Холли.

— А-а. Как это произошло?

— Земное притяжение или что-то в этом роде. Я прогуляла тот день в школе.

— О боже, по-моему, я умираю.

— Я тоже.

— Пожалуй, я еще посплю, может, когда я проснусь, пол перестанет качаться.

— Хорошая идея. Ах да, Холли, добро пожаловать в клуб тридцатилетних.

— Я начала не так, как хотелось бы, — простонала Холли. — С этого момента я буду взрослой, разумной тридцатилетней женщиной.

— Ага, я то же самое себе говорила. Спокойной ночи.

— Спокойной ночи.

Через несколько секунд Холли уже спала. В течение дня она несколько раз просыпалась, чтобы ответить на телефонные звонки, но все разговоры казались ей частью снов. И еще она много раз ходила на кухню за водой.

В конце концов в девять вечера Холли поддалась требованиям пустого желудка. Как обычно, в холодильнике зияла пустота, поэтому она решила побаловать себя китайской кухней с доставкой на дом. Уютно устроившись перед телевизором, как была в пижаме, она принялась за еду. Надо же, еще вчера она чуть ли не плакала от того, что у нее день рождения, а Джерри нет рядом, а сегодня с удивлением осознала, что ей в общем-то хорошо. Впервые после смерти Джерри ей доставила удовольствие собственная компания. Появился небольшой шанс, что она сможет выжить без него.

Позднее, вечером, ей на мобильный позвонил Джек:

— Привет, сестричка, что делаешь?

— Смотрю телик, ем китайскую еду, — сказала она.

— Ну, кажется, ты в хорошей форме. Чего не скажешь о моей несчастной девушке, которая лежит тут рядом и страдает.

— Я больше никуда с тобой не пойду, Холли, — услышала она слабый голос Эбби.

— Ты со своими подружками развратила ее, — пошутил Джек.

— Я тут ни при чем. Насколько я помню, она с удовольствием развлекалась.

— Она утверждает, что ничего не помнит.

— Я тоже. Возможно, это происходит, как только тебе исполняется тридцать. Со мной это впервые.

— Или это просто ваш коварный план: вы все сговорились, чтобы вам не пришлось признаваться, что вы вчера натворили.

— Если бы… Кстати, спасибо за подарок. Он просто прелесть.

— Я рад, что тебе понравилось. Потратил уйму времени, чтобы найти то, что надо.

— Врун.

Он засмеялся.

— Ну ладно, я вообще-то по делу тебе звоню. Ты пойдешь завтра вечером на концерт Деклана?

— Где это?

— В пабе «У Хогана».

— Ну уж нет. Ноги моей больше не будет в пабах! Особенно на концертах орущей рок-группы с визжащими гитарами и оглушительными барабанами, — ответила Холли.

— Ха-ха! Капли больше в рот не возьму, да? Слушай, никто ж тебя не заставляет пить. Пойдем, Холли, пожалуйста. Деклан действительно очень волнуется из-за этого концерта, а больше никто из родных не придет.

— То есть ты позвал меня последней? Приятно узнать, что ты такого высокого обо мне мнения.

— Да брось ты! Деклан будет страшно рад тебя увидеть. К тому же у родителей мы так толком и не поговорили… И вообще мы давным-давно никуда не ходили вместе, — уговаривал ее Джек.

— Ну, вряд ли мы сможем душевно поговорить под грохот «Рыбы в оргазме», — ехидно сказала она.

— Вообще-то теперь они называются «Черная клубника». Согласись, в этом названии есть что-то милое и сладкое, — засмеялся он.

Холли сжала свою голову руками и застонала:

— Джек, я тебя умоляю, не заставляй меня идти туда.

— Ты придешь.

— Ну ладно, ладно. Только до конца я не останусь.

— Детали обсудим при встрече. Деклан правда очень обрадуется. Родственники никогда не ходят на его концерты.

— Ну хорошо, значит, ближе к восьми?

— Да, пока.

Холли повесила трубку и просидела еще несколько часов, как будто пригвожденная к дивану. Она так объелась, что не могла с места двинуться. Видимо, китайская кухня оказалась не такой уж хорошей идеей.

Глава девятая

Холли приехала в паб «У Хогана», чувствуя себя намного лучше, чем накануне, хотя обычная живость к ней еще не вернулась. Похоже, с возрастом похмелье переносится все труднее, а уж вчерашнее по тяжести заслуживало золотой медали чемпиона. Утром она устроила себе долгую прогулку по побережью от Малахайда до Портмарнока и дала прохладному ветерку освежить ее голову. Потом заглянула на воскресный обед к родителям, и они подарили ей на день рождения красивую хрустальную вазу. Это был чудесный, ленивый день, и ей пришлось насильно стаскивать себя с уютного дивана, чтобы ехать в паб.

Паб «У Хогана» — трехэтажное здание в центре города — пользовался популярностью, и даже в воскресенье тут было не протолкнуться. На втором этаже располагался модный ночной клуб, в котором исполняли все последние танцевальные хиты. Сюда ходила молодежь похвастать друг перед другом новыми шмотками. Первый этаж занимал традиционный ирландский паб для людей постарше — обычно возле стойки бара здесь сидели старики, со стаканом в руке предававшиеся размышлениям о жизни. Несколько раз в неделю в пабе выступал оркестр, игравший традиционную ирландскую музыку — старые любимые песни, которые нравились и молодым, и старым. Темный и грязный подвал облюбовали рок-группы, слушать которые приходили исключительно студенты, и Холли показалось, что она здесь старше всех. В баре, вокруг маленькой стойки в углу длинного зала, толпилась целая куча студентов в потертых джинсах и рваных майках. Они толкались и пихались, торопясь сделать заказ. Бармены и официанты казались еще школьниками и носились по залу с потными и красными лицами со скоростью не ниже сотни миль в час.

В прокуренном подвале, лишенном вентиляции или кондиционера, стояла страшная духота. Практически все вокруг нее курили, и у Холли от дыма защипало глаза. Она боялась даже представить себе, во что этот зальчик превратится через час, хотя, похоже, беспокоило это только ее одну.

Она помахала Деклану, показывая ему, что пришла, но пробираться к нему не стала — вокруг него толпилась стайка девушек. Ей не хотелось вводить его в смущение. Сама Холли никогда не знала студенческой жизни. После школы она решила не поступать в колледж, а вместо этого пошла работать секретаршей. Каждые несколько месяцев она переходила с одного места на другое, в конце концов оказавшись в той ужасной конторе, которую бросила, когда заболел Джерри, чтобы проводить с ним больше времени. В любом случае вряд ли она надолго осталась бы на том месте. Джерри учился на факультете маркетинга в Дублинском городском университете, но и он практически не общался с однокурсниками, предпочитая им компанию Холли, Шэрон, Джона, Дениз и ее поклонников. Рассматривая публику вокруг себя, Холли подумала, что она мало что потеряла.

Наконец Деклану удалось оторваться от своих фанаток и подойти к Холли.

— Ну, здравствуй, мистер Звезда! Я счастлива, что ты решил поговорить со мной. — Девушки уставились на Холли, недоумевая, что Деклан нашел в этой старухе.

Деклан потер руки и хитро засмеялся.

— Ага! Играть в группе — круто! Чует мое сердце, сегодня у меня будет бурная ночь, — самоуверенно заявил он.

— Мне, как твоей сестре, всегда приятно об этом узнать, — ехидно отозвалась Холли.

Беседовать с Декланом оказалось нелегким делом — вместо того чтобы смотреть ей в глаза, он обшаривал взглядом толпу.

— Ладно, Деклан, иди флиртуй с теми красотками! Чего зря тратить время на старушку-сестру.

— Да нет, не в этом дело, — сказал он, оправдываясь. — Просто нам сказали, что сюда, возможно, придет парень из звукозаписывающей компании. Нас послушать.

— Здорово! — Глаза Холли расширились от волнения. Это явно значило для него очень много, и она испытала легкое чувство вины из-за того, что раньше не интересовалась его жизнью. Она принялась оглядываться, пытаясь обнаружить человека из звукозаписывающей компании. Как он должен выглядеть? Вряд ли он сидит в углу с блокнотом и яростно в нем строчит. Наконец она заметила мужчину, который казался старше, чем остальная публика, примерно ее возраста. В черной кожаной куртке, черных брюках и черной майке, он неподвижно стоял, глядя на сцену. Судя по щетине на подбородке и одежде, выглядевшей так, словно он в ней спал, он точно явился из компании звукозаписи. Наверное, ночи напролет таскается по концертам… Можно себе представить, как от него воняет. А может, он просто извращенец, который шляется по студенческим вечеринкам и заигрывает с молоденькими девушками. Тоже не исключено.

— Вон он, Дек! — крикнула Холли, перекрывая шум, и ткнула пальцем в мужчину. Деклан быстро повернулся, куда она показывала, и улыбка исчезла с его лица.

— Нет, это всего лишь Дэнни! — заорал он в ответ и свистнул, привлекая к себе внимание парня в черном.

Дэнни услышал свист, обнаружил его источник, кивнул Деклану и стал пробираться к ним.

— Здорово, чувак, — сказал Деклан, пожимая ему руку.

— Привет, Деклан. Как вы, готовы? — Казалось, он волновался.

— Ага, все о'кей, — равнодушно отозвался Деклан. Кто-то явно внушил ему, что это круто — делать вид, что тебе все по фигу.

— Саунд-чек прошел нормально? — продолжал расспрашивать он.

— Была пара проблем, но мы их решили.

— Значит, все ладушки?

— Ага.

— Ну и хорошо. — Его лицо расслабилось, и он повернулся, чтобы поздороваться с Холли. — Извините, что сразу не поздоровался. Меня зовут Дэниел.

— Очень приятно. Я Холли.

— Ой, извините, — перебил Деклан. — Холли, это Дэниел, владелец клуба, а это моя сестра.

— Сестра? Вы совсем не похожи.

— И слава богу, — одними губами, чтобы Деклан не услышал, сказала Холли Дэниелу, и тот рассмеялся.

— Эй, Дек, начинаем! — позвал парень с голубыми волосами.

— Увидимся после концерта, — бросил Деклан и убежал.

— Удачи! — вслед ему крикнула Холли. — Значит, вы Хоган, — сказала она, повернувшись к Дэниелу.

— Вообще-то нет. Моя фамилия Коннолли, — улыбнулся он. — Я просто купил это место несколько недель назад.

— Да? — удивилась Холли. — Я и не знала, что они его продали. И что, поменяете название на «У Коннолли»?

— Вряд ли. Я не могу себе позволить новую вывеску — слишком много букв.

Холли засмеялась.

— Тем более что все знают паб «У Хогана». Наверное, глупо его переименовывать.

— Конечно, это и есть главная причина, — согласно кивнул Дэниел.

В этот момент в дверях появился Джек, и Холли махнула ему рукой.

— Извини, что опоздал. Я что-нибудь пропустил? — сказал он, обнимая ее и целуя в щеку.

— Нет, они только начинают. Джек, это Дэниел — владелец паба.

— Приятно познакомиться, — произнес Дэниел, пожимая ему руку.

— А они хорошо играют? — спросил Джек, мотнув головой в сторону сцены.

— Если честно, я их ни разу не слышал, — ответил Дэниел, и его лицо выразило беспокойство.

— Смело с вашей стороны! — засмеялся Джек.

— Надеюсь, что не слишком, — сказал он и опять посмотрел на сцену.

— Я здесь кое-кого знаю, — сказал Джек, вглядываясь в толпу. — Большинству нет еще и восемнадцати.

Молоденькая девушка в драных джинсах и коротеньком топе медленно продефилировала мимо Джека. Она неуверенно улыбалась и прижимала палец к губам, как будто просила не выдавать ее. Джек улыбнулся ей в ответ.

Холли вопросительно посмотрела на него:

— Кто это?

— Моя ученица. Я веду у них в школе английский. Ей всего шестнадцать или семнадцать. Она хорошая девочка. — Джек посмотрел ей вслед. — Но лучше ей завтра не опаздывать на урок, — добавил он.

Холли видела, как девушка взяла в баре поллитровую кружку пива. Вот бы у нее в школе был такой учитель, как Джек! Похоже, ученики его любят. И ясно почему, он действительно замечательный.

— Не говори *ему*, что им нет восемнадцати, — прошептала Холли, кивая в сторону Дэниела.

Толпа заулюлюкала, и на сцену с невозмутимым выражением лица вышел Деклан, перекидывая через плечо ремень гитары. Концерт начался, и продолжать беседу стало невозможно. Все вокруг запрыгали, и то и дело кто-нибудь приземлялся на ногу Холли. Джек смотрел на нее и смеялся — происходящее его явно веселило.

— *Могу я принести вам что-нибудь выпить?* — заорал Дэниел, отчаянно жестикулируя. Джек попросил «Будвайзер», а Холли — «Севен-ап». Они видели, как Дэниел с трудом пробирается сквозь беснующуюся толпу и проходит за барную стойку. Через несколько минут он вернулся с напитками и высоким табуретом для Холли. Они снова повернулись к сцене, где выступал их брат. Музыка, чересчур не похожая на все, что любила Холли, звучала слишком громко, чтобы понять, хорошо ли ребята играют. Поклонница группы «Westlife», она, скорее всего, не имела права строго судить «Черную клубнику». Но само название казалось ей говорящим.

Прослушав четыре песни, Холли решила, что с нее хватит, обняла Джека и на прощание поцеловала его.

— *Скажи Деклану, что я оставалась до конца!* — прокричала она. — *Было приятно познакомиться, Дэниел! Спасибо за «Севен-ап»!* — И она стала пробираться к цивилизованному миру и прохладному свежему воздуху. Всю дорогу в ее ушах продолжало греметь. Она вернулась домой в десять вечера. До наступления мая оставалось всего два часа. Значит, она сможет вскрыть еще один конверт.

Холли сидела за кухонным столом, нервно барабаня пальцами по дереву. Она залпом выпила третью чашку кофе и выпрямилась на стуле. Продержаться без сна целых два часа оказалось труднее, чем она думала, — вечеринка в клубе слишком ее утомила. Она отстукала по полу беспорядочную чечетку и снова закинула ногу на ногу. Часы показывали 23.30. Конверт лежал перед ней на столе, и она почти видела, как он показывает ей язык и напевает: «Ля-ля-ля, ля-ля-ля».

Она взяла его в руки и ощупала. Кто узнает, если она откроет его раньше времени? Шэрон с Джоном, наверное, вообще забыли о его существовании, а Дениз после двухдневного похмелья вообще ни до чего нет дела. Даже если спросят, она легко может соврать, но им, скорее всего, все равно. Никто не узнает. Никого это не интересует. Нет, неправда. Джерри узнает.

Каждый раз, прикасаясь к конвертам, Холли чувствовала связь с Джерри. Когда она открывала два первых, ей казалось, что Джерри сидит рядом и подсмеивается над ней. Пусть они пребывали в разных мирах, они словно играли вдвоем в одну игру. Она *чувствовала* его, и он узнал бы, что она смошенничала.

После еще одной чашки кофе Холли начала просто слоняться по кухне. Минутная стрелка еле ползла по циферблату, как будто пробовалась на роль в сериале «Спасатели Малибу». В конце концов все же наступила полночь. Холли неторопливо перевернула конверт, наслаждаясь этим мигом. Джерри сидел за столом напротив нее: «Ну, давай, распечатывай!»

Она аккуратно вскрыла конверт и провела пальцем по клейкой полоске, зная, что ее касался язык Джерри. Она достала из конверта карточку:

«Давай, Диско-дива! Сразись со своим страхом перед караоке в клубе «Дива» в этом месяце, и, как знать, может, тебя ждет награда…
P.S. Я люблю тебя…»

Она почувствовала, что Джерри смотрит на нее, уголки ее губ поднялись в улыбке, и она расхохоталась. С трудом переводя дыхание, она несколько раз повторила: «Ни за что!» Наконец она успокоилась и объявила на всю кухню: «Джерри! Ты козел! Я не собираюсь снова проходить через это, даже не думай!»

Джерри засмеялся громче.

— Это не смешно. Ты знаешь, что я думаю по этому поводу! Я отказываюсь делать это. Нет, нет и нет! Ни за что! Я не стану это делать.

— Придется, — засмеялся Джерри.

— Я не обязана!

— Ради меня.

— Я не буду этого делать ни ради тебя, ни ради мира во всем мире. Я ненавижу караоке!

— Сделай это для меня, — повторил он.

Звонок телефона заставил Холли подпрыгнуть на месте. Это была Шэрон.

— Слушай, уже пять минут первого! Что там написано? Мы с Джоном умираем от любопытства!

— С чего вы взяли, что я его открыла?

— Ха! — фыркнула Шэрон. — После двадцати лет дружбы я знаю тебя лучше, чем ты сама себя знаешь! Давай признавайся! Что там написано?

— Я не стану этого делать, — отрубила Холли.

— Что? Ты не хочешь говорить?

— Нет. И я не буду делать то, о чем он просит.

— Почему? И о чем он просит?

— Это просто жалкая попытка Джерри пошутить! — крикнула она в потолок.

— Я заинтригована, — сказала Шэрон. — Ну, не тяни, рассказывай.

— Холли, выкладывай, что там? — сказал Джон в другую трубку.

— Ну ладно… Джерри хочет, чтобы я… спела под караоке, — протараторила она.

— Что? Холли, мы не поняли ни слова, — сказала Шэрон.

— Нет, я понял, — перебил Джон. — Мне кажется, ты сказала что-то про караоке, я прав?

— Да, — ответила Холли после паузы. Может быть, если бы она промолчала, ничего не произошло бы. Ее друзья начали хохотать так громко, что Холли пришлось отодвинуть трубку подальше от уха. — Позвоните мне, когда заткнетесь, — сказала она, разозлившись, и нажала отбой.

Через несколько минут они перезвонили.

— Алло?

Она услышала, как на другом конце провода Шэрон фыркает, потом хихикает, и связь прервалась.

Еще через десять минут она перезвонила сама.

— Алло?

— Слушаю. — Шэрон говорила подчеркнуто серьезным, деловым тоном. — Извини, я уже успокоилась. Не смотри на меня, Джон, — сказала Шэрон в сторону. — Прости меня, Холли, но я просто все время вспоминала тот раз, когда ты…

— Да, да, да! — перебила Холли. — Не надо об этом! Это был самый позорный день моей жизни, и не думай, что я его забыла. И поэтому не собираюсь делать это снова.

— Послушай, Холли, нельзя же расстраиваться из-за такой глупости!

— Если то, что случилось со мной, меня бы не расстроило, значит, мне пора в психбольницу!

— Холли, ну подумаешь, просто небольшой конфуз…

— Спасибо, я помню! В любом случае, я не умею петь, Шэрон! Мне кажется, в прошлый раз я это с блеском доказала!

Шэрон затихла.

— Шэрон?

Молчание.

— Шэрон, ты там?

Нет ответа.

— Шэрон, ты смеешься, что ли? — рявкнула Холли.

Она услышала тихий писк, и на том конце повесили трубку.

— Какие у меня чудесные друзья, они всегда готовы меня поддержать, — пробормотала она.

— Джерри! — закричала Холли. — Я думала, ты будешь помогать мне, а не превращать меня в психопатку!

Той ночью она почти не спала.

Глава десятая

—С днем рождения, Холли! Или надо говорить — с прошедшим днем рождения? — Ричард нервно засмеялся. У Холли челюсть отвисла от изумления, когда она увидела на пороге своего старшего брата. Она закрыла рот и снова открыла его, как аквариумная рыбка, совершенно не зная, что сказать. — Я принес тебе маленькие орхидеи Phalaenopsis в горшке, — сказал он, протягивая ей растение. — Их доставили свежими, они еще не распустились, но вот-вот зацветут. — Он говорил, как в рекламе.

Пораженная Холли легонько прикоснулась к розовым бутонам.

— Боже, Ричард, орхидеи — мои любимые цветы!

— Ну, у тебя такой милый сад. Милый и... — он откашлялся, — зеленый. Немного заросший, правда... — Он умолк и принялся перекатываться с каблуков на носки, что всегда злило Холли.

— Хочешь зайти? Или ты просто мимо проезжал? — Ну, пожалуйста, скажи, что не хочешь. Несмотря на подарок, Холли была не в настроении общаться с Ричардом.

— Ну да, пожалуй, зайду ненадолго. — Ричард вытирал ноги в течение минимум двух минут, прежде чем войти в дом. В своем вязаном коричневом кардигане и коричневых брюках, доходивших строго до верха аккуратных коричневых мокасин, он напомнил Холли ее старого учителя математики. Причесанный волосок к волоску, с безупречно чистыми, только что после маникюра ногтями... Холли представила себе, как он каждый вечер измеряет их маленькой линейкой, чтобы убедиться, что их длина не превышает европейского стандарта, если, конечно, такой существует.

Ей всегда казалось, что Ричарду неловко в собственном теле. Он выглядел так, будто туго затянутый (коричневый) галстук его душил, а ходил, словно к спине ему привязали шест. В те редкие моменты, когда он улыбался, улыбка никогда не затрагивала его глаз. Он муштровал собственное тело, орал на него и наказывал себя всякий раз, когда случайно начинал вести себя, как нормальный человек. Самое печальное, что он верил, что ему живется намного лучше, чем другим. Холли проводила его в гостиную и поставила орхидеи на телевизор.

— Нет, Холли, нет, — сказал он, погрозив ей пальцем, как непослушному ребенку. — Не ставь его туда! Он должен находиться в прохладном месте, защищенном от сквозняков, вдали от прямых солнечных лучей и нагревательных приборов.

— О, конечно. — Холли снова взяла горшок в руки и в панике стала искать для него подходящее место. Как он сказал? Теплое место, вдали от сквозняков? Как ему удавалось заставлять ее чувствовать себя дурочкой?

— Как насчет столика в центре комнаты? Там ему будет хорошо.

Холли сделала, как ей велели, и поставила горшок на журнальный столик, почти ожидая, что он назовет ее «хорошей девочкой». К счастью, он промолчал.

Ричард занял свое любимое место рядом с камином и осмотрелся.

— У тебя очень чисто, — прокомментировал он.

— Спасибо, я только что… убралась.

Он кивнул, как будто уже знал это.

— Хочешь чаю или кофе? — спросила она, надеясь, что он откажется.

— Да, спасибо, — сказал он и хлопнул в ладоши, — я бы выпил чаю с молоком, но без сахара.

Холли вернулась из кухни с двумя кружками чая и поставила их на журнальный столик. Она надеялась, что пар от чашек не убьет бедное растение.

— Просто поливай его регулярно и подкармливай каждую весну. — Он все еще говорил о растении. Холли кивнула, прекрасно зная, что не будет делать ни того ни другого.

— Не знала, что ты знаток цветоводства, Ричард, — сказала она, стараясь поддержать беседу. Молчание, казалось, разрасталось, заполняя собой весь дом. — Часто работаешь в саду?

— О да, я люблю работать в саду. — Его глаза загорелись. — Суббота — мой садовый день, — объявил он, улыбаясь в свою чашку.

У Холли появилось ощущение, что рядом с ней сидит абсолютно незнакомый ей человек. Она поняла, что слишком мало знает о Ричарде, как и он почти ничего не знает о ее жизни. Но Ричард сам этого захотел, он всегда держался особняком, даже ребенком. Никогда не делился своими радостями, никогда не рассказывал, как у него прошел день. Всему на свете он предпочитал факты, и только факты. Даже о Мередит его семья впервые узнала в тот самый день, когда они вдвоем пришли на ужин и объявили о своей помолвке. Отговаривать его от женитьбы на этой рыжеволосой зеленоглазой драконихе было, к сожалению, слишком поздно. Да и не стал бы он их слушать.

— Послушай, — решилась она, и ее голос прозвучал слишком громко в маленькой гостиной, — в твоей жизни случилось что-то странное или необычное? Например, почему ты здесь?

— Нет, нет, ничего странного, все как всегда. — Он глотнул чаю и добавил: — И ничего необычного тоже. Просто захотел заскочить на минуту, раз уж оказался в этом районе.

— Понятно. Просто очень неожиданно, что ты забрался в наши края. — Холли засмеялась. — Что привело тебя в темный и опасный северный округ?

— Да, знаешь, просто по делу, — пробормотал он. — Но машину я, конечно, оставил на другом берегу реки!

Холли выдавила из себя улыбку.

— Шучу, шучу, — поспешил добавить он. — Она прямо рядом с домом на улице. Но... ты же не думаешь, что это и правда опасно? — серьезно спросил он.

— Думаю, с ней все будет в порядке, — насмешливо ответила Холли. — Вроде бы никто подозрительный в нашем тупике средь бела дня не шлялся. — Он не оценил ее юмора. — Как Эмили и Тимми? Извини, я хотела сказать, Тимоти? — Разумеется, она оговорилась не специально.

Глаза Ричарда загорелись:

— У них все хорошо, Холли, очень хорошо. Хотя я за них и беспокоюсь. — Он отвел взгляд и стал рассматривать комнату.

— Что ты имеешь в виду? — спросила Холли, надеясь, что, может быть, сейчас Ричард откроется ей.

— Да нет, ничего конкретного, Холли. Дети вообще источник беспокойства. — Он поправил очки и посмотрел ей в глаза. — Наверное, ты рада, что тебе не придется беспокоиться о детях, — сказал он, засмеявшись.

В комнате повисло молчание.

Холли показалось, будто ее ударили ногой в живот.

— Так ты уже нашла работу? — продолжил он.

Холли сидела, окаменев от шока, ей все еще не верилось, что у него хватило наглости сказать ей это. Она чувствовала оскорбление и обиду, и ей хотелось, чтобы он немедленно покинул ее дом. Хватит разводить с ним церемонии! Не будет же она объяснять своему брату с его кургузым умишком, что она еще и не начинала искать работу, потому что скорбит по покойному мужу. Этого «беспокойства» ему не придется испытать еще лет пятьдесят.

— Нет, — рявкнула она.

— А на что же ты живешь? Получаешь пособие по безработице?

— Нет, Ричард, — сказала она, стараясь не терять самообладания, — я получаю не пособие по безработице, а вдовье пособие.

— А, замечательно! Удобная вещь, не правда ли?

— Я не стала бы употреблять слово «удобный». По-моему, это чрезвычайно тягостная вещь.

Атмосфера стала напряженной. Неожиданно Ричард хлопнул себя рукой по ноге.

— Я, пожалуй, поеду на работу, — объявил он, вставая и потягиваясь, как будто просидел несколько часов.

— Хорошо. — Холли испытала облегчение. — Тебе и правда лучше уехать, пока твою машину не угнали. — Он снова не понял шутки и стал выглядывать из окна, чтобы убедиться, что машина на месте.

— Ты права, она еще здесь, слава богу. Ну, было приятно тебя увидеть, и спасибо за чай, — сказал он какой-то точке на обоях поверх ее головы.

— Пожалуйста, и спасибо за орхидею, — ответила Холли сквозь зубы. Ричард пошел по дорожке через сад, но на полпути остановился осмотреться. Покачал головой в знак неодобрения и крикнул: «Тебе нужно нанять кого-нибудь, кто бы навел здесь порядок!» — и уехал на своей коричневой семейной машине.

Холли кипела от злости, глядя, как он отъезжает. Потом с грохотом захлопнула дверь. Этот человек так ее взбесил, что она чуть не выгнала его. Как можно до такой степени ничего не понимать?

Глава одиннадцатая

— О, Шэрон, я его просто *ненавижу*! — жаловалась Холли подруге по телефону вечером того же дня.

— Не обращай на него внимания, Холли! С ним ничего не поделаешь, он клинический идиот, — ответила та с негодованием.

— Но это раздражает меня еще больше. Все говорят, что с ним ничего не поделаешь, что он не виноват. Он взрослый мужчина, Шэрон. Ему тридцать шесть. Ему уже пора знать, когда держать свой рот закрытым. Он нарочно это говорит, — кипятилась Холли.

— Не думаю, что он делает это намеренно, Холли, — попыталась успокоить ее Шэрон. — Мне кажется, он просто заехал поздравить тебя с днем рождения.

— Да? С какой стати? — воскликнула Холли. — С каких это пор он вздумал приезжать ко мне и дарить подарки на день рождения? Он никогда этого раньше не делал! Никогда!

— Ну, тридцать — это все-таки дата...

— Нет, он так не думает! Он сам говорил за ужином у родителей несколько недель назад. Если я правильно запомнила, он сказал, — она стала передразнивать его голос, — «от этих вечеринок по случаю дня рождения одни неприятности». Вот придурок!

Шэрон засмеялась, потому что ее подруга говорила, как десятилетняя девочка. — Хорошо, значит, он злобное чудовище, и гореть ему в аду!

Холли на мгновение остановилась.

— Ну, я бы так не сказала, Шэрон…

Шэрон снова рассмеялась.

— То есть я не права?

Холли слабо улыбнулась. Джерри понял бы, что она чувствует. Он всегда знал, что нужно сказать и что сделать. Он обнял бы ее так, как умел обнимать только он, и все ее проблемы тут же растаяли бы. Она схватила с постели, на которой лежала, подушку и крепко обняла ее. Когда она в последний раз обнимала кого-нибудь, *по-настоящему* обнимала? А самое печальное — она не могла себе представить, что когда-нибудь сможет вот так обнять кого-то другого.

— Алло? Земля вызывает Холли! Ты там или я разговариваю сама с собой?

— Ой, извини, Шэрон, что ты сказала?

— Я спрашиваю, ты подумала по поводу караоке?

— Шэрон! — взвизгнула Холли. — Я не собираюсь об этом думать!

— Спокойно, женщина, спокойно! Я просто вот что подумала. Мы могли бы взять караоке напрокат и поставить его у тебя в гостиной. Ты сделала бы то, о чем он просит, и тебе не пришлось бы позориться на публике! Что ты на это скажешь?

— Нет, Шэрон, это прекрасная идея, но она не подходит. Он хочет, чтобы я пела в клубе «Дива», пропади он пропадом.

— Ах, как трогательно! Потому что ты Дискодива?

— Наверное, он так думал, — сказала Холли с грустью.

— Н-да, только где этот клуб «Дива»? Ни разу о таком не слышала.

— Вот и прекрасно! Раз никто не знает, что это за клуб, значит, я не смогу выполнить его указание, правильно? — сказала Холли, довольная, что нашла выход из тупика.

Они попрощались, но, едва она повесила трубку, телефон снова зазвонил.

— Здравствуй, милая.

— Мама! — сказала Холли с упреком в голосе.

— О боже, что я натворила?

— Меня сегодня навестил твой злобный сын, и я им крайне недовольна.

— Ох, прости, дорогая, я звонила предупредить, что он к тебе заедет, но все время попадала на автоответчик. Ты вообще иногда включаешь телефон?

— Дело не в этом, мам.

— Я знаю, извини. А что он сделал?

— Он открыл рот. Это уже проблема.

— О нет! Он так хотел подарить тебе подарок.

— Ну, я не отрицаю, что подарок милый и трогательный, но он говорил мне ужасные вещи и даже глазом при этом не моргнул!

— Хочешь, я поговорю с ним?

— Да нет, не надо. Мы уже большие мальчики и девочки. Но за предложение спасибо. Так что ты хотела? — Холли поспешила сменить тему.

— Мы с Киарой смотрим фильм с Дензелом Вашингтоном. Киара считает, что когда-нибудь выйдет за него замуж, — засмеялась Элизабет.

— Точно, выйду! — закричала издалека Киара.

— Не хотелось бы ее расстраивать, но он женат, — сказала Холли.

— Он женат, дорогая. — Элизабет передала новость.

— Подумаешь, эти голливудские браки... — пробормотала Киара.

— И вы в доме одни? — спросила Холли.

— Фрэнк в пабе, а Деклан в колледже.

— В колледже? Но уже десять вечера! — засмеялась Холли. Деклан, вероятно, шатался где-то в городе и делал что-нибудь противозаконное, используя колледж как прикрытие. Неужели мать настолько простодушна, чтобы поверить в это, особенно учитывая, что она вырастила четверых старших детей?

— Ну что ты, он очень трудолюбив, когда захочет. Холли, он работает над каким-то проектом. Я не знаю, что это такое, потому что, когда он рассказывает, половину пропускаю мимо ушей.

— М-м-м, — недоверчиво протянула Холли.

— Ну ладно, мой будущий зять снова на экране, поэтому я должна отключиться, — засмеялась Элизабет. — Не хочешь к нам присоединиться?

— Спасибо, нет. Мне и здесь хорошо.

— Ну ладно, дорогая, но, если передумаешь, ты знаешь, где нас искать. Пока, детка.

Холли вернулась в одиночество своего пустого дома.

На следующее утро Холли проснулась в своей постели одетой. Она чувствовала, что опять поддается старым привычкам. Оптимизм, который она старательно копила в течение нескольких недель, таял на глазах. Стараться все время быть счастливой — чертовски утомительное занятие, и ей явно не хватало на это сил. Кому какое дело, если у нее дома бардак? Никто, кроме нее, его не увидит, а ей все равно. Кого волнует, если она неделю не будет краситься или мыться? Она не собиралась производить на людей впечатление. Единственным мужчиной, с которым она виделась регулярно, был парень из доставки пиццы. Этот ей всегда улыбался — как только получал чаевые. Кому какое дело? Рядом с ней завибрировал мобильник. Пришло сообщение от Шэрон.

«КЛУБ ДИВА ТЕЛ. 36700700 ПОДУМАЙ ОБ ЭТОМ. БУДЕТ ВЕСЕЛО СДЕЛАЙ ЭТО ДЛЯ ДЖЕРРИ».

Джерри умер, хотелось ответить ей. Но вот что странно. С начала истории с конвертами она перестала думать о нем как о мертвом. Ей казалось, что он просто уехал в отпуск и пишет ей письма. Ну, по крайней мере, можно позвонить в клуб и все разузнать. Это еще не значит, что ей придется пройти через это.

Она набрала номер, и ей ответил мужской голос. Она еще не придумала, что сказать, поэтому быстро повесила трубку. Ну, давай, Холли, сказала она себе, это не так сложно, просто скажи, что в караоке хочет петь твоя подруга.

Холли собрала свою волю в кулак и снова набрала номер.

Ей ответил тот же голос: «Клуб «Дива».

— Здравствуйте…Я хотела узнать, у вас бывают вечера караоке?

— Бывают… По… — она услышала, как он перелистывает страницы, — да, извините, по четвергам.

— По четвергам?

— Ой, нет, подождите... — Он снова принялся листать. — Нет, по вторникам, вечером.

— Вы уверены?

— Да, точно по вторникам.

— А скажите... Э-э-э, ну, я хотела спросить, м-м-м... — Холли сделала глубокий вдох и начала: — Моя подруга хотела бы спеть в караоке, и она хотела узнать, что ей нужно для этого сделать?

На другом конце провода повисла длинная пауза.

— Алло? — Видимо, ей попался умственно отсталый собеседник.

— Простите, пожалуйста. Дело в том, что организацией вечеров караоке занимаюсь не я, поэтому...

Холли начала терять терпение. Она долго собиралась с духом, чтобы сделать этот звонок, и какой-то некомпетентный тупица не испортит ее затею.

— Ну хорошо, а есть у вас там кто-нибудь, кто знает?

— Не-а. Вообще-то клуб еще не открылся, слишком рано, — довольно ехидно ответил он.

— Спасибо вам большое, вы мне очень помогли! — в тон ему сказала она.

— Постойте! Если вы чуть-чуть подождете, я постараюсь что-нибудь для вас узнать. — Он перевел Холли на ожидание вызова, и в течение следующих пяти минут она вынужденно слушала мелодию «Зеленых рукавов».

— Алло, вы еще здесь?

— Да, как ни странно, — сказала она рассерженно.

— Извините, что заставил вас ждать, пришлось звонить. Как зовут вашу подругу?

Холли окаменела, это в ее планы не входило. Ну, ладно, она скажет свое имя, а потом ее «подруга» перезвонит и сообщит, что передумала.

— А, ее зовут Холли Кеннеди.

— Так вот, у нас по вторникам действительно проходит конкурс караоке. Три вторника подряд отбирают по два человека из десяти, а в последнюю неделю месяца эти шестеро поют в финале.

Холли сглотнула. Она не желала в этом участвовать.

— Но, к сожалению, — продолжил он, — запись на конкурс закончилась несколько месяцев назад, поэтому, пожалуйста, скажите своей подруге, чтобы она попробовала записаться ближе к Рождеству. Тогда будет новый конкурс.

— Спасибо.

— Кстати, я что-то слышал про Холли Кеннеди. Это случайно не сестра Деклана Кеннеди?

— Да, а вы что, ее знаете? — спросила пораженная Холли.

— Ну, не сказал бы, что знаю, просто ее брат познакомил нас здесь несколько дней назад.

Неужели Деклан ходит по клубам и представляет девушек под видом своей сестры? Больной, извращенец...

— Деклан выступал в клубе «Дива»?

— Да нет, — засмеялся он, — он играл со своей группой у нас в подвальном этаже.

Холли напряглась, переваривая полученную информацию, и наконец до нее дошло.

— Так клуб «Дива» находится в пабе «У Хогана»?

Он снова засмеялся:

— Ну да, на верхнем этаже. Наверное, надо давать больше рекламы!

— Вы Дэниел? — выпалила Холли и тут же сама себя стукнула за глупость.

— Да... Мы знакомы?

— Нет! Не знакомы! Холли просто упомянула вас в разговоре, вот и все. — Только брякнув это, она поняла, как двусмысленно это прозвучало. — Коротко упомянула, — уточнила она. — Сказала, вы принесли ей табурет. — Холли начала тихо биться головой об стену.

Дэниел снова засмеялся:

— Понятно... Ну, передайте ей, если она хочет участвовать в конкурсе на Рождество, я могу ее записать прямо сейчас. Вы не представляете, сколько народу рвется записаться.

— Правда? — слабо выговорила Холли. Она чувствовала себя полной дурой.

— Кстати, с кем я разговариваю?

Холли стала ходить взад-вперед по комнате.

— Э, Шэрон. Меня зовут Шэрон.

— Отлично, Шэрон. Ваш номер у меня на определителе, поэтому, если кто-нибудь откажется, я вам сразу перезвоню.

— Спасибо, большое спасибо!

Он повесил трубку.

Холли нырнула в постель и зарылась с головой под одеяло. Она чувствовала, как все ее лицо наливается краской стыда. Она кляла себя на чем свет стоит. Вела себя как круглая дура!

Не обращая внимания на раздавшийся телефонный звонок, она попыталась убедить себя, что все же не выглядела полной идиоткой.

В конце концов, решив, что может снова явить миру свое лицо (на это ушло много времени), она вылезла из постели и нажала на кнопку автоответчика.

103

— Привет, Шэрон, ты, видимо, только что вышла. Это Дэниел из клуба «Дива». — Он замолчал и, засмеявшись, добавил: — Из паба «У Хогана». Я тут просматривал список имен... Похоже, кто-то уже записал Холли на конкурс еще несколько месяцев назад. Вообще-то она значится в списке одной из первых. Если, конечно, это не другая Холли Кеннеди... — Он опять помолчал. — В любом случае, позвоните мне, когда вам будет удобно, и мы во всем разберемся. Спасибо.

Пораженная, Холли застыла на краю кровати. Так она просидела несколько часов.

Глава двенадцатая

Шэрон, Дениз и Холли сидели в кафе «Бьюлиз» у окна с видом на Графтон-стрит. Они часто встречались здесь, болтая и поглядывая, как мимо них движется мир. Шэрон всегда утверждала, что отсюда лучше всего изучать витрины — и действительно, все ее любимые магазины отлично просматривались через окно.

— Поверить не могу, что Джерри это организовал! — воскликнула Дениз, когда ей сообщили новость. Свои длинные темные волосы она отбросила на спину, и ее ярко-голубые глаза сверкали энтузиазмом.

— Будет довольно весело, разве нет? — с волнением сказала Шэрон.

— О боже! — При одной мысли об этом у Холли задрожали коленки. — Я правда, правда, *правда* страшно не хочу на это идти! Но я должна довести до конца то, что начал Джерри.

— Вот это правильный настрой, Хол! — одобрила Дениз. — Мы все будем рядом, чтобы тебя поддержать!

— Стоп, Дениз, — сказала Холли, меняя тон. — Я настаиваю, чтобы со мной пошли только ты и Шэрон, больше никто. Я не собираюсь устраивать представление. Все должно остаться между нами.

— Постой, Холли, — запротестовала Шэрон. — Это и будет представление! Никто не думал, что после того раза ты когда-нибудь снова споешь под караоке...

— Шэрон! — В голосе Холли звучала угроза. — Кое-кто мог бы и понять, что есть вещи, о которых лучше забыть. Потому что у кое-кого остался шрам на всю жизнь.

— А по-моему, кое-кто — просто глупая корова, которая сама себя терзает по пустякам, — пробормотала Шэрон.

— Так когда настает великий день? — сменила тему Дениз, чувствуя, что атмосфера становится напряженной.

— В следующий вторник, — простонала Холли, наклонилась вперед и принялась делать вид, что бьется головой о столик. Посетители кафе смотрели на нее с любопытством.

— Ее на один день выпустили из психбольницы, — объявила на весь зал Шэрон, показывая на Холли.

— Не волнуйся, Холли, у тебя ровно семь дней, чтобы превратиться в Мэрайю Кэри. Никаких проблем, — сказала Дениз, улыбаясь Шэрон.

— Проще Леннокса Льюиса научить балету, — пожала плечами Шэрон.

Холли перестала биться головой о стол и посмотрела на подруг:

— Ну, Шэрон, спасибо тебе за поддержку.

— Нет, вы только представьте себе! Леннокс Льюис, в трико, с маленькой упругой попкой, танцует вокруг нас... — мечтательно сказала Дениз.

Холли и Шэрон перестали ворчать друг на друга и посмотрели на Дениз.

— Ты отвлекаешься, Дениз.

— Что? — переспросила Дениз, покидая мир своих фантазий. — Нет, вы представьте... Сильные мускулистые ляжки...

— Которыми он перешибет тебе хребет, только попробуй к нему приблизиться, — договорила за нее Шэрон.

— А что, это идея! — сказала Дениз, и ее глаза загорелись.

— Лично я уже представила, — сказала Холли, глядя в одну точку. — В некрологе будет написано: «Трагическая гибель Дениз Хеннесси, насмерть раздавленной самыми мощными в мире ляжками в тот самый миг, когда ей приоткрылись небеса...»

— Я не против, — согласно кивнула Дениз. — Какая прекрасная смерть! Дайте мне хоть кусочек тех небес!

— Ну хватит! — перебила ее Шэрон, грозя пальцем. — Оставь свои грязные фантазии при себе. А ты, — она ткнула в Холли, — прекрати уходить от темы.

— Да ты просто ревнуешь, Шэрон, потому что твой муж своими худосочными ляжками и спички не сломает, — поддразнила ее Дениз.

— Как раз у Джона с ляжками все в порядке. Не отказалась бы, если бы у меня были такие, — закончила Шэрон.

— Ну хватит! — Дениз ткнула пальцем в Шэрон. — Оставь свои грязные фантазии при себе.

— Девочки, девочки! — Холли щелкнула пальцами. — Давайте сосредоточимся на мне! Сосредоточьтесь на мне.

И она грациозно помахала руками перед их лицами.

— Ну ладно, мисс Эгоистка, что ты собираешься петь?

— Понятия не имею! А для чего еще я собрала это совещание?

— Какое совещание? Ты сказала, что хочешь пойти по магазинам, — сказала Шэрон.

— Да ну? — удивилась Дениз, глядя на Шэрон и подняв брови. — А я думала, что вы обе просто заглянули ко мне в обеденный перерыв.

— Вы обе правы, — заверила их Холли. — Считайте, что мы в магазине. Я покупаю идеи, и вы обе мне нужны.

— Ха-ха! Хороший ответ. — В кои-то веки Шэрон и Дениз согласились друг с другом.

— Слушайте! — возбужденно воскликнула Шэрон. — У меня есть идея. Помните, в Испании, мы две недели пели одну и ту же песню? Она к нам так привязалась, что в конце надоела до ужаса. Что это была за песня? — Холли пожала плечами. Если песня им надоела до ужаса, вряд ли стоит ее вспоминать.

— Я не знаю, — пробормотала Дениз, — вы меня с собой не позвали.

— Ну Холли, ты должна ее знать!

— Не помню.

— Должна вспомнить!

— Шэрон, ну что ты к ней привязалась, она же сказала, что не помнит, — сказала Дениз.

— Что же это была за песня? — раздраженно сдавила виски руками Шэрон. Холли снова пожала плечами.

— Ура, вспомнила! — радостно объявила Шэрон и заголосила на все кафе: — «Солнце, море, секс, песок, дай мне руку, мой дружок!»

Холли вытаращила глаза. От стыда у нее запылали щеки — на них вовсю пялились люди за соседними столиками. Она повернулась к Дениз, надеясь, что та поможет ей унять Шэрон.

— «Е-е-е-е, секс, секс!» — Дениз уже подпевала Шэрон. Кое-кто из посетителей смотрел на них с веселым удивлением, но большинство бурно негодовали. А Дениз и Шэрон как ни в чем не бывало распевали незатейливую песенку, действительно бывшую хитом танцполов несколько лет назад. Они уже собрались в четвертый раз подряд затянуть припев (куплетов не помнила ни та ни другая), когда Холли решительно призвала их к молчанию.

— Девочки, я не могу петь эту песню! К тому же куплеты должен петь мужчина! В стиле рэп!

— Ну, по крайней мере, тебе не придется петь слишком долго, — засмеялась Дениз.

— Нет и еще раз нет! Не стану я петь рэп на конкурсе караоке!

— И правильно, — кивнула Шэрон.

— Ну ладно, что ты сейчас слушаешь? — Дениз снова стала серьезной.

— Группу «Westlife». — Она посмотрела на них с надеждой.

— Тогда спой песню «Westlife», — предложила Шэрон. — Хотя бы будешь знать все слова.

Шэрон и Дениз дружно закатились хохотом.

— Может, переврешь мелодию... — с трудом выговорила Шэрон, корчась от смеха.

— ...зато будешь знать текст! — подхватила Дениз, и обе согнулись пополам от хохота.

Холли рассердилась, но, глядя, как заливаются подруги, сама не сдержалась и засмеялась. Они были правы, Холли медведь на ухо наступил. Она и двух нот не могла спеть без фальши. Песни, которая окажется ей по силам, скорее всего, вообще не существует. Наконец, когда подруги немного успокоились, Дениз посмотрела на часы и заныла, что ей пора возвращаться на работу.

Они пошли из кафе «Бьюлиз» — к радости большинства клиентов.

— Эти зануды наверняка теперь закатят вечеринку в честь нашего ухода, — бормотала Шэрон, пробираясь между столиками.

Взявшись под руки, они двинулись по Графтон-стрит к магазину одежды, в котором Дениз работала менеджером. Светило солнце, в воздухе веяло легкой прохладой. На Графтон-стрит, как обычно, творилось столпотворение: служащие близлежащих офисов спешили в рестораны, возле магазинов сновали покупатели, и все наслаждались ясной погодой. Чуть ли не на каждом углу уличные музыканты соревновались за внимание публики. Проходя мимо скрипача, Дениз и Шэрон изобразили несколько па ирландского танца, вогнав Холли в краску смущения.

Музыкант подмигнул им, и они бросили мелочь в его твидовую кепку, лежащую на земле.

— Ну ладно, лентяйки, мне пора на работу, — сказала Дениз, толкая дверь своего магазина. При виде начальства подчиненные перестали болтать и бросились поправлять одежду на полках. Холли и Шэрон еле сдержали смех. Они попрощались с Дениз и пошли в сторону торгового центра «Стивенз Грин», на парковке которого оставили свои машины.

— «Солнце, море, секс, песок», — тихо запела Холли. — О черт, Шэрон, из-за тебя эта песня опять ко мне привязалась.

— Ну вот, ты опять начала звать меня «черт Шэрон». Я ведь и обидеться могу, Холли. — И Шэрон принялась ей подпевать.

— Да ну тебя! — засмеялась Холли, ударяя ее по руке.

Глава тринадцатая

Было уже четыре, когда Холли наконец направилась домой, в свой пригородный Свордз. Коварная Шэрон убедила ее после кафе пройтись по магазинам. Кончилось это тем, что Холли разорилась на дурацкий топ, явно ей не по возрасту. Вообще-то деньги теперь, не имея стабильной зарплаты, следовало тратить осторожнее, иначе впереди ее ждут тяжелые времена. И, конечно, надо искать работу. Но она до сих пор с трудом выбиралась по утрам из постели, от одной мысли о том, что придется с девяти до пяти торчать в тоскливой конторе, у нее сразу падало настроение. Зато это помогло бы оплачивать счета... Холли громко вздохнула: со всем этим ей теперь предстоит справляться в одиночку. Думать об этом, и то тошно. Но в том-то и заключалась ее самая большая проблема — она беспрестанно об этом думала. Ей нужно чаще бывать с людьми, как сегодня, с Дениз и Шэрон, чтобы отвлечься от грустных мыслей. Она позвонила матери и спросила, можно ли ей заехать.

— Конечно, зайка, мы всегда тебе рады. — Мать вдруг перешла на шепот: — Если ты не против столкнуться здесь с Ричардом.

О господи! С чего это он вдруг начал так активно навещать родственников?

Услышав новость, Холли решила ехать домой, но потом подумала, что ведет себя глупо. В конце концов, Ричард ее брат, и, как бы он ее ни раздражал, с какой стати ей от него бегать.

Дома у родителей стоял гвалт и толкотня. Казалось, в каждой комнате кто-то шумит, словно она вернулась в детство. Когда она вошла, мать как раз ставила на стол еще одну тарелку.

— Ой, мам, ну что ж ты не предупредила, что вы собираетесь ужинать? — сказала Холли, обнимая и целуя ее.

— А ты что, уже поела?

— Нет. Если честно, я умираю от голода. Просто не хотела тебя утруждать.

— О чем ты говоришь! Бедняжка Деклан останется один день без ужина, только и всего, — сказала она, подмигивая сыну, который как раз садился за стол. В ответ он скорчил смешную рожицу. На этот раз в домашней атмосфере не ощущалось той напряженности, какая царила на предыдущем семейном ужине, — или, может, Холли сама сумела расслабиться.

— Итак, мистер Трудоголик, почему сегодня не в колледже? — спросила она с насмешкой.

— Я проторчал в колледже все утро, — ответил он. — И между прочим, опять к восьми туда двину.

— Поздновато, — сказал отец, подливая себе соуса. В его тарелке соуса всегда оказывалось больше, чем самой еды.

— Что поделаешь? В другое время монтажная занята.

— У вас только одна монтажная, Деклан? — поинтересовался Ричард.

— Ну да. — Он, как всегда, охотно отвечал на вопросы.

— А сколько студентов на курсе?

— Немного. Всего двенадцать человек.

— Неужели у колледжа не хватает денег?

— На студентов? — не понял Деклан.

— Нет, на еще одну монтажную.

— Ну, Ричард, у нас действительно небольшой колледж.

— Я думаю, в крупных университетах оборудование гораздо лучше. И вообще они лучше.

Как всегда, в своем репертуаре.

— Ну нет, оборудование у нас первоклассное! Просто техники меньше, потому что мало студентов. И преподаватели у нас ничуть не хуже университетских, если не лучше — многие не только преподают, но еще и работают в киноиндустрии. Короче, они сами делают то, чему нас учат. Это не какие-нибудь книжные черви.

«Молодец, Деклан», — подумала Холли и через стол подмигнула ему.

— Полагаю, в киноиндустрии слишком мало платят, поэтому им и приходится преподавать.

— Ричард, работать в кино престижно! Чтобы туда попасть, надо иметь высшее образование! А еще лучше — степень магистра или доктора!

— Да что ты? Неужели в этой области можно получить степень? — Ричард был поражен. — Я думал, это просто краткосрочные курсы.

Деклан, шокированный, перестал жевать и беспомощно посмотрел на Холли. Странно, что они не устали удивляться невежеству Ричарда.

— Ричард, а кто, по-твоему, делает все эти программы о садоводстве, которые ты смотришь? — вмешалась Холли. — Это же не просто кучка лоботрясов, которые кончили краткосрочные курсы.

Мысль о том, что съемка телепрограммы требует знаний и мастерства, явно никогда не приходила ему в голову.

— Это действительно прекрасные программы, — согласился он.

— И о чем будет твой фильм, Деклан? — спросил Фрэнк.

— Ну, там много всего, — прожевав, ответил тот. — Но в основном о клубной жизни в Дублине.

— А меня можешь снять? — горячо спросила Киара, до того необычайно молчаливая.

— Может, и вставлю твой затылок, — пошутил он.

— Буду ждать твой фильм с нетерпением, — искренне сказала Холли.

— Спасибо. — Деклан положил нож и вилку и вдруг засмеялся. — Кстати, до меня тут слух дошел... Ты вроде на следующей неделе поешь на конкурсе караоке? Ты че, серьезно?

— Что? — закричала Киара, вытаращив глаза.

Холли притворилась непонимающей.

— Да ладно тебе, Холли! — настаивал он. — Мне Дэнни сказал! — Повернувшись к остальным, он пустился в объяснения: — Дэнни — это владелец заведения, в котором у меня недавно был концерт, и он сказал, что Холли записалась на конкурс караоке.

— Деклан, Дэниел просто разыграл тебя. Всем известно, что я не умею петь! Да не смотрите вы на меня так! Ну правда, если бы я решила спеть на конкурсе караоке, я бы вам точно сказала. — Она засмеялась, как будто эта мысль показалась ей невероятно глупой. Если честно, она такой и была.

— Холли! — засмеялся Деклан. — Кончай врать! Я видел твое имя в списке!

Холли положила нож и вилку. У нее вдруг пропал аппетит.

— Холли, почему ты не сказала нам, что собираешься участвовать в конкурсе? — спросила мать.

— Потому что я не умею петь!

— Тогда зачем ты в это ввязываешься? — расхохоталась Киара.

Почему бы и не сказать им, подумала она, Деклан все равно выбьет из нее правду. Да и родителям врать не хочется. Жалко только, что Ричард здесь.

— Ну ладно. На самом деле это длинная история. Это Джерри записал меня на этот конкурс несколько месяцев назад. Он хотел, чтобы я это сделала. Я ужасно боюсь, но чувствую, что должна через это пройти. Это глупо, я знаю.

Киара резко оборвала смех.

Холли смутилась, почувствовав на себе взгляды родных, и нервно заправила за уши прядь волос.

— Я думаю, что это прекрасная идея, — неожиданно объявил отец.

— Да, — добавила мать, — и мы все придем за тебя болеть.

— Нет, мам, не надо! Я не хочу раздувать из этого историю.

— Еще чего! — воскликнула Киара. — Если уж моя сестра будет петь на конкурсе, я точно приду!

— Мы все придем! — подхватил Ричард. — Ни разу не был на конкурсе караоке! Наверное, это очень... — он поискал слово, — ...забавно.

Холли застонала и закатила глаза. Лучше бы сразу поехала домой!

Деклан громко захохотал:

— Да уж, Холли, это будет... — он поскреб подбородок, — очень забавно!

— Когда это? — спросил Ричард, доставая ежедневник.

— Э-э... в субботу, — соврала Холли, и Ричард принялся писать.

— Неправда! — закричал Деклан. — Это в следующий вторник! Врунья!

— Черт! — выругался Ричард, чем вверг всех в изумление. — У кого-нибудь есть замазка?

Холли нервничала. Она практически не спала в эту ночь и только и делала, что бегала в туалет. Да и выглядела в точности так, как себя чувствовала. Под красными глазами огромные мешки, до крови искусанные губы.

Великий день настал. Сбылся худший из ее кошмаров — ей придется петь на публике.

Холли даже про себя никогда не пела — боялась, что стекла лопнут. Господи, ей опять надо в туалет! Нет слабительного лучше страха — за сегодня Холли, как пить дать, похудела килограммов на пять. Друзья и родственники старались ее поддержать, прислали открытки с пожеланием удачи. Шэрон с Джоном расщедрились на букет цветов. Она поставила его на свой защищенный от сквозняков и батарей отопления журнальный столик рядом с полумертвой орхидеей. А Дениз отличилась — прислала открытку с соболезнованиями. Очень остроумно.

Холли надела наряд, который по указанию Джерри купила в апреле, и обругала мужа последними словами. То, как она выглядит, сейчас волновало ее меньше всего. Она распустила волосы, постаравшись максимально спрятать лицо, и накрасила ресницы водостойкой тушью. Как будто это поможет не расплакаться! Она знала, что этот вечер закончится слезами. Когда дело касалось самых дерьмовых дней ее жизни, у нее появлялся дар предвидения.

Джон и Шэрон заехали за ней на такси, но она не сказала с ними ни слова, про себя проклиная всех, кто заставил ее пойти на такую глупость. Ее мутило, и ей не сиделось на месте. Стоило такси остановиться на светофоре, ее одолевало искушение выскочить из машины и удрать, но, пока она набиралась храбрости распахнуть дверцу, загорался зеленый свет. Она не знала, куда девать руки, и без конца открывала и закрывала сумочку, как будто что-то в ней искала. Что она могла там найти?

— Расслабься, Холли, — сказала Шэрон. — Все будет хорошо.

— Отвали, — огрызнулась она.

Остальную часть пути они провели в молчании, даже водитель не отпускал замечаний. Наконец добрались до паба «У Хогана», и Джону с Шэрон пришлось долго уговаривать ее не прыгать в реку, а зайти внутрь. К ужасу Холли, клуб оказался набит битком, и ей пришлось долго протискиваться сквозь толпу к столику, который заняли ее родные (поближе к туалету, как она и просила).

Ричард, неуклюже скорчившись, восседал на барном табурете. В своем строгом костюме он выглядел здесь до крайности неуместно.

— Так, отец, расскажи мне о правилах. Что должна делать Холли?

Пока отец объяснял Ричарду «правила» конкурса караоке, нервы Холли напряглись до предела.

— Да здесь здорово, а? — восторженно сказал Ричард, оглядываясь по сторонам. Судя по всему, до этого ему еще ни разу не доводилось побывать в ночном клубе.

Вид сцены поверг Холли в ужас. Просто огромная, намного больше, чем она ожидала, а на стене — огромный экран, чтобы зрители могли читать слова песен. Джек сидел, обняв за плечи Эбби, и они оба послали ей дружескую улыбку.

Холли сердито посмотрела на них и отвернулась.

— Холли, тут такая потешная вещь произошла, — сказал Джек и засмеялся. — Помнишь того парня, Дэниела, с которым мы познакомились на прошлой неделе?

Холли взглянула на него. Она видела, что его губы шевелятся, но не понимала ни слова из того, что он говорил.

— Мы с Эбби приехали пораньше, чтобы занять столик, сидели и целовались, и тут этот парень к нам подходит и шепчет мне на ухо, что ты скоро придешь. Представляешь, он думал, что мы с тобой встречаемся! И что я тебе изменяю! — Джек и Эбби дружно расхохотались.

— Гадость какая, — сказала Холли и отвернулась.

— Да нет, — постарался объяснить Джек, — он же не знал, что мы брат и сестра. Мне пришлось ему объяснить... — Шэрон бросила на него предостерегающий взгляд, и Джек захлопнул рот.

— Привет, Холли! — К ним шел Дэниел со списком в руках. — Вот, слушай, порядок сегодня такой:

119

сначала девушка по имени Маргарет, потом парень, его зовут Кит, а за ним ты. Хорошо?

— Значит, я третья.

— Да, сразу за...

— Все, подробности ни к чему, — грубо оборвала его Холли. Ей хотелось поскорее убраться из этого дурацкого клуба. Хоть бы они все перестали ее доставать и оставили в покое! Чтоб им ни дна ни покрышки! А хорошо бы, если бы земля вдруг разверзлась под ногами и поглотила ее! Или чтобы случилось стихийное бедствие, и всех бы срочно эвакуировали из здания. Она даже поискала глазами кнопку пожарной тревоги, не слушая, что говорит ей Дэниел.

— Холли! Холли, извини, что опять тебя беспокою, но... Скажи, пожалуйста, а твоя подруга Шэрон здесь? — Он смотрел на нее так, будто боялся, что сейчас она откусит ему голову. Правильно делает, что боится, подумала она.

— Вон она. — Холли кивнула на Шэрон. — Подожди, а зачем она тебе?

— Да просто хотел извиниться за разговор. — И он направился к Шэрон.

— За что извиниться? — запаниковала Холли.

— Ну, мы немного поспорили в прошлый раз. — Он явно не понимал, почему должен отчитываться перед ней.

— Знаешь, это совершенно лишнее, — запинаясь, сказала Холли. — Она наверняка уже об этом забыла. Только разборок нам сейчас и не хватает.

— Ну, не знаю... И все-таки я должен извиниться. — И он направился к Шэрон. Холли вскочила со своего табурета.

— Шэрон, привет! Я Дэниел. Извини за прошлый раз, когда мы говорили по телефону. Это недоразумение.

Шэрон посмотрела на него так, как будто у него была не одна голова, а по меньшей мере десять:

— Какое еще недоразумение?

— Ну, по телефону.

Джон на всякий случай обнял Шэрон за талию.

— По телефону?

— Э-э-э… Да, по телефону.

— Извините, как вас зовут?

— Э-э-э… Дэниел.

— И мы разговаривали по телефону? — спросила Шэрон и улыбнулась.

Холли отчаянно махала ей руками за спиной Дэниела. Дэниел нервно откашлялся.

— Ну, вы же звонили в клуб на прошлой неделе? А я снял трубку. Помните?

— Нет, не помню, — вежливо сказала Шэрон. — Видимо, вы меня с кем-то путаете.

Джон бросил на Шэрон вопросительный взгляд. Дай ему волю, он бы объяснил Дэниелу, куда ему следует пойти. Дэниел растерянно провел рукой по волосам и в недоумении начал поворачиваться к Холли.

Та отчаянно закивала головой, пытаясь привлечь внимание Шэрон.

— А-а-а! — вскричала Шэрон, как будто ее только что осенило. — Ну конечно, Дэниел! — с фальшивым воодушевлением продолжала она. — О боже, простите, у меня мозги в отключке. — Она засмеялась, как сумасшедшая. — Наверное, слишком много выпила, — сказала она, поднимая свой бокал.

На лице Дэниела мелькнуло облегчение.

— Ну слава богу, а то я уж решил, что схожу с ума! Так вы помните, что мы разговаривали по телефону?

— А-а-а, так вы о том разговоре по телефону? Не беспокойтесь об этом, — сказала она и махнула рукой.

— Просто я совсем недавно купил это заведение и еще ничего не знал про этот конкурс.

— Ну ясное дело! Да вы не волнуйтесь! Каждому нужно время, чтобы… э-э-э… приспособиться.

Шэрон быстро стрельнула глазами в сторону Холли — правильно она говорит?

— Ну вот, я рад наконец познакомиться с вами лично, — засмеялся Дэниел. — Может, табурет принести или что-нибудь еще? — шутливо предложил он.

Шэрон и Джон оба сидели на барных табуретах и в недоумении уставились на него. До чего странный тип… Джон проводил Дэниела подозрительным взглядом.

— О чем это он? — спросила Шэрон у Холли, как только тот отошел подальше.

— А, потом объясню, — буркнула Холли и отвернулась к сцене. На ней как раз появился ведущий конкурса.

— Добрый вечер, дамы и господа! — поприветствовал он публику.

— Добрый вечер! — закричал Ричард, который выглядел необычайно возбужденным. Холли закатила глаза.

— Нас ждет чудесный вечер… — Он говорил и говорил поставленным голосом диджея, пока Холли нервно переминалась с ноги на ногу. Ей снова отчаянно захотелось в туалет.

— Итак, первой перед нами выступит Маргарет из Талата, которая споет нам песню Селин Дион из «Титаника» — «My Heart Will Go On». Давайте пожелаем успеха красавице Маргарет!

Зрители зашумели, поддерживая исполнительницу. У Холли дико колотилось сердце. Самая сложная песня в мире — типично.

Когда Маргарет начала петь, в зале стало так тихо, что можно было услышать жужжание мухи.

Холли оглянулась и стала рассматривать лица зрителей. Они все смотрели на Маргарет с восхищением, включая ее собственных родственников. Предатели! Маргарет пела с закрытыми глазами, и пела с такой страстью, что, казалось, проживает каждую строчку песни. Холли в один миг возненавидела ее. Может, подставить ей подножку, когда она будет возвращаться на свое место?

— Ну разве не прелесть? — спросил диджей. Толпа одобрительно загудела, а Холли подумала, что вряд ли ее выступление вызовет такую же реакцию. — А теперь послушаем Кита! Может, вы помните его по прошлогоднему конкурсу — он тогда победил, а сегодня споет нам «Америку» Нила Дайамонда. Поддержим Кита! — Холли не могла больше этого слышать и побежала в туалет.

Она шагала от стенки к стенке и пыталась успокоиться. Колени дрожали, болел живот, в горле стоял комок. Она посмотрела на себя в зеркало и глубоко вздохнула. Не помогло, только голова закружилась. Толпа в зале зааплодировала, и Холли застыла от ужаса. Теперь ее очередь.

— Кит, как всегда, на высоте!

Все снова захлопали и закричали от восторга.

— Мне сдается, Кит мечтает поставить рекорд и выиграть два конкурса подряд! Что ж, пожелаем ему успеха!

Пожалейте лучше бедную Холли!

— Следующей выступит участница по имени Холли, и она споет нам…

Холли нырнула в кабинку и заперла за собой дверь. Никто и ничто на свете не заставит ее выйти отсюда.

— Итак, дамы и господа, давайте-ка поприветствуем Холли!

Зал разразился громом аплодисментов.

Глава четырнадцатая

Ровно три года назад Холли впервые в своей жизни пела под караоке. Так вышло, что в последний раз она пела под караоке тоже ровно три года назад.

Большой компанией они с друзьями отправились в паб по соседству с ее домом, чтобы отметить тридцатилетие одного из них. Холли тогда жутко устала, потому что две последние недели работала сверхурочно. Никакого настроения куда-то идти. Все, чего ей хотелось, так это прийти домой, принять ванну, надеть самую несексуальную из своих пижам, слопать плитку шоколада и растянуться перед телевизором на мягком диване рядом с Джерри.

Простояв в набитом вагоне электрички всю обратную дорогу от работы до станции «Саттон», Холли меньше всего на свете стремилась в духоту переполненного паба. В поезде одной щекой ей пришлось прижиматься к стеклу, а вторая оказалась прямо под потной подмышкой мужика, который забыл помыться. За спиной еще один мужик дышал ей в шею перегаром. К тому же каждый раз, когда вагон качало, он «случайно» прижимался своим огромным пивным пузом к ее спине. Она уже две недели каждый день страдала от этого унижения по пути на работу и домой, и ее терпение иссякло. Она мечтала о пижаме.

Наконец станция «Саттон». Какие-то умники ломились в вагон, не дожидаясь, когда из него выйдут другие пассажиры. Пока она пробивала себе путь сквозь толпу, пока выбиралась на платформу, ее автобус отъехал от остановки, полный счастливчиков, улыбавшихся ей из окон. Шел уже седьмой час, кафе закрылось, и она полчаса проторчала на ветру и холоде в ожидании следующего автобуса. От этого ее желание уютно устроиться с Джерри перед телевизором значительно окрепло.

Но тихий вечер дома ей не грозил. У ее любимого мужа оказались другие планы. Когда, вымотанная и дико злая, она дотащилась до дома, то обнаружила в нем кучу народу. Еще и музыка гремела во всю мощь. Какие-то незнакомые люди слонялись по ее гостиной с банками пива в руках и располагались на диване, который она намеревалась оккупировать на ближайшие несколько часов. Джерри стоял рядом с проигрывателем, изображая диджея. По его мнению, он выглядел круто. По ее — по-идиотски.

— Что случилось? — спросил Джерри, когда увидел, как она в ярости несется наверх, в спальню.

— Джерри, я устала как собака! — закричала она в ответ. — Я не в настроении для вечеринки, а ты даже не спросил меня, можно ли пригласить гостей. И кстати, кто все эти люди?

— Они друзья Конора, и, кстати, это и мой дом! — тоже заорал он.

Холли прижала пальцы к вискам и начала мягко массировать их, у нее была ужасная головная боль, и музыка сводила ее с ума.

— Джерри, — сказала она тихо, стараясь сохранять спокойствие, — я не говорю, что ты не должен приглашать гостей. Просто было бы хорошо, если бы ты планировал это заранее и ставил меня в известность. Тогда бы я не возражала. Но именно сегодня, когда я так устала, — она и правда еле ворочала языком, — мне очень хотелось расслабиться в своем собственном доме.

— Слушай, да у тебя каждый день так, — не выдержал он. — Ты больше вообще ничего не хочешь. Каждый вечер одно и то же. Приходишь с работы злая и орешь на меня по любому поводу.

Холли открыла рот от изумления.

— Извини, пожалуйста! Но у меня сейчас много работы!

— У меня тоже. Только я не устраиваю сцены, если что-то делается не так, как я хочу.

— Джерри, дело не в том, что я хочу, чтобы мы все делали, как я хочу, просто ты всю улицу собрал у нас...

— Сегодня пятница! — закричал он. — Уже выходные! Когда ты в последний раз куда-нибудь ходила? Ты можешь для разнообразия забыть о работе и расслабиться? Перестань вести себя как старая бабка! — И он выскочил из комнаты, хлопнув дверью.

Она не помнила, сколько просидела в спальне, ненавидя Джерри и мечтая о разводе. Но, немного успокоившись и подумав над его словами, она пришла к выводу, что он совершенно прав. Конечно, ему не следовало облекать свое недовольство в такие слова.

Но, положа руку на сердце, весь этот месяц она была редкостной стервой.

Холли относилась к тому типу людей, которые всегда заканчивают работу ровно в 17.00. К этому часу она выключала компьютер, наводила порядок на столе, выключала свет и неслась прочь, чтобы успеть на электричку в 17.01, нравится это начальству или нет. Она никогда не брала работу домой, никогда не беспокоилась о будущем компании, потому что, если честно, оно ее мало волновало. По понедельникам она частенько сказывалась больной и вообще не появлялась на работе. Могла бы прогуливать и чаще, если бы не боялась, что ее уволят. И вот, не иначе как в результате временного помутнения рассудка, она устроилась на работу, которая требовала от нее брать бумаги на дом, засиживаться допоздна и переживать по поводу будущего компании. Ей это категорически не нравилось. Как ей удалось продержаться на том месте целый месяц, оставалось загадкой, но, как бы то ни было, Джерри попал в точку. Блин, как она могла быть такой дурой. Она уже несколько недель никуда не ходила с ним или с друзьями, а ночью засыпала, как только ее голова касалась подушки. Скорее всего, Джерри больше всего не нравилось именно это, а вовсе не ее стервозность.

Но сегодня все будет по-другому. Она покажет своему заброшенному мужу и друзьям, что она по-прежнему веселая, беззаботная и легкомысленная Холли, способная выпить больше их всех и пройти по прямой всю дорогу от паба до дома. Комическое представление началось с приготовления коктейлей. Одному богу известно, из чего она их делала, но они произвели магическое действие, и к одиннадцати вечера вся компания, пританцовывая, шагала по улице к пабу, где в тот вечер пели под караоке. Холли потребовала, чтобы ей дали спеть первой и не отставала от ведущего вечера, пока тот не сдался. В пабе было не протолкнуться. Шумная компания мужчин праздновала мальчишник перед свадьбой одного из них. Если бы в паб заранее пригласили съемочную группу подготовить декорации для сцены катастрофы, у них и то не получилось бы лучше.

Диджей сделал Холли мощную рекламу, поверив ее вранью о том, что она профессиональная певица. Джерри от смеха потерял дар речи, но она все еще рвалась показать ему, что умеет расслабляться, так что о разводе думать пока рано. Она решила спеть песню Мадонны «Like a Virgin» и посвятила ее парню, который на следующий день женился. Как только она взяла первые ноты, на нее обрушился такой шквал свиста и обидных выкриков, какого она не слышала за всю свою жизнь. Но она уже так нализалась, что ей все было по фигу. Она продолжала петь для своего мужа — кажется, единственного, кто слушал ее без зверской гримасы на лице. В конце, когда посетители начали кидаться в нее чем попало, а ведущий подзуживал их свистеть еще громче, Холли поняла, что ее миссия выполнена. Стоило ей выпустить из рук микрофон, зрители так оглушительно заулюлюкали, что набежали посетители из соседнего паба — посмотреть, что случилось. Они увеличили число тех, кто видел, как Холли, спускаясь со сцены на шпильках, споткнулась и шлепнулась на пол. Юбка ее при этом задралась, открывая взорам застиранное серое белье, когда-то бывшее белым, — она не стала его менять, когда вернулась домой с работы.

Потом ее отвезли в больницу, убедиться, что она не сломала себе нос.

Джерри охрип от хохота, а Дениз и Шэрон — настоящие подруги, ничего не скажешь! — сделали на месте преступления несколько фотографий. Один из снимков Дениз потом использовала для приглашения на свою рождественскую вечеринку, сопроводив его заголовком «Ужремся в лоскуты!». Тогда Холли и дала страшную клятву никогда больше не петь под караоке.

Глава пятнадцатая

— Холли Кеннеди! Ты здесь? — прогремел голос ведущего конкурса. Аплодисменты стихли, зато раздался шум голосов — все вокруг принялись искать Холли. Долго же вам придется искать, подумала она, опускаясь на сиденье унитаза. Ничего, пошумят-пошумят и перейдут к следующей жертве. Она закрыла глаза, опустила голову на колени и начала молиться, чтобы этот вечер поскорее прошел. Вот бы открыть глаза и оказаться в безопасности у себя дома через неделю. Она досчитала до десяти, уповая на чудо, а затем рискнула снова посмотреть на мир.

Она все еще сидела в туалете.

Но почему хотя бы раз в жизни она не может обрести магическую силу?

Холли знала, как все это будет. С той минуты, когда она вскрыла конверт и прочитала третье послание Джерри, она предвидела слезы и унижение. Страшный сон стал явью.

За дверью туалета стояла тишина. Она поняла, что очередь выступать перешла к следующему участнику, и успокоилась. Расправила плечи, разжала кулаки, расслабила сжатые челюсти и задышала свободнее. Свою панику она поборола, но все же решила выждать, пока запоет следующий конкурсант, и лишь потом покинуть свое убежище. Она бы вылезла в окно, но, к сожалению, туалет располагался не на первом этаже, а разбиться насмерть она не спешила.

Хлопнула входная дверь. Так, это явно за ней. Интересно кто?

— Холли?

Это оказалась Шэрон.

— Холли, я знаю, что ты здесь, поэтому просто выслушай меня, ладно?

Холли шмыгнула носом, сдерживаясь, чтобы не заплакать.

— Я знаю, каково тебе сейчас. Понимаю, как тебе страшно, но все-таки попробуй расслабиться, хорошо?

Голос Шэрон звучал так успокаивающе, что Холли снова расправила плечи.

— Холли, ты знаешь, как я боюсь мышей.

Холли нахмурилась. К чему она клонит?

— Для меня самым страшным кошмаром было бы войти в комнату, кишащую мышами. Можешь себе это представить?

Холли невольно улыбнулась. Она вспомнила, как Шэрон на две недели переехала к ним с Джерри после того, как у них в доме завелась мышь. Джону, конечно, предоставили возможность супружеских посещений.

— И я сидела бы там же, где сейчас сидишь ты, и никто в целом мире не заставил бы меня выйти наружу.

Она помолчала.

— Что? — раздался голос диджея, усиленный динамиками, а сразу за тем — его веселый смех. — Дамы и господа, похоже, наша певица сейчас... в туалете. — Зал грохнул от хохота.

— Шэрон! — пролепетала Холли, дрожа от страха. Ей уже виделось, как разъяренная толпа врывается в дверь, срывает с нее одежду и тащит на сцену для казни. Ее опять охватил приступ паники, уже третий по счету.

— В любом случае, Холли, — поспешила сказать Шэрон, — я хочу, чтобы ты поняла: ты не обязана этого делать против воли. Никто тебя не заставляет...

— Дамы и господа! Давайте-ка напомним Холли, что она следующая! — заорал диджей. — Все хором!

Зрители затопали ногами, выкрикивая ее имя.

— Послушай, никто, ну, по крайней мере, никто из тех, кто тебя действительно любит, не заставляет тебя это делать, — запнувшись, сказала Шэрон, которая тоже начала нервничать. — Но если ты не пересилишь себя, то никогда не сможешь себе простить, я точно знаю. Вот почему Джерри хотел, чтобы ты на это решилась.

— ХОЛЛИ! ХОЛЛИ! ХОЛЛИ!

— Шэрон! — простонала Холли. Ей вдруг почудилось, что стены кабинки сжимаются вокруг нее, и у нее на лбу выступили капли пота. Нет, надо срочно отсюда выбираться. Она распахнула дверь. Шэрон выпучила глаза, когда увидела подругу, которая выглядела так, будто только что встретилась с привидением. Глаза покраснели и опухли, на щеках пролегли черные дорожки от потекшей туши (эта водостойкая тушь никогда не бывает достаточно водостойкой), а слезы смыли весь макияж.

— Наплюй на них, Холли, — спокойно сказала Шэрон. — Они не могут заставить тебя ничего сделать, если ты сама этого не хочешь.

У Холли задрожала нижняя губа.

— Не смей! — сказала Шэрон, хватая ее за плечи и глядя ей в лицо. — Даже не думай об этом!

Губа перестала дрожать, зато теперь она затряслась всем телом.

— Я не умею петь, Шэрон, — прошептала Холли, и в зрачках ее опять вспыхнул ужас.

— А то я не знаю! — со смехом сказала Шэрон. — И твои родные это знают! А на остальных плевать! Ты никогда больше не увидишь их уродские хари! Какое тебе дело до того, что они подумают? Лично мне все равно! А тебе?

Холли с минуту подумала.

— Мне тоже, — согласилась она.

— Не слышу, что ты сказала? Тебе есть дело до того, что они подумают?

— Нет, — сказала Холли немного громче.

— Громче! — Шэрон затрясла ее, схватив за плечи.

— Нет! — закричала она.

— Громче!

— НЕ-Е-Е-Е-Е-Е-ЕТ! МНЕ ПЛЕВАТЬ, ЧТО ОНИ ПОДУМАЮТ! — Холли орала так громко, что публика в зале притихла. Даже Шэрон слегка растерялась, а может, Холли ее просто оглушила. Она немного постояла, не двигаясь, а потом подруги улыбнулись друг другу и тут же весело захохотали.

— Пусть это будет еще один дурацкий день, над которым мы будем смеяться в будущем, — предложила Шэрон.

Холли еще раз взглянула на свое отражение в зеркале, смыла пятна от туши, сделала глубокий вдох и решительно, как человек, облеченный особой миссией, ринулась к двери. Там ее ждали обожающие фанаты, громко скандирующие ее имя. При виде ее они зааплодировали, а она театрально поклонилась и двинулась к сцене. В спину ей летели рукоплескания, смех и вопль Шэрон: «Сделай их!»

Теперь все без исключения посетители клуба буквально ели Холли глазами, хотелось ей того или нет. Если бы она не сбежала в туалет, то зрители, сидевшие в дальнем углу и занятые болтовней, возможно, вообще не стали бы слушать ее выступление, но теперь она оказалась в центре всеобщего внимания.

Она стояла на сцене, скрестив руки на груди, и зачарованно смотрела на свою аудиторию. Заиграла музыка, но она этого даже не заметила и пропустила несколько первых строчек песни. Диджей остановил запись и запустил песню сначала.

В зале повисла гробовая тишина. Холли откашлялась, и звук ее кашля прогремел на весь зал. Холли нашла взглядом Дениз и Шэрон, и весь их стол подъял вверх большие пальцы рук. В других условиях Холли расхохоталась бы над тем, как глупо они выглядят, но сейчас, как ни странно, ее это успокоило. Наконец музыка заиграла снова, Холли крепко сжала микрофон в руках и приготовилась петь. «Что бы вы сделали, если бы я сфальшивила? Встали бы и пошли на меня?» — выводила она слабым и дрожащим голосом.

Дениз и Шэрон захлопали в ладоши. Ничего не скажешь, песня «Битлз» оказалась идеальным выбором. Холли продолжала продираться сквозь песню. Пела ужасно, а выглядела так, будто вот-вот расплачется. Каждый миг она ждала, что сейчас услышит свист и топот, и тут ее родные и друзья подхватили припев: «О-о-о, если мне друзья помогут, я справ-люсь, да, с помощью друзей».

Все обернулись к столику, где сидели ее родные и друзья, и засмеялись. Атмосфера в зале потеплела. Холли приготовилась взять высокую ноту и не спела, а прокричала: «Тебе ну-у-у-ужен кто-нибудь?» Она сама испугалась, как громко это у нее вышло, и еще несколько человек помогли ей вытянуть: «Мне нужен кто-то, кого я могу любить».

— «Тебе ну-у-у-у-ужен кто-нибудь?» — повто-рила она и направила микрофон в зал, чтобы все пели с ней, и все запели: — «Мне нужен кто-то, кого я могу любить», — и сами себе зааплодировали. Холли по-няла, что нервозность отпустила ее, и продолжила сражаться с песней. Посетители в дальнем углу бара снова принялись болтать, официанты разносить на-питки и ронять стаканы, пока до Холли не дошло, что ее пение слушает только она сама.

Когда она наконец допела, раздались жидкие аплодисменты — хлопал ее столик и несколько веж-ливых посетителей, сидевших рядом со сценой. Дид-жей забрал у нее микрофон и, сдерживая смех, про-изнес:

— Давайте поаплодируем отважной Холли Кен-неди!

Его призыв подхватили только ее друзья и род-ные. Дениз и Шэрон подошли к ней с влажными ще-ками — они хохотали до слез.

— Я тобой горжусь! — сказала Шэрон, обнимая Холли. — Ты была ужасна!

— Спасибо за помощь, Шэрон, — проговорила Холли и обняла подругу.

Джек и Эбби крикнули: «Браво!» — а Джек еще добавил: «Кошмар! Это был абсолютный кошмар!»

Мать понимающе улыбнулась Холли — она-то знала, что вокальный талант дочь унаследовала от нее, а отец никак не решался взглянуть ей в глаза — так сильно он смеялся. Киара смогла выдавить только одно: «Я и не подозревала, что можно петь ТАК плохо».

Деклан, державший в руке камеру, помахал ей и красноречивым жестом опустил вниз большой палец. Холли, примостившись на уголке стола, пила воду и слушала, как все поздравляли ее с тем, как ужасно она пела. Никогда раньше она так собой не гордилась.

Джон подошел к ней и встал у стены, молча наблюдая за выступлением следующего участника. Наконец он собрался с духом: «Знаешь, Джерри, наверное, где-то здесь», — и посмотрел на нее глазами, полными слез.

Бедный Джон, он тоже скучал по своему лучшему другу. Она подбодрила его улыбкой и посмотрела вокруг. Он был прав. Холли чувствовала присутствие Джерри. Она чувствовала, как он крепко обнимает ее, — она так соскучилась по его объятиям!

Через час все певцы закончили выступать, и Дэниел с диджеем принялись собирать и подсчитывать голоса. Всем посетителям еще при входе вручили листок для голосования, но Холли не могла заставить себя написать на нем собственное имя, поэтому отдала свой бюллетень Шэрон. Никто не сомневался, что Холли не выиграет, да она и не стремилась к этому. Ведь, если бы произошло невероятное и она победила бы, ей — Холли вздрогнула от одной этой мысли — пришлось бы вернуться сюда и через две недели опять петь со сцены. Полученный сегодня опыт ничего не значил, разве что она возненавидела караоке еще больше. Лауреат прошлого года Кит притащил с собой десятка три приятелей, из чего вытекало, что он точно пройдет в финал, а в том, что «обожатели» из публики проголосуют за нее, Холли очень сомневалась.

Перед тем как объявить имена победителей, диджей запустил диск с барабанной дробью и звоном фанфар. На сцену вышел Дэниел в своем запоминающемся костюме, состоящем из черного кожаного пиджака и черных брюк, и сидящие в зале девушки встретили его появление свистом и криками. Громче всех разорялась Киара. Ричард страшно волновался и зажал на счастье кулаки. Как мило, подумала она, и как наивно. Он, как всегда, ничего не понял. Возникло короткое замешательство, когда начал заедать диск с барабанной дробью, и диджею пришлось срочно выключать проигрыватель. Так что объявление имен победителей состоялось без драматических эффектов, в мертвой тишине.

— Дорогие друзья! Я хочу поблагодарить всех участников сегодняшнего конкурса! Вы подарили нам незабываемое зрелище. — Последнюю фразу он адресовал непосредственно Холли, которая от смущения сползла со стула. — Итак, в финал выходят два участника... Дэниел сделал драматическую паузу. — Кит и Саманта! — От радости Холли вскочила и вместе с Дениз и Шэрон принялась подпрыгивать. Никогда в жизни она не испытывала такого облегчения. Ричард смотрел на нее в недоумении, зато остальные родственники в один голос поздравляли ее с триумфальным провалом.

— Я голосовал за блондинку, — объявил разочарованный Деклан.

— Только потому, что у нее большая грудь, — засмеялась Холли.

— Ну, у каждого свой талант, — согласился Деклан.

Снова усаживаясь за стол, Холли вдруг задумалась, а какой талант у нее. Как, должно быть, здорово — побеждать в чем-то, знать, что у тебя к чему-то дар. Холли ни разу в жизни не выигрывала ни в одном конкурсе. Спортом она не занималась, на музыкальных инструментах не играла, никаких хобби не имела. Что она напишет в резюме, когда наконец начнет искать работу? «Люблю ходить по пабам и магазинам»? Звучит не очень-то многообещающе. Она в задумчивости глотнула из стакана. Холли всю жизнь интересовалась только Джерри. Все, что она делала, было связано с ним. В каком-то смысле можно сказать, что хорошо она умела делать только одно — быть его женой. А теперь с чем она осталась? Ни работы, ни мужа. Даже на конкурсе караоке она не смогла нормально выступить, не говоря уж о том, чтобы победить. Шэрон и Джон о чем-то горячо спорили, Эбби с Джеком, как обычно, смотрели друг другу в глаза, как влюбленные подростки, Киара уютно устроилась рядом с Дэниелом, а Дениз… А где Дениз?

Холли огляделась и обнаружила Дениз на сцене. Она сидела перед диджеем, покачивая ногой, явно с ним заигрывая. Родители, взявшись за руки, ушли сразу, как только объявили имена победителей. Кто еще оставался? Ах да, Ричард. Приткнувшись в уголке рядом с Киарой и Дэниелом, он растерянно озирался, словно потерявшийся щенок, и каждые несколько секунд делал глоток из своего стакана. Холли подумалось, что они с ним, наверное, выглядят одинаково — оба полные неудачники. Правда, у второго неудачника, по крайней мере, есть жена и двое детей, которые ждут его дома. А что ждет сегодня вечером Холли? Свидание с ужином из полу-фабрикатов...

Холли подошла и села на стул напротив Ричарда:

— Тебе здесь нравится?

Он поднял взгляд от стакана, пораженный тем, что кто-то с ним заговорил:

— Да, спасибо, Холли, здесь очень весело.

Если это для него веселье, то как же он выглядит, когда ему грустно, ужаснулась про себя Холли.

— Я удивилась, что ты пришел. Никогда не думала, что тебе нравятся такие заведения.

— Ну как же... Надо же поддерживать своих. — Он покрутил стакан в руках.

— А где Мередит?

— Эмили и Тимоти, — сказал он, как будто это все объясняло.

— Ты завтра работаешь?

— Да, — сказал он и неожиданно залпом допил свой стакан, — поэтому я лучше поеду. Ты сегодня отлично выступила, Холли. — Он неловко посмотрел по сторонам, сомневаясь, стоит ли вмешиваться в чужие разговоры или лучше исчезнуть не прощаясь, и, в конце концов, решил уйти просто так. Он кивнул Холли и пошел пробираться к выходу.

Холли снова осталась одна. Ей очень хотелось схватить сумку и убежать домой, но она знала, что ей надо высидеть этот вечер. В будущем ее ждет много таких вечеринок, когда она будет единственной одиночкой в компании пар, и нужно учиться приспосабливаться. И все-таки она чувствовала себя ужасно и злилась на окружающих, которые ее даже не замечали. Потом она обругала себя — что за детский сад, у кого еще, скажите на милость, такие заботливые родственники и такие верные друзья. Может, Джерри как раз этого и добивался?

Может быть, он считал, что ей необходимо оказаться именно в такой ситуации? Потому что это ей поможет?

Наверное, он не ошибся. Она действительно сейчас как будто проходила какое-то испытание. И это испытание потребовало от нее немалого мужества. Сначала она стояла на сцене и пела для нескольких десятков человек, а теперь сидела одна в окружении пар. Все вокруг разбились на пары. Что бы там ни задумал Джерри, но теперь она ясно осознала — без него ей хочешь не хочешь придется стать храброй.

Просто высиди этот вечер, приказала она себе.

Холли улыбнулась, увидев, как ее сестра болтает с Дэниелом. Всегда беззаботная и уверенная в себе, Киара была совсем на нее не похожа. Сколько она помнила, Киаре никогда не удавалось долго продержаться на одной и той же работе или с одним и тем же молодым человеком; она вечно стремилась к чему-нибудь новому и мечтала о путешествиях в дальние страны

Холли хотелось быть такой же, как Киара, но она и вообразить себе не могла, что расстанется с родными и близкими, бросит налаженную жизнь. По крайней мере, ту жизнь, которую вела еще недавно.

Она посмотрела на Джека, на пару с Эбби все еще витающего в мире грез. Она бы не возражала позаимствовать кое-какие черты у него: он, например, обожал свою работу. Он преподавал в школе английский и действительно делал это здорово, и ученики уважали его. Когда Холли и Джек случайно встречали кого-нибудь из них на улице, то неизменно видели искреннюю улыбку и слышали приветственное «здрасье, сэр!». Все девочки были в него влюблены, а мальчики мечтали вырасти похожими на него. Холли

141

громко вздохнула и осушила свой стакан. Теперь ей стало скучно.

Дэниел посмотрел на нее:

— Холли, тебе принести что-нибудь выпить?

— Нет, спасибо, Дэниел, ничего не надо. Я скоро ухожу.

— Ой, Хол! — запротестовала Киара. — Ты не можешь уйти так рано! Это же твой вечер!

Холли не считала этот вечер своим. Ее не покидало ощущение, что она без приглашения явилась на чужую вечеринку, где никого не знает.

— Правда, ничего не надо, спасибо, — повторила она Дэниелу.

— Нет, ты останешься! — настаивала Киара. — Принеси ей водку с колой, — приказала она Дэниелу. — А мне — то же, что и раньше.

— Киара! — воскликнула Холли, смущенная грубостью сестры.

— Да ладно, чего там! — успокоил ее Дэниел. — Я же сам спросил… — И он поспешил к бару.

— Киара, как можно быть такой грубой! — Холли сочла своим долгом отчитать сестру.

— Подумаешь! Ему даже платить не придется, это ведь его клуб, — встопорщилась она.

— Но это не значит, что ты должна требовать бесплатные напитки…

— А где Ричард? — перебила ее Киара.

— Домой уехал.

— Черт! Давно? — Она в панике подпрыгнула на месте.

— Не знаю, минут пять или десять назад. А что?

— Он же обещал меня подвезти! — Она полезла в кучу курток и пальто, сваленных на диване, пытаясь на ощупь найти свою сумку.

— Киара, ты его уже не догонишь, он далеко уехал.

— Догоню! Он далеко припарковался. Я поймаю его, когда он будет проезжать мимо. — Она наконец нашла свою сумку, с криком «Пока, Холли! Молодец! Ты была чудовищна!» рванула к выходу и скрылась за дверью.

Холли снова осталась одна. Прекрасно, подумала она, глядя, как Дэниел возвращается с напитками, теперь ей придется одной поддерживать с ним беседу.

— А где Киара? — спросил Дэниел, ставя стаканы на стол и садясь напротив Холли.

— Она просила сказать, что ей очень жаль, но ей нужно догнать нашего брата, который обещал подбросить ее до дома. — Холли виновато прикусила губу, прекрасно зная, что Киара и не вспомнила о Дэниеле, когда бежала к двери. — Извините, что я вам сегодня нагрубила. — Она рассмеялась. — Вы, наверное, думаете, что мы самая невоспитанная семья в мире. Киара — болтушка. Может ляпнуть что-нибудь, хотя ничего такого не имеет в виду.

— Но вы-то имели в виду именно то, что сказали? — улыбнулся он.

— Ну, в тот момент да. — Она снова засмеялась.

— Ну и ладно, значит, вам достанется больше выпивки, — сказал он, пододвигая к ней бокал.

— Э-э, что это? — Холли поморщилась от запаха.

Дэниел смущенно посмотрел в сторону и откашлялся:

— Не помню.

— Да бросьте! — засмеялась Холли. — Вы же сами только что это заказали! Женщина имеет право знать, что она пьет!

Дэниел посмотрел на нее с улыбкой.

— Это называется «Би-Джей». Вы бы видели лицо бармена, когда я его заказал. Он, похоже, не знал, что его пьют неразбавленным!

— О боже! — воскликнула Холли. — И как только Киара это пьет? Жуткая вонь!

— Она говорит, зато эта штука легко проскакивает. — Он снова засмеялся.

— Дэниел, вы ее, пожалуйста, извините. Она иногда бывает невозможной. — Холли покачала головой.

Дэниел посмотрел куда-то поверх головы Холли и с изумлением сказал:

— Ну, по крайней мере ваша подруга получает от вечера удовольствие.

Холли обернулась и увидела, как Дениз рядом со сценой обнимается с диджеем. Ее провокация явно сработала.

— О нет, только не этот ужасный диджей, который вытащил меня из туалета, — простонала Холли.

— Это Том О'Коннор с радио «Дублин ФМ», — сказал Дэниел. — Он мой друг.

Холли от смущения закрыла лицо руками.

— Он согласился здесь сегодня поработать, потому что конкурс транслировался по радио в прямом эфире, — серьезно заявил он.

— Что?!! — Холли чуть инфаркт не хватил — в двадцатый раз за вечер.

— Я шучу, — заулыбался Дэниел. — Просто хотелось посмотреть, какое у вас станет лицо.

— О нет, не надо! — сказала Холли, прикладывая руку к сердцу. — Хватит с меня и того, что пришлось позориться перед вашими клиентами. А вы еще про весь город! — Она замолчала, ожидая, когда перестанет колотиться сердце, а Дэниел весело смотрел на нее.

— Скажите, если вы так не любите караоке, зачем же участвовали в конкурсе? — спросил он осторожно.

— О, это мой муж-шутник решил, что будет здорово записать его напрочь лишенную слуха жену на конкурс караоке.

— Вы не так уж плохо пели! — засмеялся Дэниел. — А ваш муж здесь? — спросил он, оглядываясь по сторонам. — Не хочу, чтобы он подумал, что я пытаюсь отравить его жену этой жуткой мешаниной. — Он кивнул на бокал.

Холли осмотрелась вокруг.

— Да, он точно где-то здесь... — улыбнулась она.

Глава шестнадцатая

Холли повесила на веревку простыню и закрепила ее прищепкой, размышляя о том, что посвятила остаток мая попыткам навести хоть какой-то порядок в своей жизни. В отдельные дни она чувствовала себя счастливой, довольной и уверенной в том, что у нее все будет хорошо. В другие ее оптимизм вдруг исчезал так же быстро, как появлялся, и ее снова охватывала тоска. Если бы она могла вернуться к рутинному существованию, погрузиться в него с головой, ощутить себя живой, а не бродить как зомби, глядя, как вокруг кипит настоящая жизнь, а не тусклое ожидание неизвестно чего...

К сожалению, ее будни протекали совсем не так, как ей хотелось бы. Она целыми часами неподвижно сидела в гостиной, смакуя каждое воспоминание о Джерри. Увы, чаще всего в памяти всплывали их ссоры... Как она мечтала вернуться в прошлое и все в нем исправить! Если бы она могла, она забрала бы назад каждое сказанное ему обидное слово. Сказанные сгоряча, эти слова не имели никакого отношения к ее реальным чувствам, и она запоздало молилась, чтобы Джерри это понимал. Теперь она казнилась за то, что, легко раздражаясь, вела себя с ним как последняя эгоистка, бросала его дома одного и шла развлекаться с друзьями, дулась на него по пустякам и отказывалась заниматься с ним любовью. Она хотела перечеркнуть те моменты, когда она его сердила и заставляла злиться. Если бы она помнила только хорошее! Но нет, ее беспрестанно мучили плохие воспоминания, преследовавшие ее, как настоящий кошмар.

Ведь никто не сказал им с Джерри, что времени у них совсем мало.

Потом наступала счастливая полоса, когда она грезила наяву и ловила себя на том, что хихикает на ходу, вдруг припомнив какую-нибудь шутку Джерри. Так она и тянула свою ежедневную лямку: то впадала в глубокую депрессию, то собиралась с силами и ненадолго вырывалась из нее. Теперь она часто плакала по самым ерундовым поводам. Битву с собственной психикой она явно проигрывала. Психика легко клала ее на обе лопатки.

Ее навещали друзья и родные. Гости помогали ей побороть слезливость, старались ее развеселить. Но, даже смеясь, она понимала, что ей чего-то не хватает. Она забыла, что такое быть счастливой, она не жила, а убивала время. И как же она устала влачить это жалкое существование! Зачем жить, если жизнь лишена всякого смысла? Этот вопрос неотвязно крутился и крутился у нее в голове, пока не настал день, когда ей не захотелось просыпаться — сны казались ей реальнее яви.

Сойти с ума она не боялась, в глубине души понимая, что все происходящее с ней совершенно нормально. Она верила, что правы те, кто утверждает: она еще узнает счастье. И тогда ее нынешние горести превратятся в далекое воспоминание. Но дождаться этого дня было трудно.

Она снова и снова брала в руки первое письмо Джерри, вникая в каждое слово и каждый раз находя в послании какой-то новый смысл. Но что толку пытаться читать между строк и угадывать какие-то скрытые смыслы, если факт оставался фактом: ей никогда в точности не узнать, что он хотел сказать, потому что она больше *никогда* не сможет с ним поговорить. Вот с этой мыслью и было труднее всего смириться, она-то и рвала ей сердце.

Миновал май. Настал июнь — с долгими светлыми вечерами и прекрасными рассветами. Вместе с солнечными июньскими днями пришла и ясность. Стало больше нельзя с наступлением темноты запираться в доме, валяться в постели до обеда. Казалось, вся Ирландия проснулась от спячки, потянулась, зевнула и вдруг поняла, что жизнь продолжается. Настало время открывать настежь окна, проветривать дом, изгоняя из него призраков зимы и темных дней, вставать с птицами, гулять, смотреть людям в глаза и улыбаться. Хватит прятаться под многослойной одеждой и угрюмо следовать из точки А в точку Б, уткнувшись носом в землю и ничего не замечая вокруг. Хватит сидеть в темноте! Пора высоко поднять голову и лицом к лицу встретиться с правдой жизни. Июнь означал и новое письмо от Джерри.

Холли вышла в залитый солнцем сад, наслаждаясь сиянием дня, и здесь с радостным волнением вскрыла четвертое письмо. Она любовно огладила карточку, ощутив под пальцами легкую выпуклость букв, оставленных рукой Джерри. Аккуратным почерком он набросал список своих вещей, сопроводив каждый пункт пояснением, что с этим делать и кому отдать. Ниже она прочитала:

«P.S. Я люблю тебя, Холли, и знаю, что ты меня тоже любишь. Чтобы помнить меня, тебе не нужны мои вещи. Не надо хранить их как доказательство того, что я существовал или до сих пор существую в твоей душе. Не надо носить мой свитер, чтобы чувствовать, что я рядом с тобой, потому что я и так рядом. Я всегда буду тебя обнимать».

Согласиться с этим Холли оказалось труднее всего. Лучше бы он снова попросил ее спеть под караоке! Она бы спрыгнула ради него с самолета, пробежала бы тысячу миль, сделала бы что угодно, только бы не заниматься опустошением шкафов, освобождаясь от его присутствия в доме. Но она знала, что он прав. Нельзя же вечно держаться за его вещи. Нельзя вечно притворяться перед собой, что когда-нибудь он придет, чтобы забрать их. Физически Джерри ушел, и ему больше не нужна одежда.

Это было неимоверно трудно. Ей потребовалось несколько дней, чтобы выполнить его указание. С каждой вещью, с каждым листком бумаги, которые она складывала в мешки для мусора, она заново проживала миллион воспоминаний. Прежде чем навсегда проститься с каждым предметом, она крепко прижимала его к груди. Выпуская его из рук, она как будто снова прощалась с частью Джерри. Это было безумно трудно, порой невыносимо.

Она сообщила родственникам и друзьям о том, что собирается сделать. Все в один голос предложили ей помощь, но Холли знала, что должна справиться с этим сама. Все, что ей для этого требовалось, это время. Чтобы попрощаться с каждой вещью по-настоящему, потому что они уже не вернутся. Как и Джерри. Она объявила, что ей надо побыть одной, но Джек все-таки заезжал несколько раз, и Холли оценила его братскую поддержку. Буквально каждая вещь имела свою историю, и, вспоминая ее, они вместе смеялись и грустили. Джек утешал ее, когда она принималась плакать, он стоял рядом, когда она наконец стряхнула с себя пыль старых вещей. Она это сделала. Она справилась с трудной работой, но только потому, что сам Джерри ей помог. Он все решил за нее. И в какой-то момент Холли поняла, что тоже помогает ему. Она улыбнулась, складывая в мешок пыльные кассеты рок-группы, от которой он фанател еще школьником. Минимум раз в год, пытаясь ликвидировать бардак в шкафу, Джерри натыкался на старую коробку из-под обуви. Тогда он на полную громкость запускал тяжелый рок, терзая Холли визгом гитар и плохим качеством звука. И каждый раз она признавалась ему, что ждет не дождется, когда эти кассеты наконец придут в полную негодность. Но теперь, выбрасывая их, она не испытала облегчения.

В углу шкафа ее взгляд нашарил какой-то смятый ком — это была счастливая футбольная майка Джерри, вся в грязных потеках и травяных пятнах после последней победы на поле. Она прижала ее к лицу и сделала глубокий вдох. От майки слабо пахло пивом и потом. Холли отложила ее в сторону. Потом надо постирать и отдать Джону.

Как много вещей, как много воспоминаний. К каждой она прилепила бумажку, рассортировала их по мешкам и одновременно так же аккуратно разложила их по полкам своей памяти. Пусть теперь хранятся там, откуда она в любой момент сможет их достать, если ей понадобится помощь. Вещи и предметы, еще недавно такие нужные, такие живые... И вот теперь они бессмысленной грудой громоздятся на полу. Без него они стали просто *вещами*.

Свадебный смокинг Джерри... Костюмы, рубашки и галстуки — все, во что он нехотя облачался, собираясь по утрам на работу. Вышедшие из моды синтетические пиджаки и спортивные костюмы образца 80-х, забытые в дальнем углу шкафа. Трубка, с которой они в первый раз ныряли с аквалангом. Ракушка, которую он поднял со дна океана десять лет назад. Его коллекция подставок под пивные бокалы из каждого бара в каждой стране, где они побывали. Письма и открытки от друзей и родственников. «Валентинки» от Холли. Мишки и куклы, которые она отложила, чтобы отправить его родителям. Старые счета... Клюшки для гольфа — это Джону. Книги — Шэрон. Воспоминания, смех и слезы — это для Холли.

Вся его жизнь уместилась в двадцать мешков.

И навеки осталась в памяти Холли.

Каждый предмет приносил с собой облачко пыли, слезы и смех. Она сложила вещи, стерла пыль, промокнула глаза и убрала свои воспоминания в надежное место.

Зазвонил мобильный. Холли поставила корзину с бельем на траву под веревкой и побежала через стеклянные двери на кухню.

— Алло!

— Я сделаю тебя звездой! — пронзительно закричал Деклан и истерически расхохотался.

Холли, теряясь в догадках, ждала, пока он успокоится.

— Деклан, ты что, выпил?

— Может, совсем чуть-чуть... Но это не имеет значения, — икнул он в трубку.

— Деклан, сейчас десять часов утра! — засмеялась Холли. — Ты вообще-то сегодня спал?

— Не-а, — снова икнул он. — Я в поезде. Еду домой. Буду часика через три и сразу завалюсь спать.

— Часика через три! Куда тебя занесло? — Холли снова засмеялась. Ей стало весело. Она вспомнила, как в былые времена сама, прошатавшись всю ночь неизвестно где, под утро звонила Джеку.

— В Голуэй, куда ж еще? Мотался на вручение наград. — Похоже, он не сомневался, что она в курсе его дел.

— Каких еще наград? Я в первый раз об этом слышу!

— Я же тебе говорил!

— Ничего ты мне не говорил.

— Я же сказал Джеку, чтобы он тебе передал! В-в-от ур-р-род! — Он спотыкался на каждом слове.

— Ну раз уж он мне ничего не передал, — перебила его она, — можешь сам все рассказать.

— Вчера вручали студенческие призы в области кино и средств массовой информации! Я победил! — заорал он, и Холли услышала, как вместе с ним радостно заулюлюкал весь вагон. Она за него обрадовалась.

— Знаешь, чем меня наградили? Мой фильм на следующей неделе покажут по четвертому каналу! Прикинь, да?!

В вагоне снова зашумели.

— Ты прославишься, сеструха! — с трудом разобрала она, и тут он отключился.

Что за странная дрожь пробежала по ее телу? Не-ужели… Нет, не может быть! Неужели она вдруг по-чувствовала себя счастливой?

Она обзвонила своих, чтобы поделиться радост-ной новостью, но, как выяснилось, Деклан всех уже просветил. Киара продержала Холли на телефоне уйму времени, стрекоча, как школьница, что это просто су-пер, что их покажут по телику, и в конце концов она обязательно выйдет замуж за Дензела Вашингтона. Семейство решило в следующую среду собраться в пабе «У Хогана» и посмотреть фильм всем вместе. Дэниел любезно предоставил им клуб «Дива», в ко-тором имелся телевизор с большим экраном. Холли, радуясь за успех брата, не удержалась и решила срочно позвонить Шэрон и Дениз.

— Холли, это гениально! — взволнованно про-шептала Шэрон.

— Почему ты шепчешь? — прошептала Холли в ответ.

— Потому что старая грымза запретила все теле-фонные разговоры по личным делам, — простонала Шэрон, имея в виду свою начальницу. — Она говорит, что на разговоры с друзьями мы времени тратим больше, чем на работу! Все утро нас пасет. Клянусь, я как будто в школу вернулась, эта карга с нас глаз не спускает. — Неожиданно она заговорила деловым тоном: — Сооб-щите мне, пожалуйста, ваши точные данные.

— Она рядом? — засмеялась Холли.

— Да, конечно, — ответила Шэрон.

— Ну ладно, не буду тебя отвлекать. Встречаемся в пабе «У Хогана» в среду вечером. Будем смотреть фильм. Обязательно приходи!

— Да-да, разумеется. — Шэрон делала вид, что старательно что-то записывает.

— В общем, повеселимся. Ой, Шэрон, а что мне надеть?

— Хм... Новое или старое?

— Ну нет, покупать ничего не буду! Я не могу себе этого позволить. Ты и так меня заставила купить этот новый топ, а я все равно не могу его надеть! Мне все-таки уже не восемнадцать. Так что придется идти в чем-нибудь из старого.

— Ну хорошо. Тогда красный.

— Красный топ? В котором я была у тебя на дне рождения?

— Да, именно.

— Это идея...

— Вы работаете или учитесь?

— Если честно, даже не начинала искать работу, — нахмурилась Холли.

— А дата вашего рождения?

— Ах ты, поганка! — засмеялась Холли.

— Извините, но мы страхуем автомобили владельцев в возрасте 24 лет и старше. Мне очень жаль, но вы слишком молоды.

— Если бы! Ладно, потом поговорим.

— Спасибо за звонок.

Холли сидела за кухонным столом и размышляла, в чем же ей пойти в клуб «Дива». Так хотелось надеть что-нибудь новенькое. Почему бы ей для разнообразия не выглядеть сексуально и привлекательно? И до ужаса надоели старые тряпки. Может, у Дениз в магазине что-нибудь найдется? Она уже собралась набрать номер подруги, когда пришло сообщение от Шэрон.

ВЕДЬМА ПРЯМО У МЕНЯ ЗА СПИНОЙ ПГВРИМ ПЗЖЕ ЦЕЛУЮ

Холли позвонила Дениз на работу.

— Магазин «Кэйжуалз», здравствуйте, — вежливо ответила Дениз.

— Привет, «Кэйжуалз», это Холли. Знаю, что тебе на работу звонить нельзя, но у меня новости. Документальный фильм Деклана получил какой-то студенческий приз, и в среду вечером его будут показывать по телику.

— Холли, да это круто! А мы его увидим? — взволнованно спросила она.

— А как же. Встречаемся в пабе «У Хогана». Ты придешь?

— Конечно, приду! Я возьму с собой своего нового бойфренда, — захихикала она.

— Какого еще бойфренда?

— Тома!

— Это тот парень из караоке? — спросила пораженная Холли.

— Ну да! Слушай, я в него влюблена! — Она снова по-детски захихикала.

— Как влюблена? Ты же с ним познакомилась всего пару недель назад!

— Ну и что, подумаешь! Может, это любовь с первого взгляда?

— Вау, Дениз... Ну ты даешь! Я прямо не знаю, что сказать!

— Скажи, что это здорово!

— Ну да... Вау... То есть конечно... Прекрасная новость.

— Да ладно, Холли, — насмешливо сказала она. — Можешь не выражать свой восторг так бурно. В любом случае я хочу тебя с ним познакомить. Вот увидишь, ты в него просто влюбишься! Ну, может, не втрескаешься, как я, но он тебе точно понравится. — И она

пустилась в подробный рассказ о выдающихся каче-
ствах Тома.

— Дениз, ты что, забыла? Я с ним уже знакома. —
Холли перебила подругу на середине истории о спа-
сении Томом тонущего ребенка.

— Ничего я не забыла, просто хочу, чтобы ты
с ним познакомилась, не изображая из себя ненор-
мальную, которая прячется по туалетам, а потом орет
в микрофон.

— Ну, буду ждать с нетерпением…

— Круто! — заключила Дениз. — Еще ни разу не
была на собственной премьере!

Холли закатила глаза, и подруги распрощались.

В это утро Холли не успела почти ничего сделать по
дому, потому что большую часть времени потратила
на телефонные разговоры. От мобильника у нее разболелась голова. Вдруг она вздрогнула. Каждый раз
при малейших признаках головной боли она вспоминала Джерри. Больше всего она ненавидела, когда
близкие ей люди при ней начинали жаловаться на го-
ловную боль. Она буквально набрасывалась на них,
пугала страшными болезнями, требовала серьезнее
относиться к своему здоровью и немедленно идти
к врачу. В конце концов она так всех достала, что в ее
присутствии никто не отваживался даже упомянуть,
что у него болит голова.

Она громко вздохнула. Кажется, это называется
ипохондрией. Ее врач уже видеть ее не могла. И неудивительно: Холли в панике бежала на прием по
любому поводу, стоило ей почувствовать малейший
дискомфорт — то в животе кольнуло, то нога заныла.
Как раз на прошлой неделе ей показалось, что у нее
что-то не так с пальцами ног. Врач серьезно осмотрела

ее и тут же принялась выписывать рецепт — молча, не говоря ни слова. Холли охватил ужас. Наконец врачиха передала ей листок. На нем неразборчивым докторским почерком было нацарапано: «Купи себе туфли на размер больше».

Эта шутка обошлась ей в сорок евро.

Последние несколько минут Холли провисела на телефоне, слушая Джека, который жаловался ей на Ричарда. Тот и ему нанес небольшой визит. Наверное, мелькнуло у Холли, после стольких лет отчуждения пытается наладить контакт с братьями и сестрами. Правда, с большинством из них налаживать этот контакт, пожалуй, поздновато. Разве просто поддерживать беседу с человеком, который так и не освоил простых правил вежливости? «Стоп, стоп, стоп!» — закричала она самой себе. Хватит обо всех тревожиться, хватит изводить себя, хватит грузить себе мозги и уж точно хватит разговаривать сама с собой. Так она точно спятит.

Наконец Холли закончила развешивать белье, потратив на это занятие два с лишним часа, и снова загрузила стиральную машину. Включила на кухне радио, в гостиной — телевизор и принялась за уборку. Возможно, так тонкий плаксивый голос, угнездившийся у нее в голове, наконец заткнется.

Глава семнадцатая

Когда Холли приехала в паб «У Хогана» и направилась к лестнице, ведущей наверх, в клуб «Дива», ей пришлось протискиваться сквозь толпу стариков. В пабе исполняли народную музыку. Толпа с удовольствием подпевала, горланя любимые ирландские песни. Было всего полвосьмого, поэтому клуб «Дива» еще не открылся. Бар пустовал, и ничто в зале не напоминало Холли о пережитом здесь несколько недель назад ужасе. Она заняла столик прямо напротив большого телевизора, чтобы не упустить ни одной детали из фильма. Вряд ли в клуб набьется столько народу, чтобы загородить ей экран.

Она услышала звук бьющейся посуды и подскочила от неожиданности. Из-за барной стойки появился Дэниел с совком и щеткой в руках.

— О, Холли, привет! Я не заметил, как ты вошла. — Он посмотрел на нее с удивлением.

— Да вот, решила приехать пораньше. — Она подошла к нему поздороваться. Сегодня он выглядел совсем по-другому.

— Действительно, пораньше… — удивился он, глядя на часы. — Остальные появятся не раньше чем через час.

— Но ведь уже полвосьмого, — растерялась Холли. — Фильм ведь начинается в восемь?

— Разве? А мне сказали, в девять. — Почему-то Дэниел тоже смутился. — Но я могу ошибаться… — Он взял газету и открыл страницу с телепрограммой. — Ага, ровно в девять, четвертый канал.

— Господи, — закатила глаза Холли, — извини, пожалуйста! Пойду пока погуляю, — сказала она, вскакивая с барного табурета.

— Вот еще, что за глупости! — Он улыбнулся ей белозубой улыбкой. — Магазины уже закрыты, а мне в компании будет веселее, так что, если ты не против…

— Ну, если ты не против, то я тоже не против…

— Я не против, — сказал он решительно.

— Ну, тогда я остаюсь, — обрадованно сказала она, садясь обратно. Дэниел, как заправский бармен, положил руки на пивные краны и улыбнулся. — Что вам налить?

— Да мне просто повезло, — шутливо отозвалась она. — Никакой очереди, и не нужно выкрикивать заказ через толпу. Воду с газом, пожалуйста.

— А чего покрепче? — Он поднял брови. Его улыбка от уха до уха выглядела заразительной.

— Нет уж, лучше воздержусь. А то все съедутся, а я лыка не вяжу…

— Разумная мысль, — согласился он и повернулся к холодильнику за бутылкой воды. Холли поняла, почему он не похож на себя. Привычную черную одежду сменили потертые голубые джинсы и открытая светло-голубая рубашка, из-под которой выглядывала белая майка. Его синие глаза горели ярче, чем всегда. Рукава рубашки он закатал до локтей, и сквозь тонкую ткань Холли видела рельефные мышцы. Когда он поставил перед ней стакан, она быстро отвела глаза.

— А можно, я тебя чем-нибудь угощу? — спросила она.

— Нет, что ты, не надо.

— Ну пожалуйста, — настаивала Холли. — Ты меня столько раз угощал, теперь моя очередь.

— Ну ладно, тогда «Будвайзер». Спасибо. — И он уставился на нее, опершись о барную стойку.

— А! — догадалась Холли. — Я сама должна его налить? — Она соскочила с табурета. Дэниел посторонился. Он смотрел на нее с веселым удивлением.

— В детстве я мечтала работать в баре, — призналась она, взяла большой стакан и нажала на рычаг крана. Все это доставляло ей огромное удовольствие.

— У нас есть вакансия, — сказал Дэниел, наблюдая, как она наливает пиво.

— Нет, спасибо. Мне кажется, у меня больше шансов отличиться по другую сторону стойки, — засмеялась она, подавая ему стакан.

— Ну, если тебе понадобится работа, ты знаешь, куда обращаться, — сказал Дэниел, сделав большой глоток пива. — У тебя отлично получается.

— Подумаешь, нейрохирургия! Скажешь тоже, — улыбнулась она и вернулась на свое место с другой стороны стойки. Достала бумажник и протянула ему банкноту: — Сдачи не надо.

— Спасибо. — Он повернулся к ней спиной, открывая кассу, а она сама себя обругала, обнаружив, что изучает его фигуру пониже спины. Симпатичная у него задница, решила Холли, крепкая. Хотя и не такая, как у Джерри.

— А что, ты сегодня опять без мужа? — спросил он игриво и обошел барную стойку, чтобы сесть рядом с ней. Холли прикусила губу. Момент для разговора на такую печальную тему, да еще с малознакомым человеком, явно был не самый подходящий. Но он ведь все равно при каждой встрече будет ее об этом спрашивать и когда-нибудь узнает правду. Зачем зря его смущать?

— Дэниел, — сказала она тихо, — извини, что не сказала раньше, но мой муж умер.

Дэниел замер на месте. У него даже щеки немного покраснели.

— О, Холли, мне так жаль, я не знал, — с искренним сочувствием произнес он.

— Ничего страшного, конечно, ты не знал. — Она улыбнулась, чтобы показать ему, что все в порядке.

— В прошлый раз мне не удалось познакомиться с ним, но, если бы мне кто-нибудь сказал, я бы пришел на похороны... — Он присел рядом с ней.

— Да нет, Джерри умер еще в феврале, Дэниел, в прошлый раз его здесь не было.

На лице Дэниела появилась растерянность.

— Подожди, ты же сама в прошлый раз говорила, что он здесь... — И он умолк, недоумевая, как мог чего-то не понять.

— Понимаешь... — От смущения Холли опустила глаза. — Его не было здесь, — сказала она, оглядывая бар, — но он был здесь. — И она приложила руку к своему сердцу.

— Теперь понимаю, — ответил он. — Значит, учитывая обстоятельства, ты в тот вечер вела себя еще храбрее, чем я думал, — мягко сказал он. Холли удивило, как спокойно он держится. Обычно люди, услышав, что она потеряла мужа, начинали что-то мекать и бекать и торопились поскорее сменить тему, а то и вовсе сбегали от нее. Но в его присутствии она чувствовала себя очень легко, словно могла откровенно говорить с ним и не бояться расплакаться. Холли улыбнулась, тряхнула головой и коротко пересказала ему историю со списком.

— Потому я и сбежала тогда с концерта Деклана, — засмеялась она.

— То есть ты сбежала не потому, что они так ужасно играли? — пошутил Деклан, а потом задумался. — Ну да, правильно, это же было тридцатого апреля.

— Ну конечно! Мне не терпелось вскрыть очередной конверт, — объяснила Холли.

— И когда следующий?

— В июле, — взволнованно ответила она.

— То есть тридцатого июня я вас здесь не увижу, — сказал он сухо.

— Я вижу, вы уловили самую суть, — рассмеялась она.

— А вот и я! — услышали они, и в зал царственной походкой вплыла Дениз в роскошном платье — том самом, которое надевала на рождественский бал в прошлом году. За ней, не сводя с нее глаз, вошел Том.

— Ого, какая ты нарядная! — сказала Холли, оглядывая подругу с ног до головы. Сама она в конце концов отдала предпочтение джинсам и самому простому черному топу, к которым надела черные ботинки. Какой смысл выпендриваться, если они собрались просто посидеть в кругу семьи в пустом клубе? Впрочем,

Дениз на этот счет явно придерживалась другого мнения.

— Все-таки я не каждый вечер попадаю на собственную премьеру! — пошутила она.

Том и Дэниел обнялись.

— Малыш, это Дэниел, мой лучший друг, — сказал Том, знакомя его с Дениз. Дэниел и Холли обменялись взглядами — от них не ускользнуло слово «малыш».

— Привет, Том. — Холли пожала ему руку, а он поцеловал ее в щеку. — Приношу извинения за прошлый раз, я была немного не в себе. — При воспоминании о конкурсе караоке Холли покраснела.

— Ну что вы, — сказал Том с дружелюбной улыбкой. — Если бы не вы, я не познакомился бы с Дениз! Так что лично я очень рад, что вы пели в тот вечер, — добавил он и повернулся к Дениз. Дэниел и Холли обменялись взглядами, довольные, что их друзья нашли общий язык, и Холли снова уселась на табурет. В обществе своих новых знакомых она чувствовала себя легко и комфортно.

Чуть позже она призналась себе, что этот вечер приносит ей настоящее удовольствие. Ей не приходилось натужно смеяться над шутками — она от души веселилась и пребывала в превосходном настроении. Глядя на Дениз, которая, кажется, наконец встретила настоящую любовь, она радовалась еще больше.

Через несколько минут подтянулись остальные члены семьи Кеннеди, а за ними и Шэрон с Джоном. Холли вскочила, чтобы поздороваться.

— Привет, дорогая, — сказала Шэрон, обнимая ее. — Ты давно здесь?

— Я думала, что фильм начнется в восемь, — рассмеялась Холли, — и притащилась еще в полвосьмого.

— Да ну? — всполошилась Шэрон.

— Да не волнуйся ты, ничего страшного. Дэниел составил мне компанию, — сказала она, кивая в его сторону.

— Дэниел? — послышался недовольный голос Джона. — Слушай, Холли, будь с ним осторожна. Он немного того. Слышала бы ты, что он тут нес в прошлый раз…

Холли хмыкнула про себя и пошла к своим.

— А что, Мередит не придет? — спросила она Ричарда.

— Нет, не придет, — отрезал тот и направился к бару.

— Не понимаю, зачем он сам сюда притащился? — обратилась она к Джеку, который вместо ответа прижал ее к себе и погладил по голове.

— Ну все! — на весь зал заорал Деклан, успевший взгромоздиться на стул. — Моя сестра Киара больше часа выбирала, в чем пойти, и из-за нее мы дико опоздали! Фильм уже начинается! Поэтому будет круто, если вы все заткнетесь и рассядетесь по местам.

— Деклан, Деклан! — неодобрительно проворчала мать, которую огорчила грубость сына.

Холли поискала взглядом Киару и обнаружила ее у барной стойки сидящей рядом с Дэниелом. Она усмехнулась и села, приготовившись смотреть. Как только диктор объявил фильм, все захлопали в ладоши, а Деклан сердито зашикал, призывая компанию не отвлекаться.

На экране возник живописный вид ночного Дублина, а затем название — «Девушки в большом городе». Холли кольнуло какое-то смутное беспокойство. Слово «Девушки» разрослось во весь экран, и в кадре появились Шэрон, Дениз, Эбби и Киара, сидящие в такси. Шэрон сказала: «Привет! Я Шэрон, а это Эбби, Дениз и Киара».

Камера скользила от одного лица к другому, поочередно показывая каждую из девушек крупным планом. «Мы едем к нашей лучшей подруге Холли, потому что сегодня у нее день рождения...»

Холли увидела, как она открывает подругам дверь, а они хором кричат: «С днем рождения!» Потом снова возникло лицо Шэрон в такси: «Сегодня будут только девушки и НИКАКИХ мужчин!..»

В следующем кадре Холли разворачивала подарки. Вот она достала вибратор и сказала: «Ну, теперь это мне точно понадобится!» Потом камера снова вернулась к Шэрон в такси, которая уверенно заявила: «Сегодня мы точно напьемся...»

Кадры мелькали один за другим. Холли открывает шампанское, девушки чокаются в баре «Будуар», Холли со съехавшей набок диадемой через соломинку пьет шампанское прямо из бутылки...

«А теперь двинем в клуб...»

Вот они делают вид, что танцуют в клубе «Будуар». И опять лицо Шэрон, которая проникновенно говорит: «И никаких безумств! Сегодня мы будем хорошими девочками!»

В следующем кадре трое вышибал выпроваживали подруг из клуба, игнорируя их яростный протест.

Холли сидела с отвисшей челюстью и в шоке смотрела на Шэрон, которая выглядела потрясенной ничуть не меньше. Мужчины радостно хохотали и хлопали Деклана по спине. Они его еще и поздравляли! От стыда Холли, Шэрон, Дениз, Эбби и даже Киара не знали, куда девать глаза. Что он натворил, этот чертов Деклан?

Глава восемнадцатая

В зале воцарилась тишина. Все молча уставились на экран, ожидая продолжения. Холли затаила дыхание. Что еще им покажут? Ясно что: события той ночи, о которых они сами предпочли забыть. Что же еще они тогда учудили? Они и правда так напились, что ничегошеньки не помнили! Если, конечно, никто из них не врал... Так-так... Кто из подружек нервничает больше всех? Холли посмотрела на девушек — все дружно грызли ногти. Холли скрестила пальцы.

На экране вспыхнуло новое название — «Подарки». «Открой мой первым!» — визжала с экрана Киара, пихая свою коробку Холли и сталкивая с дивана Шэрон. При виде Эбби, поднимающей испуганную Шэрон, все расхохотались. Киара на всякий случай отошла от Дэниела и подсела к девушкам. Пока Холли открывала подарки, все охали и ахали. Вот Деклан показал крупным планом два фото на камине, и в горле у Холли появился комок. Шэрон за кадром произносила тост.

Появилось новое название — «Поездка в город», и девушки, явно сильно навеселе, друг за другом стали протискиваться в такси. Холли вздрогнула: тогда она казалась себе еще абсолютно трезвой. «Джон, дорогуша, — пьяным голосом сообщила она водителю, рядом с которым уселась, — мне сегодня тридцатник стукнуло, представляешь?»

Таксист Джон, которого возраст Холли волновал меньше всего на свете, посмотрел на нее: «Не переживай! Тебе ни за что не дашь тридцать лет». Он говорил низким и скрипучим голосом.

Камера крупно показала лицо Холли, и она сжалась, увидев себя. Боже, до чего пьяная. Пьяная и несчастная.

«Что мне делать, Джон? — ныла она. — Мне тридцать! Ни работы, ни мужа, ни детей! И уже тридцать! Я тебе еще не говорила?» У нее за спиной захихикала Шэрон. Холли обернулась и стукнула ее.

На заднем сиденье шла оживленная беседа. При этом все три подруги говорили одновременно, пытаясь перекричать друг друга и не слушая никого… «Да просто оторвись сегодня, Холли, вот и все! Не порть себе день рождения. А о своих проблемах начнешь беспокоиться завтра». Джон говорил так сочувственно… Надо ему обязательно сказать спасибо, решила Холли.

Камера застыла на ее лице. Она молча сидела, прижавшись головой к оконному стеклу. Сама себе она показалась такой одинокой, что ей стало жутко. Зачем это снимать? Холли в смущении посмотрела вокруг и встретилась взглядом с Дэниелом. Он подмигнул ей. Ну, значит, все не так страшно. Она слабо улыбнулась и снова перевела взгляд на экран. Она стояла посреди Коннелл-стрит и громко кричала: «Девочки, все путем! Мы идем в «Будуар»! Кто нам помешает? Только не придурки-вышибалы, которые думают, что это место принадлежит им!» И она зашагала по траектории, которая тогда казалась ей прямой линией. Остальные последовали за ней.

Теперь камера показывала двух вышибал перед входом в «Будуар».

— Нет, девушки, извините, только не сегодня, — качали они головами.

Родные Холли дружно захохотали.

— Вы не понимаете, — спокойно объясняла Дениз вышибалам. — Вы знаете, кто мы?

— Нет, — сказали они в один голос и посмотрели куда-то поверх их голов.

— Ха! — Дениз уперла руки в бока и кивнула в сторону Холли. — А ведь это очень-очень известная особа... Это принцесса Холли из королевской семьи... Финляндии. — Камера повернулась к Холли, и та скорчила Дениз рожу.

Родственники Холли снова дружно засмеялись. — Нарочно не придумаешь! — заливался Деклан.

— О, так она королевских кровей? — ухмыльнулся усатый вышибала.

— Вот именно, — с серьезным видом подтвердила Дениз.

— В Финляндии есть королевская семья, Пол? — усатый повернулся к своему коллеге.

— Не думаю, босс, — ответил тот.

Холли поправила съехавшую диадему и сделала царственный жест рукой. — Вот видите? — сказала Дениз с удовлетворением в голосе. — Если не пустите ее, попадете в очень неприятную ситуацию.

— Предположим, мы ее пропустим, но вам придется ждать снаружи, — сказал усатый вышибала и махнул рукой скопившейся за девушками очереди, пропуская посетителей в клуб. Холли царственно их благословила.

— Ну нет! — засмеялась Дениз. — Вы опять не понимаете! Я — ее фрейлина, я должна быть с ней постоянно.

— Ну, раз вы ее фрейлина, значит, дождетесь ее здесь, только и всего, — хмыкнул Пол.

Том, Джек и Джон засмеялись, а Дениз сползла со стула.

Наконец Холли сказала:

— Послушайте, нам *срочно* надо выпить. У нас *ужасная* жажда.

Пол и усатый вышибала фыркнули, но постарались сохранить на лице строгое выражение.

— Нет, правда, девушки, чтобы войти, вы должны быть членами клуба.

— Но я член королевской семьи! — сказала Холли решительно. — Склоните головы! — скомандовала она, тыча в них пальцем.

— Клянусь, мы с принцессой никого не побеспокоим, — схватила ее за руку Дениз. — Просто пустите нас немного выпить, — попросила она.

Усач посмотрел на них обеих, а потом поднял взгляд к небу.

— Ладно, проходите, — разрешил он и отошел от двери.

— Да благословит вас Бог, — сказала Холли и осенила его крестным знамением.

— Так она принцесса или священник? — засмеялся Пол им в спину.

— Девица с приветом, — заключил усач, — но, сколько я здесь работаю, мне еще никто так складно не врал.

Когда Киара с Шэрон и Эбби подошли к клубу, у вышибал опять был самый серьезный вид.

— Моей съемочной группе можно со мной? — уверенно сказала Киара с безупречным австралийским акцентом.

— Подождите, пожалуйста, я спрошу у менеджера. — Пол отвернулся и стал говорить в рацию. — Да, никаких проблем, проходите, — сказал он, придерживая для нее дверь.

— Это та австралийская певица, да? — спросил у Пола усач.

— Ага. Классно поет.

— Скажи парням внутри, пусть присмотрят за принцессой и фрейлиной, — сказал усач. — Не хотелось бы, чтобы они беспокоили певицу с розовыми волосами.

Отец Холли от смеха поперхнулся пивом, и Элизабет, хихикая, начала стучать по его спине.

Увидев на экране интерьер «Будуара», Холли вспомнила свое тогдашнее разочарование. Внутреннее убранство «Будуара» всегда оставалось тайной за семью печатями. В одном журнале девушки прочитали, что там есть некое подобие бассейна, в который в один прекрасный вечер прыгнула Мадонна. Холли представляла себе большой водопад, стекающий со стены и пузырящимися ручейками разбегающийся по всему клубу. Вокруг водопада сидят знаменитости, периодически подставляя под струи бокал, чтобы наполнить его шампанским. Вместо этого Холли увидела гигантских размеров аквариум без рыб, расположенный в центре круглого бара. Холли так и не поняла, зачем его туда поставили, но ее иллюзии рассыпались в прах. Зал, декорированный в темно-красных с золотом тонах, оказался гораздо меньше, чем воображала Холли. В дальнем его конце висел огромный золоченый занавес, рядом с которым стоял еще один угрожающего вида вышибала.

Главным украшением бара служила огромная кровать, установленная под потолком на наклонной площадке. На ней на золотых простынях возлежали две худющие модели — совершенно обнаженные, если не считать позолоты и крошечных стрингов. Ну и пошлятина, вздрогнула Холли.

— Нет, вы только посмотрите! — возмущенно воскликнула Дениз. — У меня пластырь на мизинце больше, чем то, что на них надето.

Том, сидевший рядом с Дениз, засмеялся и ущипнул ее за мизинец. Холли снова повернулась к экрану.

— Добрый вечер! Вы смотрите двенадцатичасовой выпуск новостей, с вами Шэрон Маккарти. — Шэрон стояла перед камерой с бутылкой в руке вместо микрофона. Деклан повернул камеру так, чтобы в кадр попали самые известные новостные ведущие Ирландии. — Сегодня, в тридцатый день рождения принцессы Финляндии Холли, ее высочество и ее фрейлина наконец-то удостоились быть допущенными в знаменитый «Будуар» — место встреч всех звезд. Здесь сегодня также присутствует австралийская рок-звезда Киара со своей съемочной группой. — Она прижала палец к уху, как будто принимала сообщение в наушник. — Нам только что стало известно, что самый популярный ведущий новостей Ирландии Тони Уолш несколько секунд назад был замечен улыбающимся. Рядом со мной находится свидетельница этого события. Здравствуйте, Дениз. — Дениз приняла соблазнительную позу. — Дениз, расскажите, где вы были, когда это произошло?

— Ну, я просто стояла там, рядом с его столиком, и увидела, как все случилось. — Дениз втянула щеки и улыбнулась в камеру.

— Вы можете объяснить, что именно произошло?

— Ну, я просто стояла там, когда мистер Уолш глотнул из своего стакана, а потом улыбнулся.

— Боже, Дениз, это потрясающая новость. Но вы уверены, что он действительно улыбался?

— Ну, может быть, он просто скривился от сквозняка, но тем, кто находился рядом со мной, тоже показалось, что это улыбка.

— Значит, есть и другие очевидцы?

— Да, принцесса Холли видела всю эту сцену.

Камера направилась к Холли, которая стояла чуть в стороне и через соломинку пила шампанское из бутылки. — Итак, Холли, просветите нас: это был ветер или улыбка?

Холли озадаченно сморщилась, а потом закатила глаза: — Ах, ветры? Извините, это у меня, наверное, от шампанского...

Клуб «Дива» взорвался от смеха. Джек, как обычно, смеялся громче всех. Холли совсем сникла.

— Итак, — продолжала Шэрон, изо всех сил стараясь сохранять серьезность, — вы первыми услышали об этом. Сегодня ночью самый угрюмый телеведущий Ирландии был застигнут улыбающимся. — И тут Шэрон обернулась и увидела, что рядом с ней стоит Тони Уолш — как ни странно, без признаков улыбки на лице.

«Добрый вечер», — пробормотала Шэрон, и камера выключилась. К этому моменту все в клубе, включая девушек, хохотали. Холли все это казалось настолько глупым, что она просто не могла сдержаться.

На экране возникли новые кадры. На сей раз в ее прицел попало зеркало в дамском туалете. Деклан снимал сквозь приоткрытую дверь — не самих девушек, а их отражение.

— Подумаешь, я просто пошутила, — фыркнула Шэрон, крася губы.

— Наплюй, Шэрон! Его, горемычного, от одного вида камеры уже, наверное, трясет, да еще в выходной. И я его понимаю, — сказала Дениз.

— А, так ты за него? — рассердилась Шэрон.

— Говорю тебе, кончай скулить, старая задница, — огрызнулась Дениз.

— А где Холли? — спросила Шэрон, меняя тему.

— Не знаю, в последний раз я ее видела, когда она дрыгалась под фанк на танцполе, — сказала Дениз. Они посмотрели друг на друга и засмеялись.

— Бедная наша диско-дива, — печально вымолвила Шэрон. — Надеюсь, сегодня она найдет себе какого-нибудь красавца и зацелует его насмерть.

— Хорошо бы, — согласилась Дениз. — Пойдем, надо найти ей мужика, — добавила она, убирая в сумочку косметику.

Как только девушки вышли из туалета, послышался шум льющейся воды. Дверь одной из кабинок открылась, и из нее вышла Холли. Увидев свое лицо на экране, она мгновенно перестала улыбаться. В зеркале отражались ее заплаканные глаза. Она высморкалась и какое-то время с тоской смотрела на себя. Потом глубоко вздохнула, открыла дверь и пошла догонять подруг. Холли не помнила, чтобы плакала в тот вечер. Напротив, ей казалось, что она держалась молодцом. Она потерла лоб. Что еще из напрочь забытого ей предстоит увидеть? Наконец эпизод закончился, и на экране появились слова «Операция «Золотая портьера». Дениз громко закричала: «Деклан, ты козел!» — и побежала прятаться в туалет. Она явно что-то помнила.

Деклан усмехнулся и закурил очередную сигарету.

— Девочки, слушайте меня все! — объявила Дениз. — Приступаем к операции «Золотая портьера».

— Чего? — слабо простонали с дивана Шэрон и Холли, прилегшие отдохнуть.

— Операция «Золотая портьера»! — возбужденно прошептала Дениз, пытаясь заставить их подняться на ноги. — Пора проникнуть в VIP-бар!

— А разве мы уже не там? — самодовольно сказала Шэрон и оглянулась по сторонам.

— Нет! Вот куда ходят настоящие звезды! — завистливо сказала Дениз, тыча пальцем в золотой занавес, возле которого торчал на страже мужик — вероятно, самый здоровый на планете.

— Если честно, Дениз, мне по барабану, куда ходят настоящие звезды, — прошептала Холли. — Мне и здесь неплохо. — И она еще уютнее свернулась на диване.

— Да вы что?! — застонала Дениз. — Эбби с Киарой уже там, а мы что, хуже?

Джек вопросительно посмотрел на Эбби. Та слегка пожала плечами и опустила на руку подбородок. Никто из них ровным счетом ничего не помнил из этой авантюры — кроме Дениз, которая предусмотрительно смылась. Джек погасил улыбку, опустился пониже в кресле и скрестил руки на груди. Он явно не возражал, когда его сестры выставляли себя полными дурами, но его девушка — это другое дело. Взгромоздив ноги на стоявший перед ним стул, Джек досматривал фильм в угрюмом молчании.

Сообщение о том, что Эбби с Киарой уже проникли в закрытый зал, вывело Шэрон и Холли из спячки. Теперь они внимали Дениз, которая объясняла им, что делать.

Отвернувшись от экрана, Холли толкнула локтем Шэрон. Она совершенно ничего не помнила. Ей даже казалось, что все это какой-то розыгрыш, что это не они там на экране. Как будто Деклан нанял актрис, похожих на них как две капли воды. Шэрон недоуменно пожала плечами. Нет, ее память тоже ничего не сохранила. Камера последовала за тремя подружками, которые подошли к золотому занавесу и с идиотским видом принялись ошиваться поблизости. Наконец Шэрон, набравшись храбрости, постучала гиганта по плечу. Тот обернулся к ней, и в этот миг Дениз попыталась проскользнуть за занавес. Она не удержалась на ногах, плюхнулась на пол, встала на четвереньки и просунула голову за заветную портьеру. При этом ее задница и ноги торчали с этой стороны.

Холли дала ей пинка — поторапливайся.

— Я их вижу! — громко прошипела Дениз. — Ой, мамочки! Они разговаривают с голливудским актером! — Она вытащила голову из-под занавески и обратила на Холли горящий взгляд. К сожалению, фантазия Шэрон, беседовавшей с громилой, иссякла, и тот повернулся к Дениз.

— Нет, нет, нет, нет, нет! — очень спокойно произнесла та. — Вы не понимаете! Это Холли, принцесса Швеции!

— Финляндии, — поправила ее Шэрон.

— Извините, Финляндии, — сказала Дениз, оставаясь на коленях. — Я склоняюсь перед ней. Присоединяйся ко мне!

Шэрон быстро встала на колени, и они обе начали кланяться Холли в ноги. Холли неловко посмотрела по сторонам, потому что все посетители клуба уставились на нее, и снова по-королевски махнула им рукой. Но это уже ни на кого не произвело впечатления.

— Ну, Холли! — сказала мать, с трудом переводя дух после приступа смеха.

Великан буркнул в рацию: «Парни, у меня тут проблема с принцессой и ее фрейлиной».

Дениз бросила на подруг испуганный взгляд и одними губами прошептала: «Смываемся!» Девушки вскочили на ноги и побежали. Камера безуспешно искала их в толпе — их и след простыл.

Сидя на табурете в клубе «Дива», Холли громко застонала и обхватила голову руками. Ей наконец стало ясно, что сейчас произойдет.

Глава девятнадцатая

Пол с усачом ринулись в клуб вверх по ступенькам и наткнулись на великана у золотой портьеры.

— Что происходит? — спросил усач у великана.

— Те девушки, за которыми вы велели проследить, пытались просочиться в закрытый бар, — с внушительным видом ответил тот.

Глядя на него, можно было подумать, что до того как поступить сюда, он подвизался киллером. И к своим нынешним обязанностям охранника тоже относился очень серьезно.

— Где они? — спросил усач.

Великан прочистил горло и отвел взгляд:

— Они где-то прячутся, босс.

Усач выпучил глаза:

— Прячутся?

— Да, босс.

— Где? В клубе?

— Мне так кажется, босс.

— Тебе так кажется?

— Ну… — подал голос Пол, — они же не попадались нам навстречу, так что они должны быть там.

— Ладно, — вздохнул усач, — пойдем их поищем. Позови кого-нибудь присмотреть здесь за входом.

Камера следила, как трое вышибал осматривали клуб, отодвигая диваны, заглядывая под столы, отдергивая занавески, проверяя даже туалеты. Вся семья Холли истерически хохотала, наблюдая за развертывающейся перед их глазами сценой.

В центре клуба возникла какая-то суета, и вышибалы двинулись на шум, пытаясь определить, что происходит. Публика начала собираться в толпу, а две танцовщицы в золотых трико остановились, с ужасом уставившись на кровать. Камера проследила за их взглядом. Под золотыми шелковыми покрывалами вырисовывалось что-то похожее на трех брыкающихся свиней. Шэрон, Дениз и Холли барахтались, вопили и старались плотнее вжаться в кровать. Толпа вокруг них все прибывала. Скоро и музыка смолкла. Три больших куля под одеялом перестали дрыгаться и замерли, не зная, что происходит снаружи.

Вышибалы подскочили к ним и сдернули покрывала. Три очень испуганные девушки, смирно лежащие на кровати, вытянув руки по швам, в свою очередь уставились на них, моргая, как олень, ослепленный фарами на ночной дороге.

— Прежде чем *кто-то* моргнет сорок раз, соблаговолите удалиться, — сказала Холли со своим аристократическим выговором, и две другие девчонки прыснули со смеха.

— Ладно-ладно, принцесса, игра закончилась, — сказал Пол.

Трое мужчин проводили девушек к выходу, уверяя их при этом, что и духу ни одной из них здесь больше никогда не будет.

— Можно я хоть друзьям скажу, что мы уходим? — спросила Шэрон.

Мужчины поперхнулись и отвели глаза.

— Эй, я тут что, сама с собой разговариваю? Я спрашиваю, вы не возражаете, если я пойду и скажу своим друзьям, что нам пришлось уйти?

— Слушайте, девушки, кончайте дурака валять, — сердито ответил усач. Ваших друзей здесь нет. Так что давайте-ка двигайте отсюда! И вообще, вам пора бай-бай.

— Как это нет? — так же сердито ответила Шэрон. — У меня две подруги в VIP-баре. Одна — с розовыми волосами, а другая…

— Де-вуш-ки! — возвысил голос вышибала. Она вам такая же подруга, как я марсианин. Не надо ее беспокоить. Выметайтесь отсюда, пока не нажили неприятностей себе на голову.

Все в клубе засмеялись.

Сцена поменялась. Теперь все девушки сидели в такси, и это была «долгая дорога домой». Эбби, как собака, свесила голову из окна — по требованию водителя: «Смотри не наблюй мне в салоне. Или высунь голову, или иди пешком». Лицо Эбби посинело, и у нее зуб на зуб не попадал, но идти домой пешком ей не хотелось. Киара сидела с надутым видом, скрестив руки и злясь на подружек за то, что из-за них ей пришлось так рано уйти из клуба, а еще больше — за то, что они разоблачили ее легенду рок-звезды. Шэрон и Дениз спали, склонив головы друг на друга.

Камера снова сфокусировалась на Холли, занимавшей переднее сиденье. Она больше не донимала таксиста слезливыми разговорами, а спокойно смотрела в темноту, откинувшись на подголовник. Холли помнила, о чем она тогда думала: снова ей совсем одной возвращаться в большой пустой дом.

— С днем рождения, Холли! — Тоненький голосок Эбби дрожал от холода.

Холли повернулась назад, чтобы улыбнуться ей в ответ... и уперлась прямо в объектив камеры.

— Ты все еще *снимаешь*? Выключи немедленно! — И рука Холли выбила камеру из руки Деклана.

Конец фильма.

Как только Дэниел встал, чтобы включить в клубе освещение, Холли быстро отделилась от подружек и выскочила в ближайшую дверь. Она оказалась в маленькой подсобке, окруженная швабрами, корзинами и пустыми ящиками. «Как это глупо — прятаться здесь», — подумала она. Затем села на канистру и задумалась о том, что только что видела. Ее словно обухом по голове ударили. Она пребывала в полном замешательстве и страшно злилась на Деклана. Он уверял, что делает документальный фильм о клубной жизни. Она помнила, как он клялся, что не собирается превращать ее и ее подруг в персонажей телешоу. И сделал именно это, в буквальном смысле. Если бы он ее вежливо попросил, тогда другое дело. Правда, она бы все равно не разрешила.

Но орать на Деклана на глазах у всех — это было последнее, что ей хотелось сейчас делать. Если вынести за скобки, как он ее унизил, он действительно очень хорошо все снял и смонтировал. Если бы показывали не ее, а кого-то еще, Холли обязательно бы поинтересовалась: какую награду получит фильм? Но показывали-то как раз ее! Так что никаких наград! Да, местами это действительно выглядело смешно — и плевать, если они с подругами вели себя как законченные идиотки; ее беспокоили не эти злосчастные кадры, снятые исподтишка, а нечто совсем другое.

По щекам Холли потекли крупные соленые слезы, и она обняла себя, чтобы успокоиться. На телеэкране перед ней обнажилась ее душа, душа страшно одинокого человека. Она рыдала о Джерри, рыдала о себе самой — и чем больше она старалась сдержать глубокие судорожные всхлипы, тем сильнее они сотрясали ее грудную клетку. Она не хотела больше быть одинокой, не хотела, чтобы вся семья наблюдала за ее тщетными попытками скрыть свое одиночество. Она просто хотела, чтобы Джерри был снова с нею, и не думала больше ни о чем. Ей не приходило в голову, что, будь он по-прежнему с нею, они могли бы разругаться, разойтись, потерять дом и все деньги. Она просто хотела быть с ним. Она услышала за спиною звук открывающейся двери и почувствовала, как ее хрупкое тело обняли большие сильные руки. Она зарыдала — так, словно долгие месяцы копившейся му́ки навалились на нее все разом.

— Чего это она? Ей не понравилось? — донесся до нее обеспокоенный голос Деклана.

— Просто оставь ее, сынок, — мягко ответил материнский голос, и дверь снова закрылась. Дэниел гладил ее по голове и легонько встряхивал.

Наконец, выплакав, как ей казалось, все слезы мира, Холли успокоилась и взглянула на Дэниела.

— Извини, — пролепетала она, вытирая лицо рукавом.

— Тебе не за что извиняться, — ответил он, нежно убирая ее руки с лица и подавая салфетку.

Она молчала, пытаясь собраться с мыслями.

— Ты что, из-за фильма расстроилась? Было бы из-за чего! — сказал Дэниел, присаживаясь рядом на ящик с пустой тарой.

— Действительно, — саркастически заметила Холли, снова вытирая слезы.

— Да нет, правда! Мне показалось, это было здорово. Вы там все выглядите так, словно от души веселитесь.

— Только вот на самом деле мне было ужасно грустно, и никакого веселья я не чувствовала.

— Может, и не чувствовала, но камера-то не видит, что у тебя внутри.

Холли вдруг смутилась, что ее успокаивает посторонний человек.

— Ты вовсе не обязан меня утешать.

— Я не пытаюсь тебя утешать. Я просто говорю все как есть. Никто кроме тебя не увидел ничего, что могло бы тебя смутить. Я, например, не увидел. Так почему кто-то еще должен увидеть?

Холли немного полегчало.

— Ты уверен?

— Уверен, уверен! — рассмеялся Дэниел. — Так что перестань хорониться по углам в моем клубе. Я приму это на свой счет.

— А как девочки? — робко спросила Холли.

Может, и правда, это она одна такая глупая.

Снаружи раздался взрыв смеха.

— Замечательно, сама слышишь, — кивнул он на дверь. — Киара счастлива, что теперь все будут думать, что она звезда; Дениз наконец вылезла из туалета, а Шэрон просто умирает со смеху. А Джек пристал к Эбби, вырвало ее все-таки или не вырвало.

Холли хихикнула.

— Так что, как видишь, никто и не заметил того, о чем ты переживаешь.

— Спасибо, Дэниел. — Она сделала глубокий вдох и улыбнулась ему.

— Ну что, готова предстать перед зрителями?

— Похоже на то.

Холли выглянула из комнаты и повернулась на звуки смеха. Был включен верхний свет, и все сидели за столом, непринужденно обмениваясь впечатлениями и шутками. Холли пристроилась рядом с матерью. Элизабет приобняла ее и поцеловала в щеку.

— Ну что, по-моему, здорово! — с энтузиазмом провозгласил Джек. — Как бы нам уговорить Деклана, чтобы он почаще выбирался с девчонками? Мы бы тогда знали, как они отрываются! Верно, Джон? — подмигнул он мужу Шэрон.

— Уверяю вас, дорогие мои, — возвысила голос Эбби, — то, что вы видели, — это вовсе не шоу «девчонки отрываются».

— Ну, как тебе? — робко спросил Деклан у Холли.

Та бросила на него взгляд.

— Я думал, тебе понравится, Хол, — виновато добавил он.

— Мне бы *могло* понравиться, если бы я знала заранее, что ты задумал, — отрезала та.

— Я хотел сделать сюрприз. — Голос Деклана звучал очень искренне.

— Ненавижу сюрпризы, — ответила Холли и снова стала тереть свои заплаканные глаза.

— Пусть это послужит тебе уроком, сынок, — сказал Фрэнк Деклану. — Нельзя снимать людей, не объяснив им, что ты делаешь. Это просто незаконно.

— Спорим, когда его награждали, об этом никто не знал, — поддакнула Элизабет.

— Ты ведь не скажешь им, правда, Холли? — с тревогой в голосе спросил Деклан.

— Нет, если будешь хорошо себя вести ближайшие пару месяцев, — лукаво ответила Холли, наматывая локон на палец.

Деклан изменился в лице. Он всегда туго соображал и знал за собой этот грех.

— Если честно, Холли, мне показалось, это было очень забавно, — вмешалась Шэрон. — Особенно ты и твоя операция «Золотая портьера».

Шэрон хихикнула и игриво хлопнула Дениз по ноге.

Та закатила глаза:

— Знаешь, что я тебе скажу? Я *никогда* больше не буду пить.

Все засмеялись, и Том положил ей руку на плечо.

— А в чем дело? — спросила она с невинным видом. — Я серьезно.

— Кстати, о выпивке, — сказал Дэниел, поднимаясь с места, — кому-нибудь принести? Джек, ты как?

— Да, «Будвайзер», будь добр.

— А тебе, Эбби?

— Ну… Белого вина, пожалуйста, — вежливо ответила та.

— Фрэнк?

— «Гиннесса». Спасибо, Дэниел!

— И мне, — добавил Джон.

— Шэрон, а ты?

— Водку с колой. Холли, тебе тоже?

Та кивнула.

— Том?

— «Джек Дэниелс» с колой.

— Мне тоже, — сказал Деклан.

— Дениз? — Дэниел попытался обратиться к ней с невозмутимым видом.

— Ну… пожалуй… Джин с тоником, будь добр! Все торжествующе закричали.

— Вы чего? — Дениз с равнодушным видом пожала плечами. — Один стаканчик меня уж точно не убьет.

Холли стояла у раковины с засученными рукавами и драила кастрюли, когда услышала знакомый голос.

Она подняла взгляд и увидела его у открытой двери в сад.

— Привет! — улыбнулась она.

— Скучаешь?

— Ну да.

— Нового мужа еще не нашла?

— Нашла, конечно, — рассмеялась Холли, вытирая руки. — Он в спальне, дрыхнет.

Джерри неодобрительно покачал головой.

— Пойти, что ли, накостылять ему за то, что спит в нашей постели?

Холли, шутя, взглянула на свои часы:

— Дай ему еще часок, пусть выспится.

«Он выглядит счастливым», — подумала она. Лицо такое свежее и красивое — точно такое, каким она его запомнила. На нем была ее любимая синяя безрукавка, которую она купила ему как-то на Рождество. Он глядел на нее своими собачьими карими глазами из-под длинных ресниц.

— Зайдешь? — с улыбкой спросила она.

— Не, я так, мимоходом… посмотреть, как ты тут. — Он прислонился к дверному косяку, засунув руки в карманы. — Так как?

— Так... — Она неопределенно повела руками в воздухе. — Бывает и получше.

— Я слышал, ты теперь телезвезда?

— Поневоле! — фыркнула она в ответ.

— Теперь вокруг тебя мужики будут штабелями падать.

— Штабеля — это замечательно, только они все будут падать мимо.

Он засмеялся.

— Я очень по тебе скучаю, Джерри.

— Я ведь не далеко ушел, — мягко сказал он.

— Опять уходишь?

— Ненадолго.

— Тогда до скорого, — улыбнулась она.

Он подмигнул ей и исчез.

Холли проснулась с улыбкой на лице и чувствовала себя такой отдохнувшей, словно она проспала неделю. «Доброе утро, Джерри», — весело сказала она, глядя в окно.

Зазвонил телефон. Холли, все еще улыбаясь, сняла трубку.

— Алло?

— Господи, Холли, ты только загляни в воскресные газеты! — в панике закричала трубка голосом Шэрон.

Глава двадцатая

Холли немедленно выскочила из постели, натянула спортивный костюм и отправилась к ближайшему мини-маркету. Там она принялась лихорадочно листать разложенные на прилавках газеты, пытаясь понять, что же так потрясло Шэрон. Кассир громко кашлянул, и Холли подняла голову.

— Девушка, тут вам не библиотека. Сначала купите, а потом читайте сколько влезет, — кивнул он на газету в ее руках.

— Я в курсе, — раздраженно сказала она. «Вот зануда! Как, интересно, она может знать, какую газету ей нужно купить, если она понятия не имеет, что ищет?» В конце концов она просто сгребла все газеты с прилавка и сунула их кассиру с лучезарной улыбкой.

Тот пристально посмотрел на нее и принялся методично пробивать чеки — один за другим. За спиной Холли скопилась небольшая очередь.

Она жадно окинула взглядом длинный ряд шоколадных батончиков, выставленных на витрине прямо перед ее носом, и оглянулась — смотрит ли кто-нибудь на нее. На нее смотрели *все*. Она поспешно перевела взгляд обратно на кассира. Наконец ее рука вытянула из стопки две самые большие шоколадки. Остальные одна за другой попадали на пол. Стоящий за Холли подросток хихикнул, глядя, как она, согнувшись в три погибели, с красным лицом собирает рассыпавшиеся батончики. Их оказалось так много, что ей пришлось наклониться несколько раз. Очередь хранила напряженное молчание, если не считать редких нетерпеливых покашливаний. В конце Холли трусливо прибавила к своей покупке еще несколько пакетиков сладостей. «Для детей», — сказала она кассиру — но так, чтобы слышали все.

Тот промычал что-то и продолжал пробивать газеты. Тут Холли вспомнила, что ей нужно купить молока. Она ойкнула и побежала в конец очереди, взять пакет молока из холодильника. Несколько женщин неодобрительно заворчали, когда она вернулась обратно и приложила молоко к своим покупкам. Кассир прекратил свое занятие и уставился на Холли. Она в упор посмотрела на него.

— Марк! — крикнул кассир.

Из подсобки появился прыщавый юнец с машинкой для считывания штрихкодов в руке.

— Чего? — спросил он угрюмо.

— Открой-ка вторую кассу, сынок. Мы тут, похоже, застряли.

Кассир снова вперился взглядом в Холли. Та сделала каменное лицо.

Марк взгромоздился за вторую кассу, не отрывая взгляда от Холли. «Да пошел он! — для самозащиты накручивала она себя. — Чего он на меня злится? В конце концов, это его работа».

Марк открыл кассу, и вся очередь переместилась к нему. Облегченно вздохнув, оттого что никто больше не сверлит ей спину глазами, Холли вытащила с полки над кассой еще несколько пакетиков чипсов и добавила к выбранным товарам.

— День рождения устраиваю… — промямлила она.

В очереди по соседству подросток тихо просил продать ему пачку сигарет.

— А удостоверение личности у тебя есть? — громко спросил Марк.

Малолетка в замешательстве оглянулся вокруг с пунцовым лицом. Холли хихикнула и отвела взгляд.

— Что-нибудь еще? — саркастично спросил кассир.

— Нет, спасибо, это все, — процедила она сквозь зубы. Расплатилась и бросила сдачу в сумочку, потом стала пытаться запихнуть туда же все свои покупки.

— Следующий, — кивнул кассир.

— Ну, значит, мне, пожалуйста, два блока «Бенсона», и еще…

— Извините, — прервала Холли мужчину, — можно мне пакет?

Большая кипа разнообразных пакетов свисала прямо перед ней.

— Вы что, не видите? — сердито ответил кассир. — Я обслуживаю другого покупателя. Да, сэр, значит, вам сигареты — что-нибудь еще?

— Нет, это все, — сказал мужчина, с виноватым видом глядя на Холли.

— Ну, — кассир повернулся к Холли, — теперь вы. Чего вам?

— Пакет! — ответила она, не разжимая челюстей.

— Двадцать центов, пожалуйста.

Холли громко вздохнула и полезла в сумочку за кошельком. За ней опять образовалась очередь.

— Марк, открой-ка снова вторую кассу, — сердито крикнул кассир.

Холли вытащила монетку из кошелька, швырнула ее на прилавок и начала укладывать покупки в пакет.

— Следующий, — снова сказал кассир, глядя через ее плечо. Холли, нервничая, принялась запихивать свое добро в пакет как попало.

— Я подожду, пока дама управится, — вежливо сказал покупатель.

Холли благодарно улыбнулась ему и направилась к выходу из магазина, проклиная себя в душе. Она уже почти вышла, когда Марк — тот самый паренек за кассой — пригвоздил ее к месту воплем:

— Эй, да я же тебя знаю! Ты — та девушка из телика!

Холли остолбенело повернулась кругом, пластиковый пакет у нее в руках лопнул под собственной тяжестью, и все ее шоколадки, сладости и чипсы разлетелись по полу.

Дружелюбный покупатель опустился на колени и стал помогать Холли собирать ее вещи. Остальная публика в магазине замерла в недоумении: что это еще за «девушка из телика»?

— Это ведь ты, правда?

Холли с пола слабо улыбнулась в ответ.

— Я так и знал! — Паренек от радости захлопал в ладоши. — Ну ты крута!

Угу, она действительно чувствовала себя очень крутой, ползая на коленках по полу магазина в поисках укатившейся шоколадки. Ее лицо покраснело, и она судорожно кашлянула.

— Извините, можно мне еще один пакет?

— Да, конечно, двадц...

— Вот, возьмите, — прервал его все тот же дружелюбный покупатель, кладя монетку на прилавок. Кассир озабоченно взглянул на него и продолжил работу.

— Я — Роб, — сказал мужчина, протягивая ей руку, после того как помог ей собрать все шоколадки обратно в сумку.

— А я — Холли, — ответила она, немного ошарашенная его чрезмерной любезностью и пожимая ему руку. — И я — шокоголик...

Он рассмеялся.

— Спасибо, что помогли, — сказала она, уставясь на носки своих туфель.

— Всегда пожалуйста.

Роб придержал для Холли дверь, и они вместе вышли наружу. Хорошо выглядит, подумала она. На несколько лет старше нее, с необычными серо-зелеными глазами. Холли сначала глядела на него искоса, а потом — во все глаза.

Он кашлянул.

Она смутилась, осознав вдруг, что пялится на него как дурочка. Отошла к своей машине, бросила раздувшийся пакет на заднее сиденье — и заметила, что Роб последовал за ней. Ее сердце сделало небольшой перебой.

— Привет еще раз, — улыбнулся он. — Э-э-э... Я вот тут подумал... Не хотите чего-нибудь выпить? Впрочем, — он со смехом взглянул на часы, — пожалуй, еще рановато... Как насчет кофе?

Держался он очень уверенно. Спокойно стоял возле машины напротив Холли, засунув руки в карманы джинсов и выставив наружу большие пальцы, и в упор рассматривал ее своими странными глазами. При этом она не ощущала никакой неловкости — он разговаривал с ней так непосредственно, как будто считал приглашение незнакомого человека на чашку кофе самым естественным поступком. Что, может, и правда теперь так принято?

— Ну…

Холли задумалась. Что опасного в том, чтобы выпить кофе с мужчиной, который проявил к ней столько внимания? Он само совершенство — оно и к лучшему. Но вне зависимости от его внешности Холли отчаянно нуждалась в общении, а этот человек казался вполне подходящей компанией. Шэрон где-то пропадала, Дениз работала, а без конца звонить матери Холли тоже не могла: у Элизабет и без нее хватало забот. И вообще, ей пора заводить новые знакомства. У них с Джерри было много друзей — в основном те, с кем Джерри работал, но после его смерти все эти «друзья» стали обходить их дом стороной. Что ж, по крайней мере, теперь она знала, кто из них чего стоит.

Она совсем уж было собралась ответить «да», как вдруг его взгляд упал на ее руку — и улыбка Роба угасла.

— Ох, простите, я не сообразил… — пробормотал он, отодвигаясь от озадаченной Холли. — Вообще-то мне пора…

Он слабо улыбнулся и быстро зашагал прочь.

Холли в недоумении глядела ему вслед. Она что, что-то не то сказала? Или слишком медлила с ответом? Может быть, она нарушила одно из новых неписаных правил в этой игре? Она вспомнила, что именно заставило его ретироваться, тоже опустила взгляд на свою руку… и поймала отблеск обручального кольца на пальце. Она тяжело вздохнула и устало потерла лицо.

В этот момент подросток из магазина прошел мимо, окруженный своими приятелями, с сигаретой во рту. Увидев ее, он фыркнул.

Все бесполезно.

Она захлопнула дверь машины и огляделась по сторонам. Ей совсем не хотелось ехать домой — чтобы снова весь день напролет изучать взглядом стены и беседовать с самой собой. Было только десять утра, стоял чудесный теплый, солнечный день. В закусочной напротив — под говорящим названием «Большая ложка» — уже выставили наружу столы и стулья. У Холли сжался желудок. Хороший ирландский завтрак — вот что ей сейчас нужно. Она достала из бардачка солнечные очки, сгребла купленные газеты и перешла дорогу.

Тучная женщина с тугим пучком на голове, в цветастом платье и полосатом красно-белом переднике вытирала столы. Холли почувствовала себя так, словно попала прямиком на деревенскую кухню.

— Давненько эти столики не видели солнца, — радостно сказала женщина, едва Холли вошла.

— Точно. Прекрасный день! — ответила та, и обе посмотрели на ярко-голубое небо. Очень забавно — хорошая погода в Ирландии дает тему для разговоров на целый день. Она случается так редко, что все чувствуют себя осчастливленными.

— Останешься снаружи, деточка?

— Конечно. Постараюсь захватить побольше солнца, — рассмеялась Холли, садясь за столик. — Вдруг через час уйдет!

— Надо о хорошем думать, деточка, — покачала головой официантка. — Ладно, сейчас меню принесу.

— Нет-нет, спасибо, — остановила ее Холли. — Я и так знаю, чего хочу. Принесите мне ирландский завтрак.

— Отлично, — улыбнулась женщина и тут же вытаращила глаза при виде газет, которые Холли выложила на столик. — Ты что, собираешься здесь газетный киоск открыть?

Холли тоже взглянула на принесенную ею толстую пачку и рассмеялась, увидев сверху «Арабские новости». В магазине она не глядя сгребла с прилавка по экземпляру всех газет. Но вряд ли «Арабские новости» пишут о документальном фильме с ее участием.

— Честно тебе скажу, детка, — добавила официантка, протирая стол, — если ты сможешь добиться, чтобы этот старый засранец, — она кивнула головой, указывая через дорогу, — закрыл лавочку, здорово будет.

Сказав это, она скрылась в кафе. Холли снова улыбнулась. Потом посидела немного, оглядываясь по сторонам. Она обожала ловить обрывки разговоров проходящих мимо людей: это создавало иллюзию вовлеченности в их существование. Ей нравилось гадать, чем эти люди зарабатывают себе на жизнь, куда они спешат, когда пробегают мимо нее, где они живут, женаты они или одиноки... Шэрон и Холли частенько, сиживая в «Бьюлиз», глазели на Грифтон-стрит и занимались подобными наблюдениями. Они даже сочиняли маленькие сценарии, чтобы скоротать время. Но в последние дни Холли делала это регулярно — еще одно подтверждение того, до какой степени она забила себе голову соображениями о жизни других, вместо того чтобы сосредоточиться на своей собственной.

Например, в сценарии, который она придумывала сейчас, участвовал проходивший мимо мужчина, шагавший под руку с женой, и еще один мужчина, шедший им навстречу. Холли решила, что женатый мужчина — скрытый гей, а тот, другой — его любовник. Когда они поравнялись, Холли внимательно следила за их лицами, чтобы проверить — обменяются ли они взглядами. Но они не просто обменялись взглядами. Холли с трудом удержалась от того, чтобы хихикнуть, когда все трое остановились прямо перед ее столиком.

— Извините, — обратился «любовник» к «скрытому гею», — не подскажете, который час?

— Пожалуйста, — ответил тот, поглядев на часы. — Сейчас четверть одиннадцатого.

— Большое спасибо, — сказал «любовник» и зашагал прочь.

Холли стало ясно как божий день, что это был секретный код и что они договорились о рандеву. Она поразвлеклась еще немного подобным образом, пока ей это не надоело и она не решила для разнообразия заняться собственными делами.

Холли принялась листать страницы разложенных перед нею таблоидов, пока ее внимание не привлекла маленькая заметка в разделе обзоров.

«ДЕВУШКИ В БОЛЬШОМ ГОРОДЕ»,
хит рейтингов
Триша Колман

Те, кого угораздило пропустить в прошлую среду невероятно смешной документальный телефильм

«Девушки в большом городе», могут не отчаиваться: он скоро вернется на экраны.

Уморительно смешная лента в жанре «скрытой камеры», снятая ирландцем Декланом Кеннеди, рассказывает о ночных похождениях пяти дублинских девушек. Они проникают в тайный мир жизни звезд в модном клубе «Будуар» и полчаса заставляют нас смеяться до колик в животе.

Премьера на четвертом канале оказалась очень успешной: рейтинги показали, что ее смотрели четыре миллиона жителей Великобритании. Теперь фильм повторят на том же канале в воскресенье в 23.00. Ни в коем случае не пропустите!»

Читая заметку, Холли изо всех сил старалась сохранять спокойствие. Это, конечно, потрясающая новость для Деклана, но для нее — просто катастрофа. И один-то показ — это тихий ужас, что уж говорить о втором. Ей надо серьезно поговорить с ним. Накануне вечером она не стала устраивать ему сцену, понимая, как он возбужден, но у нее и без того хватает проблем, и лишние ей ни к чему.

Холли пролистнула оставшиеся газеты и поняла, из-за чего так переживала Шэрон. Ни один таблоид не обошел вниманием фильм — а самый шустрый даже поместил фотографию Дениз, Шэрон и Холли, сделанную несколько лет назад. Откуда они ее раскопали — уму непостижимо. Хорошо еще, что в газетах попадались и нормальные новости, не то Холли решила бы, что мир окончательно сошел с ума. Ее совсем не порадовали эпитеты «сбрендившие» и «в стельку пьяные», которыми газета наградила ее с подругами, утверждая, что они «на все готовы». Что они, собственно, имели в виду?

Тем временем прибыл завтрак — и Холли засомневалась, сможет ли с ним управиться.

— Тебе надо чуток подкормиться, — сказала толстуха, раскладывая перед Холли приборы. — А то, ишь, кожа да кости!

Она ушла, переваливаясь. Холли мысленно поблагодарила ее за комплимент.

На тарелке перед ней возвышалась гора из сосисок, бекона, яиц, картофельных оладий, черного и белого пудингов, тушеной фасоли, жареной картошки, грибов, помидоров и пяти кусков хлеба. Холли в замешательстве огляделась по сторонам, надеясь, что никто ее не увидит и не подумает, что она прожорливая свинья. Все тот же надоедливый малолетка со своими друзьями опять продефилировал мимо. Холли взяла свою тарелку и пошла внутрь кафе. У нее и в самом деле разыгрался аппетит, и она не собиралась позволять какому-то прыщавому подростку его испортить.

Холли задержалась в «Большой ложке» гораздо дольше, чем рассчитывала; так что, когда она добралась до дома родителей в Портманроке, часы показывали почти два.

Вопреки ее опасениям, солнце по-прежнему ярко сияло в безоблачной синеве. Она взглянула на заполненный купальщиками пляж, начинающийся прямо перед домом, и не смогла различить — где заканчивается море и начинается небо. Из беспрестанно снующих туда-сюда автобусов вываливались все новые толпы людей, в воздухе разливался нежный запах крема для загара. На траве стайками валялись тинейджеры с магнитолами, выплевывающими последние хиты. Эти звуки и эти запахи мигом вернули Холли в лучшие дни ее детства.

Холли четырежды позвонила в дверной звонок, но никто не ответил. Судя по открытой фрамуге в спальне прямо у нее над головой, дома явно кто-то был. Родители ни за что не ушли бы, оставив незапертое окно — особенно сейчас, когда в окрестностях шлялось столько посторонних. Холли сошла с дорожки на траву и прижала лицо к окну гостиной, пытаясь обнаружить за стеклом какие-нибудь признаки жизни. Она совсем уж собралась бросить это занятие и отправиться на пляж, когда услышала яростную словесную дуэль между Декланом и Киарой.

— Киара, открой эту чертову дверь!

— Нет, я сказала!!! Я за-ня-та!

— И я занят!

Холли снова позвонила — и это только подлило масла в огонь.

— ДЕКЛАН!!!

Ого. От такого вопля можно сна лишиться.

— Давай сама, ленивая корова!

— Что-о? Это я-а-а ленивая???

Холли вытащила свой мобильник и позвонила на домашний номер.

— Киара, ответь на звонок!

— Нет!

Холли громко вздохнула и разъединилась. Затем набрала номер мобильника Деклана.

— Да?

— Деклан, открой эту гребаную дверь немедленно или я ее высажу!

— Ох, извини, Холли, я думал, Киара откроет, — солгал Деклан.

Он распахнул дверь и предстал перед Холли в трусах-боксерах. Холли ворвалась внутрь.

— Господи боже мой! Надеюсь, вы не ругаетесь так при каждом дверном звонке!

Деклан с безучастным видом пожал плечами, пробормотал лениво: «Папа с мамой вышли», и направился к лестнице на второй этаж.

— Эй, ты куда это? — окликнула его Холли.

— Спать пойду.

— Никуда ты не пойдешь, — спокойно сказала Холли. — Ты сейчас сядешь рядом со мной, — она указала на диван в гостиной, — и мы с тобой обстоятельно побеседуем о «Девушках в большом городе».

— Ну-у... — заныл Деклан, — а это обязательно прямо сейчас делать? Я правда дико спать хочу... — И он начал тереть глаза.

Но Холли не проявила сочувствия.

— Деклан, сейчас два часа дня. Как ты можешь хотеть спать?

— Да я пару часов назад домой вернулся... — сказал он, умоляюще глядя на Холли.

Ну уж теперь-то у Холли точно не осталось к нему никакого сочувствия. Только зависть.

— Сядь! — прикрикнула она.

Ворча, он лениво доволочился до дивана и рухнул на него всем телом, не оставив места для Холли. Она, ничего не сказав, села в отцово кресло рядом с диваном.

— Как у психиатра, — рассмеялся он, скрещивая руки за головой и устраиваясь поудобнее.

— Отлично. Потому что я действительно собираюсь прочистить тебе мозги.

Деклан снова поморщился.

— Слушай, Холли, а это обязательно? Мы ведь уже говорили об этом вчера вечером.

— И ты думаешь, это все, что я хотела сказать? Типа «ты меня прости, Деклан, но мне не очень понравилось, что ты публично унизил меня и моих друзей, ну да ладно, увидимся на следующей неделе»?

— Конечно нет.

— Ладно, Деклан, — смягчила Холли голос. — Я просто хочу понять, как ты вообще до такого додумался — снимать нас с девочками без предупреждения?

— Но ты же *знала*, что я вас буду снимать.

— Для фильма о *клубной жизни*! — Холли снова возвысила голос. Ее раздражало, что младший братец прикидывается дурачком.

— Так это и была *клубная жизнь*, — рассмеялся тот как ни в чем не бывало.

— Ты думаешь, ты самый умный? — прошипела Холли, и Деклан оборвал смех.

Холли замолчала и мысленно сосчитала до десяти, стараясь ровно дышать.

— Послушай, Деклан, — сказала она спокойно. — Ты что, не понимаешь, что я и без твоего фильма уже достаточно хлебнула в этой жизни? Вот только что? А ты даже не спросил! У меня просто в голове не укладывается, как ты мог такое выкинуть!

Деклан уселся на диване и напустил на себя серьезный вид.

— Я знаю, Холли, я знаю, через что ты прошла. Но я подумал, это тебя взбодрит. Я не врал тебе, когда говорил, что собираюсь снимать фильм о клубной жизни. Я действительно так и собрался делать. Но когда я принес отснятый материал в колледж и начал монтировать, все сказали, что это феерически смешно и просто грех это вырезать.

— Угу. Но ты отдал это на телевидение, Деклан.

— Это была награда победителю конкурса! Я об этом ничего не знал, честное слово! Никто не знал, даже мои преподы! Как я мог отказаться, когда мне объявили, что я выиграл? — сказал Деклан, широко распахнув глаза.

Холли сдалась. Она вздохнула и запустила пальцы в волосы.

— Я правда думал, что тебе понравится, — улыбнулся Деклан. — Я проверил на Киаре, и *даже она* заявила, что ей понравилось. Прости, если я тебя обидел, — пробормотал он.

Холли кивала головой в такт его объяснениям. Она стала понимать, что ее брат, в сущности, действовал из лучших побуждений — хотя они и завели его не туда куда надо. Но вдруг резко прекратила это занятие и выпрямилась в кресле. Что он только что сказал?

— Деклан, ты сказал, что Киара знала о пленке?

Деклан замер на месте, лихорадочно соображая, как выбраться из ловушки, в которую сам себя загнал. Так ничего и не придумав, он рухнул обратно на диван и накрыл голову подушкой. Слишком поздно. Он только что начал третью мировую войну.

— Холли, пожа-а-алуйста, не говори ей! Она меня убьет! — раздался из-под подушки его придушенный вопль.

Холли сорвалась с кресла и ринулась наверх, с грохотом вколачивая ноги в каждую ступеньку — чтобы Киара поняла, насколько она взбешена. Подлетев к двери, она заколотила в нее, изрыгая проклятия.

— Не входи! — завизжала Киара изнутри.

— Ну все, тебе конец! — завопила Холли в ответ, врываясь в комнату с самым свирепым выражением лица.

— Я же сказала, не входи! — крикнула Киара.

Холли собралась было обрушить на нее град отборных оскорблений, но при виде сестры осеклась. Та сидела на полу, держа на коленях что-то похожее на фотоальбом. Все ее лицо было залито слезами.

Глава двадцать первая

— Господи, Киара, что случилось? — мягко сказала Холли. Она не помнила, когда последний раз видела свою сестру плачущей. Вообще-то Холли даже не подозревала, что Киара умеет плакать. Ее слезы свидетельствовали о чем-то очень серьезном.

— Ничего не случилось, — ответила Киара, захлопывая альбом и зашвыривая его под кровать. Казалось, она смутилась, что ее застали плачущей. Она небрежно вытерла лицо, старательно демонстрируя, что ей все по барабану.

Внизу, на диване, Деклан осторожно выглянул из-под подушки. Наверху было подозрительно тихо. Хоть бы они не нанесли друг другу увечий, несовместимых с жизнью. Деклан на цыпочках поднялся наверх и прислушался.

— Нет, что-то случилось, — сказала Холли, пересекая комнату, чтобы подсесть к сестре на полу. Она не очень понимала, как следует с ней обращаться. Все встало с ног на голову: обычно с самого детства все обстояло с точностью до наоборот: Холли только и делала, что плакала, а Киара ее утешала.

— У меня все нормально, — отрезала Киара.

— Хорошо-хорошо. Но если тебя что-то расстроило, ты ведь знаешь, что всегда можешь мне рассказать, правда?

Киара не посмела взглянуть на сестру и просто кивнула. Холли поднялась на ноги, собираясь уйти с миром, как вдруг, совершенно неожиданно, Киара снова ударилась в слезы. Холли снова немедленно села и обняла младшую сестру. Киара тихо плакала, а Холли гладила ее шелковистые, выкрашенные в розовый цвет волосы.

— Может быть, все-таки скажешь, что случилось? — мягко спросила Холли.

Киара пробурчала в ответ что-то нечленораздельное, затем залезла под кровать и вытянула назад фотоальбом. Открыла его и дрожащими руками перелистнула несколько страниц.

— Вот, — сказала она и с печальным видом ткнула в фотографию, запечатлевшую ее с каким-то парнем. Холли его не знала. По совести говоря, она и сестру узнала с трудом. Киара казалась такой непохожей на себя, такой молоденькой. Снимок был сделан в прекрасный солнечный день, на борту катера в сиднейской бухте, на фоне здания Сиднейской оперы. Киара со счастливым лицом сидела на колене своего спутника, обнимая его за шею, а тот не сводил с нее глаз и широко улыбался. Холли подивилась, какой хорошенькой вышла ее сестренка, — роскошные светлые волосы, каких Холли никогда у нее не видела, очаровательная улыбка. Все ее черты утратили привычную колючесть — по этой фотографии никто бы не догадался, что в ответ на неосторожное слово она любому откусит голову.

— Это твой парень? — тихо спросила Холли.

— Бывший.

Киара всхлипнула, уронив на страницу слезинку.

— Вот почему ты вернулась домой... — мягко заметила Холли, вытирая с лица сестры еще одну слезу.

Киара кивнула.

— Может, расскажешь, что у вас произошло?

Киара шумно вздохнула.

— Мы поссорились.

— Он тебя чем-то... — Холли замолчала, тщательно подбирая слова. — Он тебя ничем не обидел? Или он что-то не то сделал?

Киара замотала головой.

— Нет-нет, — горячо заговорила она, — это была какая-то глупость, я ляпнула, что уезжаю, а он ответил, что и слава богу...

Она поникла и снова всхлипнула.

Холли обняла сестру и помолчала, давая той собраться с мыслями.

— Он даже не заехал в аэропорт попрощаться.

Холли нежно гладила Киару по спине — как младенца, который пососал из бутылочки. Киара не скинула ее руку.

— И он тебе с того времени не звонил?

— Нет. А я дома уже два ме-е-е-есяца...

Киара снова всхлипнула и поглядела на старшую сестру такими грустными глазами, что Холли сама едва не разрыдалась. Ей совсем не понравилось то, что Киара рассказала о своем парне. Холли ободряюще улыбнулась:

— В таком случае, может, это просто совсем не тот человек, который тебе нужен?

Киара снова залилась слезами.

— Но я люблю Мэтью, Холли! Это была просто глупая ссора… Я купила обратный билет просто со злости. Я и подумать не могла, что он даст мне улететь…

И она опять надолго уставилась в фотографию.

Окна комнаты были широко открыты. Холли слышала знакомый шум прибоя и веселые голоса с пляжа. Холли и Киара вместе росли в этой комнате, и теперь, слыша знакомые звуки и вдыхая знакомые запахи, она испытывала странное умиротворение.

Киара понемногу успокаивалась.

— Прости, Хол.

— Брось, за что тут извиняться? — Холли горячо сжала кисть сестры. — Тебе надо было сказать это раньше, как только ты вернулась, а не держать в себе.

— Но это настолько не важно по сравнению с тем, что случилось с тобой. Мне даже плакать по этому поводу казалось глупо. — Киара сердито вытерла слезы.

Ее слова потрясли Холли.

— Киара, это *важно*! Терять любимого — это всегда тяжело. И не важно, жив он или… — Она не смогла закончить фразу. — Конечно, ты можешь рассказать мне все!

— Ты такая молодчина, Холли. Я просто не понимаю, как ты со всем этим справляешься. А я рыдаю из-за дурацкой ссоры с молчелом, с которым расплевалась пару месяцев назад.

— Я? Молодчина? — Холли рассмеялась. — Да куда мне?

— Нет, ты молодчина! — настаивала Киара. — Все так говорят. Ты так мужественно все переносишь. Я бы на твоем месте давно валялась бы в канаве.

— Не учи меня плохому, Киара, — улыбнулась Холли, недоумевая, кому это могло прийти в голову назвать ее молодчиной.

— Но с тобой ведь все в порядке? — сказала Киара, тревожно вглядываясь в ее лицо. — Правда ведь?

Холли опустила глаза вниз и повертела на пальце обручальное кольцо. Она задумалась. Обе девушки примолкли, погруженные каждая в свои мысли. Киара спокойно сидела и ждала ответа. Холли никогда не видела ее такой тихой.

— Все ли со мной в порядке? — задумчиво повторила она для себя. Потом взглянула на некогда собранную их совместными усилиями коллекцию кукол и плюшевых мишек, которую родители не стали выбрасывать.

— Со мной... по-разному, — попыталась она объяснить, продолжая вертеть кольцо. — Я одинокая. Я усталая. Я грустная. Я веселая. Я счастливая. Я несчастная. Понимаешь, Киара, со мной каждый день все по-разному. Но, я надеюсь, «со мной все в порядке» — это тоже про меня.

— А еще ты молодчина, — заверила ее Киара. — Собранная. И спокойная. И организованная.

Холли медленно покачала головой.

— Нет, Киара. Я не молодчина. Это ты молодчина. Ты всегда была сильной. А уж насчет организованности... Я не знаю, на что у меня уходят дни.

Лоб Киары прорезала морщина, и она протестующе замахала рукой.

— Ну, Холли, как раз чего мне не хватает, это силы.

— Ты ошибаешься, — настаивала Холли. — Все эти твои штуки — прыжки с парашютом, фрирайд и...

Холли запнулась, вспоминая все экстремальные увлечения младшей сестры.

Но Киара не дала ей говорить.

— Что ты, сестренка! Это не потому, что я сильная. Это же просто *глупости*. Кто угодно может прыгнуть с моста на канате. Кстати, — Киара слегка пихнула Холли локтем, — не хочешь попробовать?

Холли попробовала представить себе это, и ее глаза расширились от ужаса. Она отрицательно помотала головой.

Голос Киары смягчился.

— Ну, ты смогла бы, если бы это *потребовалось*. Поверь, особенная сила для этого не нужна.

Холли взглянула на сестру и сказала, подражая ее тону.

— А как же! И когда у тебя умирает муж, ты можешь это пережить, *если потребуется*. Тебе не предоставляют выбора.

Киара и Холли уставились друг на друга, задумавшись о том, с чем каждой приходится сражаться.

Первой нарушила молчание Киара.

— А знаешь, у нас, кажется, много общего.

Она улыбнулась старшей сестре, и та крепко ее обняла.

— Кто бы мог подумать!

Холли в это время думала о другом — о том, что ее голубоглазая сестренка выглядит невинным ребенком. Она чувствовала себя так, словно они обе снова вернулись в детство. Вот так же они раньше подолгу сидели на полу — сначала возились с игрушками, а когда стали подростками — сплетничали.

Теперь они сидели молча, прислушиваясь к звукам снаружи.

— А что это ты такое кричала раньше? Когда сюда вошла? — спросила Киара тоненьким детским голоском. Холли невольно засмеялась ее маленькой хитрости.

— Да ладно, ничего, забудь, — сказала она, вглядываясь в голубое небо.

Деклан за дверью отер лоб и облегченно вздохнул. Опасность миновала. Он на цыпочках дошел до своей комнаты и рухнул в кровать. Кем бы ни был этот Мэтью, сейчас этот парень его здорово выручил.

Мобильник пикнул, показывая, что пришла эсэмэска. Читая ее, Деклан недовольно хмурился. Что еще за Сьюзен? Какого черта ей надо? Но потом он вспомнил прошлую ночь, и по его лицу проползла ухмылка.

Глава двадцать вторая

В восемь вчера, когда Холли наконец подъехала к своему дому, было еще светло. Она улыбнулась: когда все вокруг так ярко, меньше поводов впадать в депрессию. Она проболтала с Киарой весь день, в основном об ее австралийских приключениях. За эти несколько часов Киара раз двадцать намеревалась не откладывая позвонить Мэтью и так же беспово-ротно отказывалась от этой мысли. На момент отъезда сестры Киара железно решила никогда больше с ним не разговаривать — что, возможно, означало, что она наберет его номер немедленно.

Холли прошла несколько шагов к входной двери и, окинув взглядом сад, остановилась в недоумении. Ей только кажется или действительно он выглядит немного аккуратнее? Среди нестриженых кустов по-прежнему торчали вымахавшие сорняки, но что-то изменилось.

Ее внимание привлек звук газонокосилки. Холли повернулась и увидела соседа, работающего в своем саду. Полагая, что это он немного привел в порядок ее лужайку, Холли махнула ему рукой в знак благодарности, и тот сделал ответный жест.

Следить за садом всегда считалось заботой Джерри. Не то чтобы из него вышел такой уж прилежный садовник — но из Холли не вышло *никакого*, а кому-то же надо было делать грязную работу. Они сразу договорились: ни за какие блага в мире Холли не станет копаться в земле. В результате их садик оказался совсем скромным: просто лужайка с несколькими кустами и парой цветочных клумб. Поскольку познания Джерри в садоводстве оставляли желать лучшего, он частенько высаживал растения не в то время или не в том месте, так что они быстро увядали. Но теперь сад выглядел как несжатое поле. Когда Джерри умер, сад умер вместе с ним.

Это напомнило ей об орхидее. Она влетела в дом, наполнила кувшин водой и начала поливать цветы — явно в этом отчаянно нуждающиеся. Они совсем поникли, и Холли тут же пообещала себе, что не даст им засохнуть. Затем положила в микроволновку цыпленка карри и в ожидании, пока тот будет готов, присела за кухонный стол. Снаружи все еще доносились счастливые голоса играющих ребятишек. Она всегда любила такие ясные вечера; в детстве они значили, что папа и мама разрешат ей подольше остаться на улице и попозже лечь спать, а это всегда воспринималось как волнующее приключение. Холли окинула мысленным взором прошедший день и решила, что он, пожалуй, выдался неплохим. Если не брать в расчет один инцидент…

Холли виновато взглянула на обручальное кольцо. Когда этот парень — Роб — зашагал прочь от нее, она почувствовала себя такой несчастной. Он посмотрел на нее так, словно она, замужняя женщина, предлагала ему завести интрижку, — чего она не сделала бы ни за что на свете. Одна мысль о том, что кто-то мог *подумать*, будто она на это способна, наполняла ее сознанием вины.

Если бы Холли ушла от мужа, не в силах больше его выносить, — тогда она имела бы полное право интересоваться другими мужчинами. Но у нее умер муж, с которым они горячо любили друг друга. Не могла же она влюбиться снова только потому, что его больше нет рядом. Она по-прежнему *воспринимала* себя как замужнюю женщину, и пойти с кем-то выпить кофе значило бы для нее предать Джерри. Сама мысль об этом была отвратительна. Ее сердце, душа и помыслы по-прежнему принадлежали ему.

Холли задумчиво покрутила кольцо на пальце. Когда она сможет снять его? С того дня, когда Джерри не стало, прошло почти полгода. Существует ли какой-то справочник для вдов, в котором четко прописано, когда именно следует снять кольцо? И куда его тогда девать? Куда *она* его денет? В мусорное ведро? На прикроватный столик, чтобы вспоминать о муже каждый день? Она вертела кольцо на пальце и продолжала терзать себя вопросами. Нет, пока рано. Раз ее это так мучает, значит, для нее Джерри еще жив.

Микроволновка пискнула. Она достала блюдо и вывалила его содержимое в мусорное ведро. Что-то у нее пропал аппетит.

Вечером ей позвонила взволнованная Дениз:

— Включи «Дублин-ФМ», быстро!

Холли помчалась к радио и повертела настройку.

«Это Том О'Коннор, и вы слушаете «Дублин-ФМ». Если вы только что присоединились — мы говорим об охранниках. Вспоминая, каких трудов стоило героиням «Девушек в большом городе» просочиться в «Будуар», мы хотим знать, что вы думаете об охранниках. Нравятся они вам? Или нет? Одобряете ли вы их или хотя бы понимаете, почему они так себя ведут? Или их поведение кажется вам неоправданно грубым? Звоните нам по номеру…»

Холли вцепилась в телефонную трубку, даже забыв, что Дениз все еще на проводе.

— Ну? — хихикнула трубка.

— Что за кашу мы заварили, Дениз?

— Да уж… — Было слышно, как она наслаждается каждой минутой разговора. — А ты газеты сегодняшние видела?

— Угу. Это все довольно глупо, на самом деле. Ладно, допустим, это действительно удачная документалка. Но что за чушь они нагородили!

— Уй, обожаю! И еще больше обожаю, потому что сама в этом участвую!

— Не сомневаюсь! — засмеялась Холли.

Некоторое время они помолчали, слушая радио. Какой-то парень разорялся по поводу охранников, а Том пытался его успокоить.

— Нет, ты только послушай, — сказала Дениз. — Правда, у него обалденно сексуальный голос?

— Э-э… Пожалуй… — промямлила Холли. — Я так понимаю, вы по-прежнему вместе?

— Ну разумеется. — Похоже, Дениз неприятно удивил этот вопрос. — Почему бы это нам не быть вместе?

— Ну, понимаешь, Дениз, просто я… Ну, вы уже довольно давно вместе, — заторопилась Холли, меньше всего желая обидеть подругу. — Ты же сама всегда говорила, что не можешь поддерживать отношения дольше месяца, что ты ненавидишь чувствовать себя привязанной к одному человеку.

— Ну да, говорила. Я говорила, что *не могу* быть с кем-то дольше месяца, но не говорила, что *не буду*. Том — это совсем другое, Холли, — вздохнула Дениз.

Холли ничего не понимала. Она привыкла слышать от Дениз, что та намерена сохранить независимость до конца жизни.

— Да? И почему же это?

Холли прижала трубку плечом и уселась в кресло с пилкой для ногтей.

— Видишь ли... Между нами настоящая *связь*. Мы родственные души. Он такой внимательный, всегда делает мне маленькие подарки, водит в рестораны, во всем мне потакает. И мне просто нравится быть с ним, он смешит меня *все время*. Я не устаю от него, как от других парней. А еще — он *такой* красавчик.

Холли подавила зевок. После первой недели с новым парнем Дениз всегда говорила одно и то же. И быстро меняла свое мнение. Но, возможно, на этот раз все действительно сложится по-другому. В конце концов, они вместе уже несколько недель.

— Очень за тебя рада! — искренне сказала она.

Девушки снова стали слушать про вышибал.

«Ну, прежде всего я хочу сказать всем вам, что в последние несколько вечеров у нас тут у входной двери просто очередь выстроилась из принцесс и аристократок. После этой чертовой передачи люди думают, что мы позволим им войти только потому, что они, видите ли, королевской крови! Так вот, я хочу всем сказать: больше этот номер не пройдет! Так что, девушки, расслабьтесь!»

Том смешком перебил выступавшего и начал ему что-то возражать. Холли выключила радио.

— Дениз, — серьезно сказала она. — Мир сошел с ума.

На следующее утро Холли заставила себя выбраться из постели и отправиться на прогулку в парк. Если она не начнет делать какие-нибудь упражнения, то оглянуться не успеет, как превратится в тетеху. Кроме того, пора было всерьез задуматься о поисках работы. Проходя по улице мимо вывесок контор и учреждений, она пробовала представить себе, что поступила туда работать. Магазины одежды она отвергла с ходу. Мысль о том, чтобы иметь начальницей кого-нибудь вроде Дениз, приводила Холли в ужас. То же относилось к ресторанам, отелям и пабам, а поскольку она решительно не желала торчать в офисе «с-девяти-до-пяти», выбора просто не оставалось. Холли подумала, что неплохо было бы стать кем-то вроде героини посмотренного ею накануне перед сном фильма: работать на ФБР, расследовать преступления, расспрашивать людей и неожиданно влюбиться в напарника, который при первом знакомстве жутко не понравился... Но поскольку она не жила в Америке и не имела опыта службы в полиции, перспективы получить такую работу выглядели не слишком радужными. Разве что в цирковую труппу какую-нибудь поступить...

Холли уселась на садовой скамейке напротив детской площадки и стала слушать радостные детские крики. Почему она не может тоже скатываться с горки и качаться на качелях, а должна сидеть сбоку и смотреть? Зачем вообще люди вырастают? Холли вдруг поняла, что весь уикенд мечтает о том, чтобы вернуться в детство.

Ей хотелось, чтобы за ней присматривали, за нее отвечали, говорили ей, что делать. Чтобы кто-нибудь взял на себя все заботы. До чего проста стала бы жизнь без взрослых проблем! Она могла бы снова вырасти, снова повстречать Джерри, уговорить его сходить к врачу на много месяцев раньше — и сейчас они сидели бы вместе на скамейке и присматривали бы за своими детьми. Если бы да кабы...

Она снова вспомнила больно ранившие ее слова Ричарда о том, что ей, мол, повезло, что не надо морочиться с этими глупыми детьми. Одно это воспоминание привело ее в негодование. Как бы она хотела сейчас морочиться со своим собственным глупым малышом! Как бы она хотела, чтобы на детской площадке бегал маленький Джерри, а она, как все мамочки, кричала бы ему, чтобы он был осторожнее, и вытирала бы ему бумажным платком перепачканную мордашку.

Джерри и Холли начали задумываться о детях всего за несколько месяцев до того, как врачи поставили Джерри смертельный диагноз. Им очень нравилась эта идея: они часами валялись в постели, подбирая имена для будущих отпрысков и пытаясь примерить на себя роль родителей. Холли не могла без улыбки представить себе Джерри отцом: ей казалось, он будет ужасно смешным папочкой. Вот он сидит с детьми за столом и, пыхтя, помогает им готовить уроки. Вот он не находит себе места из-за того, что его дочь привела домой мальчика. Мечты, мечты...

Холли понимала, что ей пора прекратить жить фантазиями и лелеять мечты, которым не суждено воплотиться. Это ее никуда не приведет.

«Ага, попался, который кусался!» — подумала она, глядя на Ричарда, который, держа за руку Эмили и Тимми, покидал детскую площадку. Он явно собирался погулять с детьми в парке и, к удивлению Холли, выглядел при этом очень спокойным и довольным. Поразительно, но все трое, казалось, пребывали в отличном настроении. Холли встала со скамейки и постаралась мысленно застегнуть свои чувства на все пуговицы.

— Привет, Холли! — весело сказал Ричард, заметив ее и направляясь к ней по траве.

— Привет! — ответила она.

Дети тем временем подбежали к ней и крепко ее обняли. У нее отлегло от сердца.

— Далеко же вы забрались от дома, — сказала она Ричарду. — Что это вас подвигло на такой подвиг?

— Хотел показать их дедушке с бабушкой, — ответил тот и потрепал Тимми по голове.

— А еще мы были в «Макдоналдсе»! — громко выкрикнул Томми, и Эмили радостно закивала.

— Ой, какая вкуснотища! — ответила Холли, облизываясь. — Везет же людям! Ваш папа молодец, правда?

Ричард просто расцвел.

— Картонная еда? — подмигнула ему Холли.

— А, — махнул он рукой и уселся рядом с ней. — Все хорошо в меру, правда, Эмили?

Пятилетняя Эмили мигнула своими большими зелеными глазами, подтверждая, что полностью разделяет мнение отца. Ее рыжие кудряшки при этом запрыгали. Она необыкновенно походила на свою мать. Холли невольно отвела глаза, но потом устыдилась своего порыва и взглянула прямо на девочку… И тут же снова отвернулась. В этих глазах и в этих кудряшках ей чудилось что-то пугающее.

— Ну, один обед в «Макдоналдсе» их и впрямь не убьет, — согласилась она с братом.

Тимми схватился за горло и деланно захрипел. Его лицо покраснело, он начал издавать громкие звуки, а затем повалился на траву и замер. Холли и Ричард засмеялись, а Эмили, казалось, вот-вот заплачет.

— Ах ты, господи, — с серьезным видом сказал Ричард. — Холли, кажется, мы ошиблись. Тимми умер. Его и вправду убил «Макдоналдс».

Холли оторопело посмотрела на брата, не понимая, как он может шутить такими вещами, но решила не обращать внимания. Это у него просто сорвалось с языка.

Ричард подхватил Тимми с земли и посадил себе на плечо.

— Ну что же, значит, нам надо его похоронить и устроить панихиду.

Тимми тем временем прыгал на отцовских плечах и хихикал.

— О, так он жив! — засмеялся Ричард.

— Нет, я умер! — отвечал Тимми сквозь смех.

Холли смотрела на разыгрывающуюся перед ней домашнюю сценку в изумлении. Давненько она не видела ничего подобного. Ни у кого из ее друзей не было детей, и ей редко выпадала возможность общаться с подрастающим поколением. С ней явно творилось что-то не то — нельзя же, в самом деле, трястись над племянниками больше, чем их собственный отец, ее брат. Становиться наседкой — не самое мудрое решение, когда тебе некого высиживать.

— Ладно, нам пора, — прервал ее размышления Ричард. — Пока, Холли.

— Пока, Холли! — эхом отозвались дети.

Они отправились восвояси — Тимми раскачивался на правом плече отца, маленькая Эмили семенила и пританцовывала рядом, держась за его руку. Холли с изумлением глядела вслед незнакомцу, удалявшемуся от нее с двумя детьми и называющему себя ее братом. Кто он? С *этим* человеком Холли определенно раньше не встречалась.

Глава двадцать третья

Барбара закончила со своими клиентами и, не успели те выйти, побежала в комнату для персонала и закурила. У турагента всегда дел по горло — она даже не успела пообедать. Мелисса, ее напарница, позвонила утром и предупредила, что заболела. Барбара прекрасно знала происхождение этой «болезни» — накануне Мелисса по полной оторвалась на вечеринке. Так что сегодня Барбаре приходилось отдуваться на этой чертовой работе за двоих. И уж, разумеется, денек выдался самый тяжелый за много лет. Едва настал ноябрь с его затяжными дождями, ранними сумерками, завывающим ветром и поголовными депрессиями, все ринулись в турагентства бронировать отдых на праздники в прекрасных, теплых, солнечных странах. Барбара зябко вздрогнула, услышав, как порыв ветра ударил в стекло, и прилепила яркую бумажку-напоминалку: поискать какое-нибудь спецпредложение лично для себя.

Шеф наконец-то отчалил из офиса по каким-то своим делам, и Барбара рассчитывала спокойно покурить в комнате для персонала, но тут звякнул колокольчик у входа. Барбара мысленно обрушила проклятия на голову посетителю, явившемуся лишить ее вожделенной минутки отдыха. Она яростно, до головокружения, затянулась, подмазала губы яркой помадой, проверила, не перекосился ли именной бейджик, прыснула в воздух духами (шеф не переносил табачного дыма) и вернулась в офис. Она ждала, что клиент уже сидит перед стойкой, но оказалось, что посетитель — очень пожилой мужчина — еще только неторопливо приближается к ней. Чтобы не пялиться на него, Барбара принялась наугад нажимать кнопки на клавиатуре.

— Извините... — донесся до нее слабый голос.

— Добрый день, сэр, чем могу вам помочь? — произнесла она в сотый раз за день. Не желая показаться неделикатной, она не смотрела на него в упор и теперь удивилась, обнаружив, что вообще-то он молод. Издалека, по шаркающей походке, она приняла его за пенсионера. Он сильно горбился и опирался на палку, которая, казалось, одна не давала ему свалиться на пол. Его кожа поражала бледностью, словно он годами не бывал на солнце, но карие щенячьи глаза весело смотрели из-под длинных ресниц. Барбара непроизвольно улыбнулась в ответ.

— Я бы хотел заказать тур, — спокойно сказал он. — Поможете мне что-нибудь подобрать?

Барбара ненавидела клиентов, которые ставили перед ней такую задачу — практически невыполнимую. Мнительные и привередливые, они заставляли Барбару часами листать с ними проспекты и буклеты в поисках места, куда бы им свалить, в то время как ее единственное желание заключалось в том, чтобы они сами свалили с ее глаз, и желательно побыстрее. Но этот мужчина казался таким приветливым, что Барбара, к собственному удивлению, поняла, что рада ему помочь.

— Конечно, сэр. Присядьте, и давайте посмотрим буклеты.

Барбара указала на кресло и снова отвернулась, не в силах смотреть, с каким трудом ее посетитель в него усаживается.

— Итак, — сказала она, лучась улыбкой. — Есть у вас какие-нибудь предпочтения?

— Ну… Испания… Лансароте, пожалуй.

Барбара вздохнула с облегчением. Похоже, дело окажется легче, чем она предполагала.

— Вас интересует летний тур?

Он медленно кивнул.

Они вместе пролистали буклет, и наконец посетитель нашел отель, который ему понравился. Барбара обрадовалась, потому что клиент прислушивался к ее рекомендациям — в отличие от большинства других, напрочь отвергающих все ее познания.

— Насчет конкретного месяца вы уже определились?

— Август? — сказал он вопросительно, и его большие карие глаза так глубоко заглянули Барбаре в душу, что ей захотелось немедленно выскочить из-за стойки и крепко обнять незнакомца.

— Август — хороший месяц. Какой вид вы предпочитаете — на бассейн или на море? Это, — торопливо добавила она, — будет на тридцать евро дороже.

Он вперил взгляд в пространство, на лице заиграла улыбка, как будто он уже перенесся на средиземноморский остров.

— На море, пожалуйста.

— Отличный выбор, — одобрила она. — Теперь, пожалуйста, ваши имя и адрес.

— Э-э-э... Вообще-то это не для меня... Это сюрприз для моей жены и ее подруг.

В больших карих глазах вспыхнула печаль. Барбара нервно прочистила горло.

— Что ж, это очень заботливо с вашей стороны, сэр, — зачем-то сказала она. — Могу я узнать их имена?

Она записала все необходимые сведения, а он выписал чек. Барбара принялась печатать путевки и протянула клиенту первый лист.

— Вы не возражаете, если я оставлю все эти бумаги здесь, у вас? Я хочу сделать жене сюрприз, но боюсь, как бы она не нашла их в доме раньше времени.

Барбара улыбнулась. Вот повезло его жене!

— Я не хочу ей ничего говорить до июля. Можно, пока все это у вас полежит?

— Конечно, сэр. Время вылета все равно обычно определяется за несколько недель до назначенной даты, так что у нас нет причин звонить ей раньше. Я предупрежу сотрудников, чтобы тоже ни в коем случае не звонили вам домой.

— Спасибо вам большое, Барбара, — сказал он, пряча в щенячьих глазах грустную улыбку.

— Всегда рада помочь, мистер...

— Просто Джерри.

— Ну, всегда рада помочь, Джерри. Я уверена, что ваша жена прекрасно проведет время.

Барбаре почему-то захотелось успокоить его, и она добавила:

— Моя подруга ездила туда в прошлом году и осталась очень довольна.

— Ну, мне пора. А то дома решат, что меня похитили. Вообще-то мне даже с кровати нельзя подниматься.

Он снова улыбнулся, и Барбара почувствовала, как в горле у нее сжимается комок. Она выскочила из-за стойки и побежала к выходу придержать для него дверь. Он признательно улыбнулся ей и медленно вскарабкался в ожидающее его такси. В тот самый момент, когда Барбара собиралась закрыть дверь, подошел ее шеф. Она пропустила его и еще раз взглянула на Джерри. Такси все еще стояло на месте, ожидая возможности выехать на дорогу. Джерри заметил ее взгляд и радостно поднял вверх оба больших пальца.

Шеф неодобрительно покосился на нее — как она посмела бросить кассу? — и, чеканя шаг, прошествовал в комнату для персонала.

— Барбара, — закричал он оттуда, — ты что, опять здесь курила?!

Она повернулась и посмотрела на него.

— Господи, Барбара, что случилось? У тебя такой вид, как будто ты сейчас заплачешь!

Первого июля Барбара мрачно восседала за стойкой агентства «Суордс трэвел». В это лето ей работалось легко, потому что стояли прекрасные солнечные деньки, если не считать двух последних, измотавших Барбару затяжными дождями. Сегодня, однако, выдался чуть ли не самый жаркий день в году. Во всяком случае, так один за другим заявляли клиенты, появляясь у них в офисе в шортах и топиках и наполняя помещение запахом кокосового крема от загара. Барбара вертелась на стуле, изнывая в неудобной фирменной одежде, от которой зудело все тело, и снова чувствуя себя школьницей. Стоящий в углу вентилятор опять замолчал, Барбара вскочила и легонько стукнула по нему.

— Ну его на фиг, — простонала Мелисса, — от него только хуже.

— Как будто может быть хуже, — проворчала Барбара, возвращаясь за стойку.

Усевшись за компьютер, она вдруг трахнула кулаком по клавиатуре.

— Чего это с тобой? — удивилась Мелисса.

— Ничего, — выдавила Барбара сквозь зубы. — Просто сегодня самый жаркий день в году, мы торчим на этой поганой работе в этой душной комнате *без кондиционера* и в этой дурацкой форме! А так ничего.

Она отчетливо произносила каждое слово, повернувшись к кабинету шефа и от души надеясь, что он ее слышит. Мелисса хихикнула.

— Слушай, выйди на минутку, подыши свежим воздухом. А я, — кивнула она в сторону дожидающейся своей очереди женщины, — займусь пока следующим клиентом.

— Спасибо, Мел, — облегченно вздохнула Барбара, сгребая со стола сигареты. — Вот-вот, надо пойти подышать свежим воздухом.

Мелисса прикрыла глаза. Потом повернулась к посетительнице:

— Здравствуйте, чем могу вам помочь?

— Скажите, Барбара здесь еще работает?

Барбара замерла в дверях, не зная, идти ли ей на улицу или вернуться. Потом кротко вздохнула и все-таки вернулась. Села на рабочее место и осмотрела стоящую перед ней молодую женщину. «Хорошенькая, — подумала она, — но выглядит усталой». Посетительница тем временем растерянно переводила тревожные глаза с одной девушки на другую.

— Барбара — это я.

— Вот хорошо! — Дама явно успокоилась и уселась на стул. — Я боялась, вдруг вы больше здесь не работаете.

— Она бы не отказалась, — вполголоса прокомментировала Мелисса.

— Я могу вам чем-то помочь?

— Можете, можете! Очень надеюсь, что можете! — горячо, не без истеричной нотки, ответила дама и принялась лихорадочно рыться в сумочке.

Барбара подняла брови и переглянулась с Мелиссой. Обе девушки с трудом сдерживали смех.

— Вот, — неожиданно сказала посетительница и протянула измятый конверт. — Я получила это сегодня утром от своего мужа. Вы мне можете объяснить, что это значит?

Барбара озадаченно посмотрела на лежащий перед ней на столе листок бумаги с загнутым уголком. Это была выдранная из туристического проспекта страничка с описанием курорта. На ней от руки было написано: «А-во «Суордс трэвел». Спросить Барбару».

Барбара ничего не поняла и еще раз, более внимательно, вгляделась в листок.

— Моя подруга отдыхала там два года назад. Но больше я ничего про это сказать не могу. У вас есть какая-нибудь дополнительная информация?

Дама решительно замотала головой.

— Ну, может, тогда вы у своего мужа спросите? — смущенно спросила Барбара.

— Его больше нет, — печально ответила дама, и на глазах у нее набухли слезы.

Барбара запаниковала. Если босс увидит ее клиентку в слезах, она действительно может остаться без работы. Он уже сделал ей последнее предупреждение.

— Послушайте, а как ваше имя? Давайте я проверю по компьютеру.

— Холли Кеннеди. — Ее голос дрогнул.

— Холли Кеннеди, Холли Кеннеди... — неожиданно отозвалась Мелисса из-за перегородки. — Имя знакомое... Стойте, так я же собиралась вам звонить на этой неделе! Барбара, ты же мне сама говорила, что до июля звонить нельзя, я уж не знаю почему...

Барбара наконец-то сообразила, что к чему.

— Так вы — жена Джерри? — спросила она с надеждой в голосе.

— Да! — Холли ошарашенно схватилась обеими руками за виски. — Он что, был здесь?

— Был, был. — Барбара ободряюще улыбнулась и дотронулась рукой до лежащей на стойке ладони Холли.

Мелисса смотрела на них во все глаза, не понимая, что происходит.

Сердце Барбары разрывалось от жалости к женщине. Такая молодая! Можно представить себе, как ей сейчас тяжело. Зато, с радостью подумала Барбара, ей предстоит узнать хорошую новость.

— Мелисса, принеси, пожалуйста, салфетки. Я объясню Холли, зачем именно приходил ее муж.

Барбара ласково взглянула на Холли, затем выпустила ее руку и начала рыться в компьютере. Тем временем Мелисса вернулась с упаковкой бумажных платков.

— Так вот, Холли — мягко сказала Барбара. — Джерри заказал для вас, а также для Шэрон Маккарти и Дениз Хеннесси поездку на Лансароте на одну неделю, с тридцатого июля по пятое августа.

Холли снова схватилась за голову, из глаз ее закапали слезы.

— Он был твердо уверен, что нашел для вас лучшее место, — продолжала Барбара, упиваясь своей новой ролью. Она чувствовала себя одним из тех телеведущих, что раздают подарки гостям студии.

— Это как раз то самое место, куда вы едете, — продолжала она, помахивая листочком. — Вы великолепно проведете время, поверьте мне. Моя подруга просто влюбилась в это место. Там вокруг полно ресторанов и баров...

Барбара осеклась, осознав вдруг, что, возможно, Холли сейчас не до ресторанов и баров.

— Когда он приходил? — пролепетала Холли, все еще потрясенная.

Барбара взглянула на экран.

— Тур был забронирован двадцать восьмого ноября.

— Ноября?! — поразилась Холли. — Он тогда с кровати-то не мог встать! Это точно был он?

— Да, он приехал на такси и на нем же уехал.

— А в котором часу это было? — быстро спросила Холли.

— Извините, но я правда не могу вспомнить. Столько времени прошло...

— Да-да, конечно. Простите, — прервала ее Холли.

Барбара прекрасно ее понимала. Будь это ее муж — ну, если она встретит кого-нибудь, кто окажется достойным стать ее мужем, — она бы тоже захотела выяснить все до мельчайших деталей. Барбара пересказала Холли все, что могла вспомнить, пока у той не иссякли вопросы.

— Спасибо вам, Барбара, спасибо большое.

Холли обошла стойку и крепко обняла Барбару.

— Да что вы, не стоит, — ответила Барбара, в свою очередь крепко обнимая Холли и чувствуя глубокое удовлетворение выполненной миссией доброго вестника. — Когда вернетесь, заходите к нам! Расскажете, как оно там. Вот ваши документы.

Барбара с улыбкой вручила Холли толстенный пакет и глазами проводила ее до двери. В конце концов, вздохнула она, эта поганая работа порой бывает не такой уж и поганой.

— Да что же все это значит??? — Мелисса просто умирала от любопытства. Барбара принялась рассказывать все по порядку.

— Ладно, девочки, я иду перекусить. Барбара, не кури в комнате.

Шеф закрыл дверь, запер ее на ключ и только после этого повернулся к сотрудницам.

— Господи боже мой, почему вы *обе* плачете?

Глава двадцать четвертая

Холли добралась до дома и наткнулась на Шэрон и Дениз, которые сидели на ограде ее сада и принимали солнечные ванны. Едва завидев ее, они спрыгнули и побежали навстречу.

— Быстро же вы!

Холли постаралась придать бодрости своему голосу, хотя в действительности она совершенно вымоталась. Ей страшно не хотелось пускаться в объяснения, но куда ж деваться.

— Шэрон ушла с работы, как только ты позвонила, и мы вместе примчались сюда, — объяснила Дениз, пытаясь определить по лицу Холли, насколько плохи дела.

— Да не стоило, девочки, — вяло сказала Холли, пытаясь попасть ключом в замочную скважину.

— Ой, ты что это, работала в саду? — спросила Шэрон, оглядываясь и пытаясь разрядить атмосферу.

— Нет, это... Кажется, это мой сосед.

Холли оставила бесполезные попытки попасть ключом в замок и стала судорожно перебирать связку в поисках подходящего.

— А почему тебе так кажется? — поддержала беседу Дениз, наблюдая, как Холли безрезультатно бьется с другим ключом.

— Ну, если это не он, значит, у меня в саду поселились лепреконы! — бросила Холли.

Шэрон и Дениз озадаченно переглянулись. Потом дружно пожали плечами: Холли явно очень раздражена и лучше к ней не приставать.

— Да чтоб вас! — завопила Холли, бросая ключи на землю. Дениз отскочила назад: тяжеленная связка упала совсем рядом с ее щиколоткой.

Шэрон подобрала их.

— Хол, зайка, расслабься, — сказала она добродушно. — Со мной такое постоянно происходит. Связка нарочно подсовывает тебе не тот ключ, чтобы позлить.

Холли слабо улыбнулась, благодарная, что кто-то догадался взвалить на себя ее проблему. Шэрон тем временем методично пробовала разные ключи, продолжая говорить с Холли успокаивающим, напевным голосом, как с маленькой девочкой. Наконец дверь поддалась, и Холли кинулась отключать сигнализацию. Хорошо хоть ее номер она помнила: год, в котором они с Джерри повстречались, и год, в котором они поженились. Как будто она могла это когда-нибудь забыть.

— Ну, проходите, располагайтесь в гостиной, а я вернусь через минутку.

Дениз и Шэрон воспользовались приглашением, а Холли помчалась в ванную брызнуть в лицо холодной водой. Она просто обязана взять себя в руки и начать радоваться предстоящей поездке. Джерри этого хотел.

Почувствовав, что она немного ожила, Холли вышла к подругам в гостиную.

Там она подтащила подставку для ног к дивану и раскинулась поудобнее.

— Ладно. Не буду тянуть кота за хвост. Я открыла сегодня июльский конверт, и вот что я там обнаружила.

Холли порылась в сумочке, достала карточку, прикрепленную к туристическому проспекту, и передала ее Шэрон и Дениз. Они прочитали:

«ХОЛЛИоших каникул!
P.S. Я люблю тебя...»

— И это все? — разочарованно протянула Дениз. Шэрон ткнула ее пальцем под ребра.

— Ай! — отозвалась та.

— Ну-у-у, — задумчиво протянула Шэрон. — Я думаю, это просто трогательная записка. И милая игра слов, вот и все.

Холли хихикнула. Она знала, что ее подруга лукавит, потому что у Шэрон в таких случаях всегда непроизвольно раздувались крылья носа.

— А вот и нет, дуреха! — завопила Холли, швыряя Шэрон в голову подушку.

— Вот и отлично, — отзывалась та со смехом. — А то я уж начала сомневаться.

— Шэрон, ты меня всегда так поддерживаешь, что порою прям деваться от тебя некуда,— хмыкнула Холли. — Ладно, вот что еще было в конверте.

Она передала им вырванный из проспекта листок — тот самый, который она показывала в турагентстве, — и с победным видом стала ждать, пока те разберут каракули Джерри.

— О господи! — выдохнула наконец Дениз, поднося ладонь ко рту и застыв на стуле.

— Что-что-что? — подалась вперед Шэрон. — Ты хочешь сказать, что Джерри купил тебе тур?

— Нет, — с серьезной миной ответила Холли.

— А-а-а... — разочарованно протянули Шэрон и Дениз и обмякли в своих креслах.

Холли выдержала паузу и широко улыбнулась:

— Девочки, Джерри купил тур не мне, а *нам*!

Ради такого случая девушки открыли бутылку вина.

— Это просто невероятно, — заявила Дениз после того, как они радостно чокнулись. — Джерри — просто прелесть.

Холли кивнула, испытывая гордость за своего мужа, который опять сумел их удивить.

— Так ты, значит, ездила встречаться с этой Барбарой? — спросила Шэрон.

— Ну да, и она оказалась очень милой девушкой. Потратила на меня уйму времени, пересказала мне во всех подробностях, о чем они говорили с Джерри. Это было в конце ноября.

— Ноября? — Шэрон выглядела ошарашенной. — Это же значит — после второй операции?

Холли кивнула.

— Она сказала, что он был очень слаб.

— Правда, странно, что никто из нас об этом даже не догадывался? — сказала Шэрон.

Все молча кивнули.

— Значит, мы все поедем на Лансароте! — радостно сказала Дениз и подняла свой бокал:

— За Джерри!

— А вы уверены, что Том и Джон не будут возражать? — спросила Холли, вспомнив вдруг, что у ее подруг вообще-то есть спутники.

— Ну уж Джон точно не будет возражать! — рассмеялась Шэрон. — Он будет рад отдохнуть от меня недельку.

— А мы с Томом можем потом уехать вместе еще на неделю, — подтвердила Дениз. — Так даже лучше. Потому что мы не успеем осточертеть друг другу за две недели нашего первого совместного отдыха!

— Так вы же все равно практически живете вместе, — поддела подругу Шэрон.

Та быстро улыбнулась, но ничего не ответила, и тема иссякла. Холли напрягало, что они всегда так делали. Она хотела знать, как у ее подруг идут дела на личном фронте, но никто теперь не хотел судачить с ней об этом — видимо, опасаясь причинить ей боль. Люди словно боялись сказать ей, что они счастливы или что у них все хорошо. По той же причине они боялись грузить ее своими проблемами. Так что, вместо того чтобы просто рассказать о своей жизни, ее подруги предпочитали вести светский треп о... да попросту ни о чем, и Холли это начало утомлять. Она не могла отгородиться на всю жизнь от чужого счастья — да и зачем?

— Надо сказать, лепреконы славно потрудились над твоим садом, — прервала ее мысли Дениз, поглядев в окно.

Холли покраснела.

— Ох, Дениз, извини, что я на тебя так накричала. Вообще-то мне надо зайти к соседу и поблагодарить его как полагается.

После того как Дениз и Шэрон ушли, Холли взяла из погребка под лестницей бутылку вина и отправилась к соседу. Она позвонила в дверной звонок и стала ждать.

— Привет, Холли, — сказал Дерек, открывая дверь. — Проходи, проходи.

Холли взглянула за его спину и увидела, что вся семья сидит в кухне за обеденным столом. Она быстро переступила обратно через порог.

— Нет-нет, я не хочу вам мешать. Я просто зашла отдать тебе это, — она протянула бутылку, — в знак благодарности.

— Спасибо, Холли, это очень мило с твоей стороны, — пробормотал Дерек, изучая этикетку. Потом вдруг смущенно поднял лицо.

— Прости, что спрашиваю, в знак благодарности за *что*?

— За то, что поухаживал за моим садом, — ответила она, краснея. — Я понимаю, что меня все соседи проклинают, я порчу вид всей улицы.

— Холли, никто не обращает внимания на то, как выглядит твой сад. Мы ведь все понимаем. Но, к своему стыду, должен признаться, что не я ухаживал за твоим садом.

— Ой! — Холли откашлялась, чувствуя себя очень неловко. — Я думала, это ты.

— Нет...

— Может, ты хоть знаешь, кто это мог быть?

— Понятия не имею, — ответил Дерек в замешательстве. — По правде сказать, я думал, ты сама... Странно!

Холли не знала, что еще сказать.

— Слушай, тебе, наверно, лучше забрать это обратно, — сказал Дерек, протягивая ей бутылку.

— Нет-нет, что ты! — рассмеялась Холли. — Оставь ее себе в знак благодарности... За то, что ты не склочный сосед. Ладно, не буду тебя больше отрывать от ужина.

Холли сбежала с крыльца с пылающим лицом. Какой дурой она выглядела! И кто же, в таком случае, прибрался у нее в саду?

Она постучала еще в несколько соседских дверей, и везде ей отвечали, что не понимают, о чем она толкует. У каждого были свои заботы, своя семейная жизнь, а главное — никому и в голову не приходило проверять состояние ее сада. Холли вернулась домой в еще большем смущении. Едва она открыла дверь, зазвенел телефон. Холли кинулась снимать трубку.

— Да? — выдохнула она в трубку.

— Ты что, марафон бегала?

— Нет, за лепреконами гонялась.

— А, понятно.

Самое странное, что Киара ни о чем больше не спросила.

— Слушай, у меня день рождения через две недели.

— Да-да, конечно, — поспешно сказала Холли.

По правде говоря, она совсем про это забыла.

— Так вот, папа с мамой хотят, чтобы мы все вместе устроили семейный пикник.

Холли тяжело вздохнула.

— Вот-вот, — ответила Киара и затем закричала мимо трубки: — Пап, Холли говорит то же, что и я.

Холли хихикнула, услышав, как отец ругается и ворчит.

Киара снова стала говорить в трубку, но достаточно громко для того, чтобы отец тоже мог услышать.

— Так вот, а я подумала: хорошо, пускай будет семейный пикник, но давай пригласим на него и друзей тоже. И тогда действительно получится незабываемый вечер. Что скажешь?

— Звучит заманчиво, — согласилась Холли.

Киара снова закричала поверх трубки:

— Пап! Холли согласна!

«Все это замечательно, — раздался голос отца, — только с какой стати я должен кормить такую ораву?»

— Он прав, — встряла Холли. — Слушай, а давай просто устроим барбекю? Это почти то же самое, только гораздо дешевле.

На том конце трубки воцарилась тишина.

— Ему нравится эта идея, — отозвалась наконец Киара. — Мистер Шеф-повар опять вызвался готовить для широких масс.

Холли невольно улыбнулась. Ее отец обожал жарить барбекю и относился к этому процессу чрезвычайно серьезно. Он не отходил ни на шаг от мангала и не спускал глаз со своих творений. И Джерри был такой же. Прочему мужчины так любят барбекю? Наверно, потому, что это единственное блюдо, которое они умеют готовить. Видимо, так. Или же они просто скрытые пироманы.

— В таком случае позови Шэрон с Джоном и Дениз с этим ее диджеем. И еще этого парня пригласи, как его, Дэниела! Он такой славный!

— Киара, я его едва знаю; попроси Деклана его позвать, они постоянно видятся.

— Нет, лучше ты. Я хочу, чтобы ты тонко намекнула, что я его обожаю и хочу иметь от него детей. Что-то я сомневаюсь, что Деклан справится с этим делом.

Холли застонала.

— Прекрати! — прикрикнула Киара. — Это *мой* день рождения!

— Ладно, — сдалась Холли. — Но почему ты хочешь позвать всех моих друзей? Позови своих.

— Холли, меня так давно здесь не было, что я растеряла все знакомства. Все мои друзья теперь в Австралии, а этот чертов ублюдок, — сказала Киара с неожиданной злостью, — так и не позвонил.

Холли прекрасно поняла, о каком «ублюдке» та говорит.

— А ты не думаешь, что день рождения — это прекрасная возможность возобновить старые знакомства? Ну, знаешь, барбекю, свежий воздух, непринужденная обстановка...

— Ага, и что я им скажу? «У тебя есть работа? — Э-э-э... нет». «У тебя есть парень? — Э-э-э... нет». «Где ты живешь? — Э-э-э... Ну вообще-то я живу у родителей». Отличный у меня будет видок, правда?

Холли не знала, что сказать.

— Ну ладно... Хорошо, я позвоню и...

Но Киара уже повесила трубку.

Холли решила начать с самого трудного и позвонила в паб «У Хогана».

— Добрый день, «Хоган» слушает.

— Могу я поговорить с Дэниелом Коннолли?

— Минуточку.

В ее ушах замурлыкали «Зеленые рукава».

— Алло?

— Это Дэниел?

— Да, а это кто?

— Это Холли Кеннеди.

Она нервно прошлась по комнате, надеясь, что он вспомнит, кто это такая.

— Кто, простите? — прокричал он сквозь усилившийся шум.

Холли от смущения прыгнула на кровать.

— Холли Кеннеди! Сестра Деклана!

— А, Холли, привет! Подожди минутку, я найду местечко потише.

Снова заиграли «Зеленые рукава». Холли пританцовывала в такт народной песенке и начала подпевать ей.

— Извини, Холли, — раздался снова голос Дэниела. Затем он рассмеялся:

— Что, нравятся «Зеленые рукава»?

Холли почувствовала, как ее лицо становится пунцовым.

— Ну не то чтобы... — Она не знала, что еще сказать, потом вспомнила, зачем, собственно, звонит: — Я просто звоню, чтобы пригласить тебя на барбекю.

— О, отлично, с удовольствием.

— Через пятницу. Это будет день рождения моей сестры Киары. Ты ведь помнишь мою сестру?

— Ну... да. С розовыми волосами.

— Действительно, — рассмеялась Холли. — Глупый вопрос. Киару трудно забыть! Так вот, она просила меня пригласить тебя и тонко намекнуть при этом, что она хочет выйти за тебя замуж и иметь от тебя детей.

— Да уж, — рассмеялся Дэниел в ответ, — действительно очень тонкий намек!

Холли вдруг стало любопытно, на самом ли деле Дэниел интересуется ее сестрой.

— Ей исполняется двадцать пять, — зачем-то брякнула она.

— Да? Ну хорошо...

— Так вот, будут Дениз с твоим приятелем Томом и, само собой, Деклан со всей своей группой, так что, как видишь, у тебя там будет много знакомых.

— А ты будешь?

— Ну конечно!

— Вот и хорошо. Значит, у меня там будет еще больше знакомых.

— Отлично! Она будет рада, что ты придешь!

— Ну, с моей стороны было бы крайне неучтиво отклонить приглашение принцессы.

Сперва Холли подумала, что он с ней заигрывает. Но потом сообразила, что это он намекает на фильм и промычала в ответ что-то невразумительное.

Он был готов разъединиться, но тут Холли пришла в голову одна мысль.

— Да, и еще кое-что.

— Что?

— Вакансия в баре еще не занята?

Глава двадцать пятая

«Хорошо, что сегодня пригожий день», — думала Холли, запирая машину и обходя сзади родительский дом. За последнюю неделю погода изменилась к худшему: лило не переставая. Киара волновалась за судьбу своего барбекю и сделалась совершенно невыносима. Ко всеобщему облегчению, к пятнице снова распогодилось. Холли уже успела загореть, весь прошедший месяц валяясь на солнышке (одно из преимуществ безработного существования), и теперь была не прочь это продемонстрировать: она надела короткую джинсовую юбку, купленную на летней распродаже, и обтягивающую белую майку, еще больше подчеркивавшую ее загар.

Холли страшно гордилась, что нашла для Киары подарок, который, не сомневалась она, понравится сестре: колечко-бабочку в пупок, с розовыми кристалликами в каждом крылышке. Она рассчитала, что кольцо будет хорошо сочетаться с новой татуировкой Киары, сделанной в виде бабочки. Ну и, разумеется, с ее розовыми волосами. Холли двинулась на звук смеха и с радостью обнаружила, что сад уже полон народу — явились и родственники, и друзья. Дениз прибыла вместе с Томом и Дэниелом, и они образовали на траве живописную группу. Шэрон пришла без Джона. Она сидела рядом с мамой Холли и что-то горячо с ней обсуждала — без сомнения, жизненные успехи самой Холли. Ну, хоть перестала по целым дням торчать взаперти, и то хорошо, верно? Холли нахмурилась, обнаружив, что Джека опять нет. С того самого дня, как он помог ей выполнить нелегкую задачу — разобрать платяной шкаф Джерри, — он как-то странно от нее отдалился. Джек с детства понимал Холли без слов, освобождая ее от необходимости объяснять вслух, что ей от него нужно, но, когда после смерти Джерри она высказалась в том смысле, что ей хочется больше бывать одной, она не имела в виду, что он *полностью* начнет ее игнорировать. Это было так на него не похоже — не давать о себе знать так долго. В груди у Холли екнуло. Хоть бы с ним все было в порядке!

Киара стояла посреди лужайки и встречала всех новоприбывших. Ей явно нравилось быть в центре внимания. Она нарядилась в розовый (в тон волосам) топ и обрезанные джинсы.

Холли приблизилась к сестре и вручила подарок. Та выхватила коробочку у нее из рук и немедленно разорвала упаковку.

— Ой, Холли, какая прелесть! — воскликнула Киара и обвила Холли руками.

— Я знала, что тебе понравится, — ответила та, радуясь, что не ошиблась с выбором подарка. Потому что, если бы ошиблась, ее сестрица, без сомнения, сообщила бы ей об этом незамедлительно.

— Я должна немедленно это примерить! — заявила Киара.

Она мигом выдернула из пупка бывшее там колечко и воткнула новое.

— Ох, — поморщилась Холли, — могла бы это делать не у меня на глазах.

В воздухе разливался густой аромат поджариваемого на углях мяса, и рот Холли наполнился слюной. Она ничуть не удивилась, увидев, что все мужчины, во главе с ее отцом, сгрудились вокруг мангала. Настоящий охотник должен добывать еду для женщин.

Холли увидела Ричарда и направилась прямо к нему. Не обращая внимания на начатый им было светский разговор, она в лоб спросила его:

— Ричард, это ты привел в порядок мой сад?

Ричард с изумленным видом оторвал взгляд от барбекю.

— Это я — что?

— Привел в порядок мой сад, — повторила Холли, уперев руки в бока.

— Когда? — Ричард с затравленным видом огляделся по сторонам, как будто его обвинили в убийстве.

— Уж не знаю когда, — отрезала она. — За последние пару недель.

— Нет, Холли, — ответил он так же решительно. — Знаешь, некоторые на работу ходят.

Холли уставилась на него, и в этот момент вмешался отец:

— Что такое, золотко? Кто-то поработал у тебя в саду?

— Да, и я не знаю кто.

Холли наморщила лоб и задумалась.

— Слушай, пап, а это не ты?

Фрэнк широко покачал головой из стороны в сторону. Его самого интересовала разгадка этой тайны.

— Может, это ты, Деклан?

— Ага, всю жизнь мечтал, — язвительно ответил тот.

Холли повернулась к незнакомцу, стоящему рядом с отцом:

— Это не вы?

— Э-э-э... Н-нет... Вообще-то я только что прилетел в Дублин... Ну, на выходные, — нервно ответил тот с явным английским выговором.

— Подожди, сейчас я тебе помогу, — вмешалась Киара.

— Эй!!! — закричала она. — Признавайтесь, кто работал в саду у Холли?

Гости в недоумении качали головами.

— Ну вот, видишь, так гораздо проще! — весело сказала Киара.

Холли недоверчиво взглянула на сестру и присоединилась к Дениз, Тому и Дэниелу в углу сада.

— Привет, Дэниел, — сказала она, наклоняясь, чтобы поцеловать его в щеку.

— Привет, Холли, давно не виделись.

Дэниел протянул ей из-за спины жестянку пива.

— Так и не нашла своих лепреконов? — засмеялась Дениз.

— Нет, — ответила она, вытягивая ноги и откидываясь на локти за спиной. — Но это так странно...

Она вкратце объяснила Тому и Дэниелу, что произошло.

— Может, это тоже твой муж организовал? — выпалил Том, и Дэниел искоса взглянул на друга.

— Нет, — ответила Холли, не глядя на Тома. Ее неприятно кольнуло, что посторонний человек знает ее семейные тайны. — Это из другой оперы.

Она обиделась на Дениз: зачем было посвящать Тома в ее дела?

Дениз беспомощно схватила ее за руку и легонько ее пожала.

— Спасибо, что пришел, — сказала Холли, поворачиваясь к Дэниелу и игнорируя остальных.

— Да ладно. Мне самому приятно.

Чудно было видеть его не в обычном вечернем облачении, а одетым для пикника: в безрукавку, шорты выше колен и кроссовки. Когда он открывал ей банку пива, на руке вздулись мускулы. Она и не подозревала, какие они у него накачанные.

— А ты загорел, — сказала она, пытаясь придумать благовидное объяснение тому, что пялилась на его бицепсы.

— Ты тоже, — ответил он, пристально глядя на ее ноги.

Холли рассмеялась и поджала их под себя.

— Это потому, что я без работы сижу. А ты почему?

— Я в прошлом месяце ненадолго в Майами слетал.

— О-о-о, счастливчик! И как там?

— Отличное место! Никогда там не была?

Холли отрицательно покачала головой.

— Но зато мы с девочками скоро едем в Испанию. Ждем не дождемся!

Она возбужденно стиснула руки.

— Да, я слышал об этом. Что ж, отличный сюрприз для тебя.

Дэниел улыбнулся, в уголках его глаз образовались морщинки.

— Расскажи мне про Майами, — попросила Холли, словно не веря, что он действительно там был.

Они поговорили немного об отпуске и о жизни в целом. Холли при этом с аппетитом уплетала сэнд- вич, не обращая внимания на капающий кетчуп и май- онез.

— Надеюсь, ты не рванешь еще раз в Майами с какой-нибудь девушкой. А то сердце бедной Киары не выдержит, — пошутила она и тут же отругала себя за бесцеремонность.

— Нет, не отправлюсь, — серьезно сказал Дэ- ниел. — Мы расстались несколько месяцев назад.

— Ох, прости, я не знала, — искренне сказала Холли. — И долго вы были вместе?

— Семь лет.

— Ух ты! Это большой срок.

— Угу.

Дэниел посмотрел вдаль, и Холли поняла, что ему неприятно об этом говорить. Она поспешила сменить тему.

— Кстати, Дэниел. — Холли понизила голос до шепота, и Дэниел наклонил голову к ней поближе. — Я хотела тебя поблагодарить за то, что ты так хорошо меня успокоил после того фильма. Когда девушка пла- чет, мужиков обычно словно ветром сдувает. Ты повел себя по-другому, спасибо тебе огромное!

Холли одарила Дэниела благодарной улыбкой. Тот улыбнулся в ответ:

— Да ладно тебе, Холли. Я сам расстроился, что ты так переживала.

— Ты настоящий друг! — подумала Холли вслух.

Дэниелу явно было приятно это слышать.

— Давай до вашего отъезда сходим куда-нибудь выпить?

— Давай! — задорно выкрикнула Холли. — Мо- жет, я смогу узнать о тебе столько же, сколько ты знаешь обо мне. Тебе наверняка здесь все обо мне уже доложили.

— Не возражаю, — улыбнулся Дэниел, и они договорились о времени.

— Да, кстати, а ты уже подарил Киаре подарок? — обеспокоенно спросила Холли.

— Нет еще, — улыбнулся Дэниел. — Она все как-то... занята.

Холли оглянулась и увидела, что ее сестра напропалую кокетничает с кем-то из друзей Деклана — к большому его неудовольствию. Холли не смогла сдержать улыбки. Не лучший способ завести детей от Дэниела.

— Я позову ее, не возражаешь?

— Валяй, — рассмеялся Дэниел.

— Киара! — позвала Холли. — Иди сюда, здесь еще один подарок для тебя!

— А-а-а! — завопила Киара, тут же оставляя молодого человека, который заметно расстроился. — Где???

Она плюхнулась на траву рядом с ними.

— У него, — кивнула Холли на Дэниела.

Киара радостно повернулась в его сторону.

— Скажи, ты хотела бы работать в баре клуба «Дива»?

Киара в восхищении прижала руки ко рту.

— Дэниел, это было бы великолепно!

— А ты работала раньше за стойкой?

— Ну да, тыщу раз! — В подтверждение своих слов она широко развела руки.

Дэниел вопросительно поднял брови.

— Господи, я работала барменом чуть ли не во всех странах, где бывала, чес-слово! — возбужденно выпалила Киара.

Дэниел удовлетворенно улыбнулся.

— Так тебе это подойдет?

— Еще как! — завопила она, кидаясь обнимать Дэниела.

«Совсем дикая», — подумала Холли, глядя, как Киара прямо-таки душит Дэниела. Его лицо покраснело, и он бросил на Холли молящий взгляд.

— Ладно, ладно, Киара, хватит! — засмеялась она, отдирая сестру от Дэниела. — Не убей ненароком своего нового начальника!

— Ох, прости, — отпрянула Киара. — Это так классно! У меня есть работа, Холли!

— Я уже поняла.

Неожиданно все в саду притихли. Холли оглянулась по сторонам, пытаясь сообразить, что происходит. Все гости повернулись в сторону оранжереи, в глубине которой показались папа и мама. В руках они несли большой именинный торт и громко пели поздравительную песенку, которую все тут же подхватили. Киара слушала, тая от удовольствия. Когда родители вышли из оранжереи, Холли заметила, что за их спиной идет кто-то еще — скрывая лицо за огромным букетом. Троица подошла к Киаре. Родители поставили торт на стол, а незнакомец медленно опустил букет.

— Мэтью! — завопила Киара.

Ее лицо так побелело, что Холли схватила Киару за руку.

— Прости меня, Киара. Я вел себя как полный дурак.

Непривычный австралийский выговор Мэтью разносился по саду. Кто-то из друзей Деклана громко хмыкнул: что за телячьи нежности. Мэтью действительно вел себя как герой австралийской мыльной оперы, но... Киаре они всегда нравились.

— Я люблю тебя! Я хочу снова быть с тобой! — провозгласил Мэтью, и все повернулись к Киаре, ожидая ее реакции.

Губы Киары задрожали. Она вскочила с травы, подбежала к Мэтью и запрыгнула на него, обвив его талию ногами и шею — руками.

Холли душили слезы — на ее глазах сестра воссоединилась со своим любимым человеком. Деклан схватил камеру и принялся снимать.

Дэниел обнял Холли одной рукой за плечи и ободряюще сжал.

— Извини, Дэниел, — сказала Холли, вытирая глаза, — похоже, ты в пролете.

— Ничего страшного, — рассмеялся тот. — Я все равно не умею смешивать работу с личной жизнью.

Он, похоже, сказал это с облегчением.

Холли продолжала смотреть, как Киара висит на Мэтью.

— Не загораживайте камеру! — сердито закричал Деклан, и все засмеялись.

Войдя в бар и оглядываясь в поисках Дениз, Холли улыбнулась выступающему джаз-бэнду. Они договорились встретиться в своем любимом баре «Джуси». Любимым для них он стал благодаря обширному выбору коктейлей и ненавязчивой музыке. Холли не собиралась напиваться — ее испанские каникулы начинались на следующее утро, и мучиться похмельем вовсе не входило в ее планы. Наоборот, она собиралась блистать и быть обворожительной каждую минуту отдыха, подаренного ей Джерри. Наконец она заметила Дениз, уютно устроившуюся с Томом на кожаном диванчике в застекленной галерее с видом на реку. Дублин сверкал огнями — и все они отражались в воде. Дэниел сидел напротив, присосавшись к клубничному дайкири и блуждая взглядом по комнате. Как мило: Том и Дениз опять ото всех отгородились.

— Извините, что опоздала, — сказала Холли вместо приветствия. — Хотела успеть сложить чемодан.

— Нет тебе прощения, — тихо шепнул Дэниел ей на ухо, вставая, чтобы обнять и поцеловать ее в щеку.

Дениз послала Холли улыбку, Том мельком взглянул на нее, и они снова повернулись друг к другу.

— Просто ума не приложу, зачем они вообще кого-то еще пригласили, — продолжил Дэниел, садясь обратно и снова беря свой бокал. — Уселись и смотрят друг на друга. Даже не разговаривают. А если пытаешься завязать беседу, смотрят на тебя так, словно ты их грубо прервал. У них, наверно, что-то вроде телепатического собеседования.

Он поморщился на сладкий коктейль.

— Сейчас бы пива в самый раз…

— Да уж… — рассмеялась Холли, — похоже, вечер у тебя начался что надо!

— Ох, прости, — спохватился Дэниел. — Я так давно не говорил с живым человеком. Растерял все свои манеры.

Холли хмыкнула.

— Ладно, я тебе помогу.

Она взяла меню и выбрала напиток с самым низким содержанием алкоголя. Затем уселась в мягкое кресло.

— Ах, в нем и заснуть можно, — промурлыкала она, сползая еще ниже.

— Имей в виду, я это восприму как личное оскорбление! — вскинулся Дэниел.

— Хорошо-хорошо, не буду, — успокоила его Холли. — Итак, мистер Коннолли, вы знаете обо мне абсолютно *все*. У меня сегодня спецзадание: выведать все о вас. Будьте к этому готовы.

— Я готов, — улыбнулся тот.

Холли задумалась над первым вопросом.

— Откуда ты родом?

— Родился и вырос в Дублине.

Дэниел отпил еще глоток красноватого напитка, поморщился и продолжил:

— И если кто-то из моих дружков детства увидит, как я пью эту дрянь и слушаю джаз, мне кранты.

Холли хихикнула.

— После школы я записался в армию.

Холли распахнула глаза, пораженная.

— Зачем?

— Я не придумал, чем заняться в жизни, — ответил Дэниел не задумываясь. — А деньги предлагали хорошие.

— Веский аргумент, чтобы убивать, ничего не скажешь.

— Я пробыл там всего пару лет.

— И почему уволился? — спросила Холли, потягивая свой любимый коктейль с лаймом.

— Потому что понял, что мне хочется пить коктейли и слушать джаз. А в казармах этого не разрешали.

— Я серьезно, Дэниел! — рассмеялась Холли.

— Ну, просто это оказалось не по мне. Мои родители как раз переехали в Голуэй и открыли там паб. Мне понравилась эта идея. Я тоже переехал в Голуэй и, когда родители вышли на пенсию, стал заправлять там вместо них. Пару лет назад я решил, что мне пора обзавестись собственным делом. Поставил перед собой цель, чертовски много работал, копил деньги, взял огромный кредит в банке, вернулся в Дублин и купил «У Хогана». И вот сижу здесь, говорю с тобой.

— Какая замечательная биография!

— Ничего особенного. Жизнь как жизнь.

— А в какой временной промежуток вписалась твоя бывшая?

— Лора? Между началом управления пабом в Голуэе и возвращением в Дублин.

— А… Вот оно что, — кивнула Холли, начиная понимать.

Она поставила стакан и снова взяла меню.

— Пожалуй, мне нужен «Секс на пляже».

— Когда? Во время каникул? — поддразнил ее Дэниел.

Холли шутливо хлопнула его по руке. Ни за что на свете!

Глава двадцать шестая

— Мы все едем с Холли отдыхать, с Холли отдыхать, с Холли отдыхать! — распевали в машине девушки на мотив «Желтой субмарины». Джон предложил их отвезти, но быстро раскаялся. Они так бесились, словно ехали за границу впервые в жизни. Холли не могла припомнить, когда она в последний раз так радовалась какой-нибудь поездке. Словно вернулись ее школьные годы. Она набила чемодан шоколадками, леденцами и журнальчиками, и девушки без передыха горланили песни всю дорогу до аэропорта. Самолет улетал в девять вечера, так что к месту отдыха они прибывали только рано утром.

В аэропорту Джон принялся выгружать из багажника чемоданы. Дениз тут же пулей полетела в супермаркет, как будто это могло приблизить ее к Лансароте, а Холли осталась дожидаться Шэрон, которая все никак не могла распрощаться с мужем.

— Ты ведь будешь хорошо себя вести, правда? — тревожно спрашивал тот. — Не будешь выкидывать фортели?

— Джон, конечно, я буду паинькой.

— Дома — это одно, — продолжал он, не слушая, — а за границей — совсем другое.

— Джон, — проворковала Шэрон, обвивая его шею, — я просто еду спокойно отдохнуть. Не переживай ты так.

Он прошептал что-то ей в ухо, и она согласно кивнула:

— Да знаю, знаю.

Они обменялись долгим поцелуем. Холли глядела на своих закадычных друзей в смущении. В переднем кармашке ее сумочки лежало августовское письмо Джерри. Она вскроет его через несколько дней, на пляже. Какая роскошь — солнце, песок, море и Джерри — *все* в один день.

Голос Джона прервал ее мысли.

— Холли, я тебя прошу: проследи за моей чудесной женой.

— Хорошо, Джон. Но мы же едем всего на неделю.

— Я знаю. Но после того как я своими глазами видел, как вы развлекаетесь, я что-то волнуюсь. Впрочем, — улыбнулся он, — развлекайся, Холли. Ты заслужила.

Джон проследил взглядом, как они поволокли свои чемоданы внутрь аэропорта.

Холли остановилась перед входом и глубоко вздохнула. Она любила аэропорты. Любила запах, шум, всю эту атмосферу снующих туда-сюда пассажиров, со счастливым видом тянущих свой багаж: одни — в предвкушении отдыха, другие — возвращаясь домой. Ей нравилось смотреть на людей, которых пришел кто-то встречать, на радостные приветствия и горячие объятия. Аэропорт — прекрасное место для наблюдения. Он всегда вызывал у нее в душе трепет, как будто в ожидании чуда. Перед выходом на посадку она нетерпеливо переминалась с ноги на ногу, как ребенок перед «американскими горками» в парке аттракционов.

Холли поспешила за Шэрон, и вместе они пристроились к Дениз, уже отстоявшей половину невероятно длинной очереди на регистрацию.

— Говорила же вам, надо раньше приезжать, — запричитала Дениз.

— Ну, тогда мы столько же времени ждали бы приглашения на посадку, — попыталась урезонить ее Холли.

— Но мы могли бы ждать в баре, — возразила Дениз. — А это единственное место во всем этом дурацком здании, где проклятым курильщикам разрешается отравлять атмосферу.

— Это ты верно заметила, — согласилась Холли.

— Девочки, а теперь, пока мы еще не улетели, позвольте мне тоже кое-что заметить, — серьезно сказала Шэрон. — Предупреждаю: я не собираюсь зажигать по ночам. Напиваться и всякое такое. Лично я предпочитаю расслабуху у бассейна или на пляже с книжкой, спокойный ужин в тихом ресторанчике и пораньше бай-бай.

Дениз с ужасом посмотрела на Шэрон.

— Слушай, Хол, а может, не поздно позвать кого-то еще вместо нее? Как ты думаешь? Джон ведь еще не слишком далеко отъехал, правда?

— Нет уж, — рассмеялась Холли. — Здесь я поддерживаю Шэрон. Я тоже мечтаю о расслабухе. И никаких резких телодвижений.

Дениз надула губки как маленькая девочка.

— Не переживай, малышка, — ласково сказала Шэрон. — Там наверняка найдутся другие детки твоего возраста. Тебе будет с кем играть.

Дениз выкинула ей средний палец.

— Если меня там спросят, не везу ли я с собой чего-нибудь запрещенного, я скажу им как на духу: мои подруги — две сухие коровьи лепешки.

«Лепешки» в ответ только хмыкнули.

Наконец, через полчаса ожидания, они зарегистрировались, и Дениз как сумасшедшая ринулась в дьюти-фри, сметая все подряд. Во всяком случае, сигаретами она явно собралась запастись на всю оставшуюся жизнь.

— Слушайте, чего эта подруга на меня так смотрит? — пробормотала она сквозь зубы, указывая на какую-то девушку за барной стойкой.

— Возможно, потому, что ты на нее смотришь, — ответила Шэрон, глядя на часы. — Осталось всего пятнадцать минут.

— Нет, девочки, правда. — Дениз повернулась к подругам всем телом: — Крышу у меня не сорвало. Она определенно на нас смотрит.

— Ну, тогда подойди к ней и спроси, не собирается ли она нас арестовать, — пошутила Холли.

Шэрон фыркнула.

— Ой, она сама сюда идет! — сказала Дениз, отворачиваясь от незнакомки.

Холли посмотрела в ее сторону и увидела тощую блондинку с силиконовыми грудями, решительно двигающуюся в их сторону.

— Доставай кастет, — поддела Холли Дениз. — Она явно опасна.

Шэрон чуть не подавилась своим коктейлем.

— Привет! — пропищала девушка.

— Здравствуйте, — ответила Шэрон, старясь не рассмеяться.

— Извините, я не хочу казаться настойчивой, я просто хочу убедиться, что вы — это вы.

— Да, вы правы. Я — это я, — серьезно ответила Шэрон. — Собственной персоной.

— Я так и знала! — радостно закричала девица и в возбуждении запрыгала вверх-вниз. Поразительно, но ее грудь оставалась при этом неподвижной. — Девчонки говорили мне, что я перепутала, но я *знала*, что это вы! Кстати, вон они.

Блондинка сделала жест в сторону дальнего конца барной стойки, где сидели еще четыре такие же девочки-припевочки. Те в ответ замахали руками. Шэрон снова чуть не поперхнулась.

— Кстати, меня зовут Синди, и я самая большая ваша фанатка. Я обожаю ваше шоу. Честно, я его смотрела раз сто. Вы играете принцессу Холли, верно? — ткнула она наманикюренный пальчик в Холли.

Та хотела что-то возразить, но Синди не слушала.

— А вы — ее придворную даму! — указала она на Дениз.

— А *вы*, — взвизгнула она еще громче, указывая на Шэрон, — подруга той австралийской рок-звезды.

Девушки тревожно переглянулись, но Синди уже отодвинула стул и уселась за их столик.

— Понимаете, я тоже актриса…

Дениз закатила глаза.

— …и я бы хотела работать в шоу вроде этого. Когда вы снимаете следующий эпизод?

Холли уже открыла рот, чтобы объяснить, что никакие они не актрисы, но Дениз опередила ее.

— Да, мы как раз сейчас обсуждаем наш следующий проект, — заявила она.

— Вот здорово! — захлопала в ладоши Синди. — И о чем там будет идти речь?

— Ну-у, сейчас рано об этом говорить, но снимать придется в Голливуде.

Синди выглядела так, словно у нее сейчас начнется сердечный приступ.

— О господи… Кто ваш агент?

— Фрэнки, — вмешалась Шэрон. — Мы как раз все вместе едем в Голливуд.

Холли не смогла удержать смех.

— Не обращайте внимания, Синди, она так возбуждена, — объяснила Дениз.

— Еще бы!

Синди поглядела на посадочный талон Дениз и снова чуть не схлопотала инфаркт.

— Ух ты, вы тоже летите на Лансароте!

Дениз сгребла талон со стола и сунула в сумку, как будто от этого что-то могло измениться.

— И мы с девчонками туда летим. Они вон там.

Она снова повернулась в их сторону и еще раз махнула им рукой.

— Мы будем в отеле «Коста-Пальма-палас». А вы где будете?

У Холли сердце ушло в пятки.

— Что-то я никак не могу припомнить название. Девочки, а вы? — Холли посмотрела на подруг широко открытыми глазами.

Те энергично замотали головами.

— Да ладно, не важно! — радостно замахала руками Синди. — Все равно еще увидимся, когда приземлимся. Ладно, я побегу в самолет. А то улетит без меня.

Последние слова она произнесла так громко, что за соседними столиками оглянулись. Затем порывисто обняла каждую и ускакала обратно к своей барби-команде.

— Похоже, кастет нам все-таки пригодится, — удрученно заметила Холли.

— Да брось, — возразила вечная оптимистка Шэрон. — Мы можем просто ее не замечать.

Они тоже отправились к выходу на посадку. В салоне самолета, едва они направились к своим местам, сердце Холли снова дрогнуло, и она решительно полезла на самое дальнее сиденье. Шэрон села рядом, а Дениз, увидев наконец, кто оказался ее ближайшим соседом, слегка побледнела.

— Обалдеть! У нас места рядом! — пропищала Синди, обращаясь к Дениз.

Дениз скорчила подругам страшную рожу и защелкнула ремни.

— Вот видишь? Я же говорила, тебе найдется с кем поиграть, — шепнула ей на ухо Шэрон.

И они с Холли прыснули в кулачки.

Глава двадцать седьмая

Четырьмя часами позже лайнер скользнул над водной гладью и приземлился в аэропорту Лансароте. Пассажиры радостно зааплодировали. Но, пожалуй, ни один из них не радовался больше, чем Дениз.

— У меня аж голова разболелась, — пожаловалась она подругам, пока они шли к залу выдачи багажа. — Эта чертова кукла все трещала, и трещала, и трещала.

Дениз потерла виски и прикрыла глаза, наслаждаясь тишиной.

Шэрон и Холли оставили подругу вкушать покой и стали проталкиваться поближе к ленте транспортера. К несчастью, все пассажиры пытались сделать то же — подойти к ленте как можно ближе и еще нагнуться над ней, так что в результате никто ничего не видел. Им пришлось ждать добрые полчаса, прежде чем лента дрогнула и по ней поползли чемоданы. И еще через полчаса они все еще стояли над лентой, хотя большинство их попутчиков уже получили свои вещи и направились к автобусам.

— Вы че, — раздался сердитый окрик Дениз, появившейся со своим чемоданом, — все еще ждете свой гребаный багаж?

— Нет, просто я нахожу восхитительным торчать здесь и смотреть, как одни и те же забытые вещи проезжают по ленте раз за разом, раз за разом... — ответила Шэрон. — Слушай, иди садись в автобус и не мешай нам радоваться жизни, а?

— Надеюсь, они потеряли ваш багаж, — огрызнулась Дениз. — Или нет: надеюсь, чемоданы лопнули и ваши огромные трусы и глухие лифчики рассыпались по конвейеру на всеобщее обозрение!

Холли с удивлением уставилась на Дениз:

— Ну, полегчало?

— Нет, пока не выкурю сигарету! — ответила та, но все-таки выдавила из себя улыбку.

— А-а-а, вот мой чемодан! — радостно воскликнула Шэрон и сдернула его с конвейерной ленты, чиркнув при этом Холли по голени.

— Ай!

— Прости, Хол. Зато моя одежда спасена.

— Если они потеряют мои вещи, я их засужу! — сердито сказала та.

Тем временем перед транспортером не осталось никого, кроме них.

— Почему мой багаж всегда приходит последним? — пожаловалась Холли подругам.

— Закон Мерфи, — объяснила Шэрон. — А, вот он!

Она взяла чемодан и поставила его на пол — снова задев Холли по тому же месту.

— Ай-ай-ай! — запричитала Холли, схватившись за голень. — Ты не могла как-то по-другому вытащить этот чертов чемодан?

— Извини, — виновато ответила Шэрон. — Я умею вытаскивать чемоданы только одним способом.

Они направились к выходу искать своего гида.

— Перестань, Гэри! Отвали! — услышали они пронзительный возглас, едва зайдя за угол.

Повернувшись на голос, они увидели девушку в красной форме гида, которая отбивалась от молодого человека, одетого так же. Завидев прибывших, девушка немедленно выпрямилась.

— Кеннеди, Маккарти и Хеннесси? — сказала она с густым лондонским выговором.

Подруги кивнули.

— Привет. Меня зовут Виктория, и я ваш гид на эту неделю. — Девушка налепила на лицо улыбку и продолжила: — Идите за мной, я проведу вас к автобусу.

Она игриво подмигнула Гэри и двинулась наружу.

Было два часа ночи, и, едва они вышли, на них пахнуло влажным ветерком с моря. Холли радостно переглянулась с подругами: вот теперь их каникулы действительно начались.

Когда они поднялись в автобус, все зааплодировали. Холли мысленно содрогнулась. Не дай бог, если их ждет отдых в духе «А ну-ка, давайте все вместе».

— Йу-у ху-у! — издала победный клич Синди.

Она стояла в проходе и махала им руками:

— Идите сюда, я для вас целое сиденье заняла!

Дениз тяжело вздохнула у Холли над плечом, и девушки поплелись на заднее сиденье. Холли еще повезло: она села у окна и могла ото всех отвернуться. У Синди, к счастью, хватило ума сообразить, что та не хочет с ней общаться. Впрочем, особого ума для этого не требовалось: с того самого момента, как

263

Синди подсела к их столику, Холли не сказала с ней ни слова.

Сорок пять минут спустя они добрались до «Коста-Пальма-паласа», и Холли снова почувствовала томительный холодок в животе. Длинный въезд обрамляли высокие пальмы, большой фонтан у главного входа переливался голубой подсветкой. Когда подруги покидали автобус, все, к смущению Холли, снова приветственно зашумели.

Забронированные апартаменты оказались чистенькой квартиркой, состоящей из спальни с двумя кроватями, маленькой кухоньки и гостиной, в которой стояла софа. Еще имелась ванная и балкон. Холли немедленно вышла на него и повернулась к морю. Пока не рассвело, и она ничего не увидела, зато отчетливо услышала шуршание волн по песку. Холли прикрыла глаза.

— Сигарету, скорее сигарету!

Дениз тоже вышла на балкон, распечатала новую пачку и глубоко затянулась.

— Ну вот! Так гораздо лучше. Мне больше не хочется убивать всех подряд!

Холли стало весело. Она так давно мечтала провести время наедине со своими подругами.

— Хол, как ты посмотришь, если я буду спать на софе? Тогда я смогу курить при открытой двери.

— Только при открытой, Дениз! — закричала Шэрон из глубины. — Я не хочу просыпаться в табачной вони.

— Ура! — радостно вздохнула Дениз.

Наутро, в девять часов, Холли проснулась, разбуженная возней Шэрон, которая готовилась уходить. Та шепнула, что спустится к бассейну и займет для них лежаки.

Через пятнадцать минут она вернулась.

— Все места уже заняты немцами, — удрученно сказала она. — Пойду на пляж, присоединяйся ко мне, если хочешь.

Холли что-то пробормотала и снова уснула. В десять часов к ней в кровать запрыгнула Дениз и окончательно ее разбудила. Они решили присоединиться к Шэрон на пляже.

Песок обжигал пятки, не давая остановиться и заставляя все время двигаться. Как бы Холли ни гордилась в Ирландии своим загаром, здесь сразу бросалось в глаза, что они только прибыли — белее их никого не было. Шэрон сидела под зонтиком с книгой в руках.

— Ну разве здесь не чудесно? — обвела Дениз рукою вокруг.

— Просто рай! — согласилась Шэрон.

Холли непроизвольно огляделась по сторонам. Коли это рай, значит, Джерри должен быть где-то неподалеку. Увы, никаких следов. Зато вокруг — одни парочки. Парочки, натирающие друг друга кремом для загара; парочки, гуляющие по линии прибоя рука в руке; парочки, играющие в пляжный теннис; а прямо перед ее лежаком расположилась загорающая парочка. Но Холли не успела затосковать. Дениз мигом скинула свое летнее платье и плюхнулась на песок в одних только крошечных леопардовых трусиках-танго, требуя к себе внимания.

— Кто-нибудь, намажьте меня, пожалуйста!

Шэрон опустила книжку и поглядела на Дениз поверх своих темных очков.

— Давай я. Только сиськи и задницу мажь, пожалуйста, сама.

— Проклятье. Ладно, не переживай, кого-нибудь еще попрошу.

Дениз уселась на лежак в ногах Шэрон и подставила ей спину.

— Знаешь что, Шэрон?

— Что?

— Если так и будешь сидеть в саронге, у тебя будет некрасивая линия загара.

Шэрон посмотрела на ноги и ниже натянула на них свою легкую юбочку.

— Какой загар, о чем ты? Дениз, ты что, забыла, что сейчас в моде синюшная кожа?

Холли и Дениз рассмеялись. Сколько бы Шэрон ни пыталась загорать, дело кончалось одним и тем же — кожа покрывалась ожогами и слезала клочьями. Шэрон давно сдалась, смирившись с тем, что ей навсегда суждено оставаться бледнокожей.

— К тому же я так разжирела, что не хочу пугать народ.

Холли недовольно взглянула на подруг. Как им не надоело обзывать друг друга «жирдяйками»! У нее тоже имелось чуток лишнего веса. Но это еще не причина, чтобы считать себя жирной!

— Тогда чеши в бассейн и распугай там всех немцев! — пошутила Дениз.

— Нет, девочки, правда, давайте завтра встанем пораньше и займем места у бассейна, — предложила Холли. — На пляже нам быстро надоест.

— Не перешифай, — успокоила ее Шэрон. — Мы делать Германия капут.

Девушки провалялись весь день на пляже, порой окунаясь в море, чтобы охладиться. Пообедали они здесь же, в баре на пляже. В общем, как и планировали, весь день прошел в ленивой неге. Холли прямо чувствовала, как из мышц уходит напряжение, так что уже через несколько часов она совершенно освободилась от угнетавшего ее стресса.

Вечером им удалось ускользнуть от отряда барби и поужинать в одном из многочисленных ресторанчиков на оживленной улице неподалеку от их жилого комплекса.

— Поверить не могу! Сейчас только десять! Неужели мы уже возвращаемся домой? — изрекла Дениз, задумчиво глядя на вывески многочисленных баров.

Все они были переполнены, отовсюду звучала громкая электронная музыка. Холли почти чувствовала, как от этой музыки вибрирует земля у нее под ногами. От окруживших их огней, звуков, запахов девушки примолкли. Отовсюду доносился смех, пение и звон бокалов. Бары боролись за посетителей: неоновые рекламы старались перещеголять одна другую, владельцы выскакивали на улицу и заманивали клиентов бесплатной выпивкой и закуской.

Вокруг выставленных на улицу столиков кучковалась молодежь с бронзовой кожей, распространяя запах кокосового крема для загара. Прикидывая средний возраст посетителей, Холли почувствовала себя старушкой.

— Ну, мы можем заглянуть в какой-нибудь бар, пропустить по стаканчику, если хотите, — неуверенно сказала она, глядя на пары, танцующие прямо на улице.

Дениз замерла на месте и стала выбирать бар.

— Привет, красавица, — очень привлекательный молодой человек остановился рядом и улыбнулся Дениз жемчужными зубами. Выговор у него был явно английский.

— Ну как, зайдем? — кивнул он на ближайший бар.

Дениз задумчиво посмотрела на него. Холли и Шэрон переглянулись и фыркнули. Они прекрасно знали, что Дениз ни за что не отправится в постель в такую рань. Она, если уж на то пошло, может вообще не ложиться всю ночь.

Наконец Дениз вышла из транса.

— Нет, спасибо. У меня есть парень, и я его люблю, — торжественно провозгласила она. — Пойдемте, девочки! — повернулась она к подругам и твердым шагом двинулась в сторону апартаментов.

Подруги замерли на месте с разинутыми ртами. В это просто невозможно поверить. Им пришлось догонять Дениз бегом.

— Вы на что это там засмотрелись? — спросила она.

— На тебя, — ответила Шэрон, так и не придя в себя. — Кто ты и куда девала нашу любвеобильную подружку?

— Ну, — косо улыбнулась Дениз, — вообще-то я не думаю, что одиночество — это так уж здорово.

Холли опустила глаза и поддала ногой камень на дороге. Совсем не здорово.

— Ну вот и славно, — радостно сказала Шэрон, обвивая талию Дениз рукой и легонько сжимая ее.

Воцарилось молчание. Музыка осталась где-то позади, и сюда доносилось только приглушенное буханье баса.

— На улице я почувствовала себя такой старой, — неожиданно возобновила разговор Шэрон.

— Я тоже! — всплеснула руками Дениз. — С каких это пор по барам начал тусоваться такой молодняк?

— Дениз, — рассмеялась Шэрон. — Это не *они* стали моложе. Боюсь, это *мы* стали старше!

Дениз на минутку задумалась.

— Да нет... Вряд ли мы стали прям уж совсем старыми вешалками. Ну, то есть нам рано еще прятать в сундук танцевальные туфли и брать в руки клюку. Мы можем отрываться всю ночь, если захотим, просто... Просто мы немножко устали. У нас был длинный день, и... Гос-споди! Меня послушать — просто бабка какая-то!

Дениз не замечала, что говорит сама с собой. Шэрон отстала и внимательно смотрела на Холли, которая шагала, по-прежнему опустив голову и поддавая ногой камешек.

— Холли, что с тобой? Ты чего молчишь?

— Да так, что-то задумалась... — тихо ответила Холли, не поднимая головы.

— О чем? — мягко спросила Шэрон.

Холли подняла голову и посмотрела на подруг.

— О Джерри. Я задумалась о Джерри.

— Давайте спустимся на пляж, — предложила Дениз.

Они скинули обувь и ступили на песок.

Небо было совершенно черным, и миллионы маленьких звезд мерцали над их головами, как будто кто-то нанизал их на большую черную сетку. Низкая луна отражала их свет и обозначала линию горизонта, где небо встречалось с морем. Девушки уселись на берегу. Вода с мелодичным плеском подкатывала к их ногам, успокаивая и принося умиротворение. В теплом воздухе реял легкий бриз, холодивший кожу и ерошивший волосы. Холли закрыла глаза и глубоко вздохнула, прочищая легкие.

— Вот зачем он привез тебя сюда, — заметила Шэрон, наблюдая за тем, как ее подруга понемногу приходит в себя.

Холли улыбнулась, не открывая глаз.

— Ты слишком мало о нем говоришь, Холли, — произнесла Дениз, чертя знаки на песке.

Холли медленно открыла глаза.

— Я знаю, — сказала она тихо, но веско.

Дениз оторвалась от кругов на песке.

— А почему?

Холли помолчала, глядя в черноту моря.

— Я не знаю, что о нем говорить... Я даже не могу решить, говорить ли мне «Джерри был» или просто «Джерри». Не знаю, вспоминать мне о нем с грустью или с радостью. Если я рассказываю о нем весело, некоторые меня осуждают: по их мнению, я должна плакать. А если я вслух печалюсь, это огорчает тех, с кем я говорю.

Она помолчала, а когда заговорила снова, ее голос зазвучал еще мягче.

— Я не могу вспоминать его с юмором, как раньше, — я чувствую, что это *неправильно*. Я не могу пересказывать то, что он говорил мне с глазу на глаз, — это значило бы выдавать его секреты. Я просто не понимаю, как вспоминать *его* в разговорах. Но это не значит, что я совсем его не вспоминаю.

Она потерла виски. Девушки продолжали сидеть, скрестив ноги, на мягком песке.

— Мы с Джоном все время вспоминаем о Джерри, — сказала Шэрон, глядя на Холли повлажневшими глазами. — Вспоминаем, как он нас смешил, — он ведь нас часто смешил... Вспоминаем, как он нас злил. Мы помним все. И то, что мы в нем любили, и то, что нас в нем *ужасно* раздражало.

Холли подняла брови.

— Потому что для нас, — продолжала Шэрон, — главное — помнить Джерри таким, каким он был. Он ведь не был ангелом. Мы помним его *всего*, и нас это ничуть не смущает.

Воцарилось долгое молчание.

Первой его нарушила Дениз.

— Как бы я хотела, — ее голос дрогнул, — чтобы мой Том был знаком с Джерри.

Холли с удивлением посмотрела на нее.

— Джерри был и моим другом, — сказала Дениз, и в ее глазах запрыгали слезы, — а Том ничегошеньки о нем не знает. Я все время ему о нем рассказываю, пытаюсь объяснить, что еще совсем недавно я дружила с одним из лучших людей на земле. Мне кажется, *все* должны его знать.

Губы Дениз задрожали.

— Я просто поверить не могу, что тот, кого я сейчас так люблю, кто знает обо мне все, ничего не знает о человеке, который был мне так дорог десять лет.

На щеку Холли капнула слеза, и она потянулась обнять свою подругу.

— Ну, значит, мы просто должны продолжать рассказывать Тому о нем, правда?

На следующее утро они и не подумали являться на встречу с гидом, потому что не собирались участвовать ни в каких экскурсиях или дурацких спортивных состязаниях. Вместо этого они приняли участие в другом состязании — кто первым застолбит полотенцем лежаки вокруг бассейна. К сожалению, они и на сей раз встали недостаточно рано. «Эти чертовы немцы вообще когда-нибудь спят?» — ворчала Шэрон. Наконец она просто потихоньку сбросила полотенца с нескольких оставшихся без присмотра лежаков, девушки сдвинули их вместе и расположились.

Только Холли задремала, как ее разбудили громкие вопли. Бог весть почему Гэри — гид, которого они видели в аэропорту, — решил, что это будет очень забавно — нацепить платье своей коллеги Виктории, чтобы та гонялась за ним вокруг бассейна. Постояльцы отеля шумно подбадривали «забег», и, когда Виктория наконец схватила Гэри и они оба повалились в бассейн, разразились аплодисментами.

Через несколько минут, пока Холли спокойно плавала, какая-то тетка объявила через микрофон, что через пять минут начнутся занятия по аква-аэробике. Гэри и Виктория при поддержке отряда барби засновали между лежаков, буквально силком поднимая народ и призывая принять участие в мероприятии.

— Слушай, отвали, а? — услышала Холли голос Шэрон, отбивающейся от одной из барби, пытавшейся затащить ее в бассейн. Вскоре ей и самой пришлось спешно вылезать на бортик, спасаясь от стада гиппопотамов, решивших заняться аква-аэробикой. Полчаса, на протяжении которых инструктор выкрикивал команды через микрофон, прошли в томительном ожидании. Но едва занятия закончились, прозвучало объявление о том, что сейчас состоится матч по водному поло. Подруги немедленно поднялись и в поисках тишины и покоя отправились на пляж.

— Ты знаешь что-нибудь о родителях Джерри? — спросила Шэрон, покачиваясь в воде на надувном матрасе.

— Конечно, они шлют мне по открытке через каждые несколько недель. Рассказывают, где они и что делают.

— Так они все еще в этом своем круизе?

— Угу.

— Ты по ним скучаешь?

— Честно говоря… Их сын умер и не оставил внуков. Не думаю, что они считают, будто между нами есть какая-нибудь связь.

— Что за глупости, Холли! Ты была замужем за их сыном, ты их невестка. Это очень сильная связь.

— Ну, не знаю, — вздохнула Холли. — Я не думаю, что для них этого достаточно.

— Они немножко старомодные, верно?

— Да, *очень*. Они возмущались, что мы с Джерри «живем во грехе», так они это называли. Не могли дождаться, когда мы поженимся! А когда мы наконец поженились, вышло еще хуже: они никак не могли взять в толк, почему я не хочу менять фамилию.

— Да уж, я помню, — хмыкнула Шэрон. — Его мама устроила мне на вашей свадьбе форменный разнос. Заявила, что женщина просто *обязана* взять фамилию мужа из уважения к нему. Представляешь?

Холли рассмеялась.

— Да уж, лучше тебе держаться от них подальше.

— Привет, девочки, — поприветствовала подруг подплывшая на таком же матрасе Дениз.

— Эй, ты где пропадала? — спросила Холли.

— Да так, болтала с одним парнем из Майами. Правда, милый паренек.

— Из Майами? Ой, а Дэниел ездил туда в отпуск, — сказала Холли, болтая кистями в прозрачной голубой воде.

— Хм-м, — протянула Шэрон. — Славный он парень, этот Дэниел, да?

— Да, — согласилась Холли. — С ним легко.

— Том рассказывал мне, что ему недавно пришлось много чего пережить, — заметила Дениз, переворачиваясь на спину.

Шэрон встрепенулась, учуяв сплетню.

— Это почему же?

— Ну, он собирался жениться на какой-то цыпочке, и тут выяснилось, что она спит с кем-то еще. Поэтому он переехал в Дублин и купил здесь паб. Только бы свалить подальше от нее.

— Да, я знаю. Ужасно, правда? — горько сказала Холли.

— А где он раньше жил? — спросила Шэрон.

— В Голуэе. Он управлял там пабом.

— Да ну! — удивилась Шэрон. — А выговор у него не голуэйский.

— В общем, он вырос в Дублине, потом записался в армию, потом ушел из нее, переехал в Голуэй, где его родители держали паб, потом встретил Лору, они были вместе семь лет и решили пожениться, но она ему изменила, так что он разорвал помолвку, вернулся в Дублин и купил «У Хогана», — выпалила Холли на одном дыхании.

— Слушай, а ты не слишком много о нем знаешь? — удивилась Дениз.

— Если бы вы с Томом тогда в пабе уделили нам хоть немного внимания, возможно, я знала бы о нем меньше.

Холли бросила взгляд на Шэрон.

— Правда, Шэрон, они с Томом пригласили меня и Дэниела в паб, а сами полностью нас игнорировали, — сказала она с деланой обидой.

Дениз испустила тяжкий вздох:

— Господи, как же мне не хватает Тома!

— Ты сказала об этом парню из Майами? — ввернула Шэрон.

— Нет, мы просто болтали, — ответила Дениз, словно защищаясь. — Честно сказать, меня больше никто не интересует. Сама диву даюсь — я как будто не вижу других мужчин. Просто не замечаю их. А поскольку вокруг нас сейчас сотни практически голых мужиков, это что-нибудь да значит.

— Я думаю, это называется просто «любовь», — улыбнулась Шэрон.

— Ну, как бы это ни называлось, ничего подобного со мной раньше не приключалось.

— Это прекрасное чувство, — сказала Холли, обращаясь больше к себе.

Они замолчали, задумавшись каждая о своем.

— Блин горелый! — завопила вдруг Дениз, отчего две другие девушки подпрыгнули. — Гляньте, куда нас отнесло!

Холли немедленно села на своем матрасе. Действительно, они так удалились от берега, что люди казались маленькими букашками.

— О черт! — запаниковала Шэрон, а раз уж она запаниковала, подумала Холли, то, значит, мы и впрямь попали в переплет.

— Начали грести, быстро! — закричала Дениз.

Они перевернулись на животы и начали шлепать руками по воде изо всех сил. Через несколько минут бесполезных усилий они сдались, с трудом переводя дыхание. К их ужасу, берег не только не приблизился, но даже еще больше отдалился.

Гребля ничего не дала: течение было слишком быстрым, а волны — слишком сильными.

Глава двадцать восьмая

— **П**омогите! — завопила Дениз со всей мочи и отчаянно замахала руками.

— Нас не слышат, — прошептала Холли, глотая слезы.

— Ну как же это мы так сглупили, — причитала Шэрон с таким видом, словно она прикидывала: какова вероятность выживания на надувных матрасах посреди океана.

— Перестань, Шэрон, — оборвала ее Дениз. — Что толку сейчас себя корить? Мы уже здесь. Давайте-ка лучше вместе погромче крикнем. Может, нас все-таки услышат?

Они прокашлялись, отдышались, набрали побольше воздуха и покрепче вцепились в свои матрасики, чтобы не свалиться в воду.

— Три-четыре... ПО-МО-ГИ-ТЕ! — закричали они хором и замахали руками.

И стали всматриваться в далекий берег, надеясь обнаружить хоть какой-нибудь отклик на свой призыв. Ноль реакции.

— Здесь ведь не бывает акул? Не бывает, правда? — захныкала Дениз.

— Дениз, прекрати! — сердито прикрикнула Шэрон. — Не хватало еще этим себе голову забивать!

Холли сглотнула и уставилась в воду. Прозрачная синева сгустилась и потемнела. Холли нырнула вниз со своего матрасика, пытаясь оценить глубину. Ее ноги продолжали свободно болтаться, и сердце от этого ушло в пятки. Плохо, совсем плохо.

Шэрон тоже соскользнула в воду, и они с Холли попытались плыть, толкая свои матрасы перед собой. Дениз продолжала испускать душераздирающие вопли.

— Слушай, Дениз, перестань, — проворчала Шэрон, отплевывая воду, — тебя сейчас разве только дельфины услышат.

— А вы кончайте фигней страдать. Гребете-гребете, а никуда от меня не отплыли.

Холли перестала грести, оглянулась и увидела Дениз прямо у себя за спиной. Она опять чуть не заплакала.

— Шэрон! — закричала она. — Давай правда лучше побережем силы.

Шэрон тоже остановилась, и все трое снова улеглись на свои матрасы. Им действительно ничего больше не оставалось. Ветер уносил их крики. Течение делало бессмысленными попытки грести или плыть. Начинало холодать, море становилось мрачным и неприветливым. В какой дурацкий переплет они попали! Но несмотря на тревогу и страх, Холли, к собственному изумлению, чувствовала, что испытывает от этого приключения удовольствие.

Она не могла понять, смеяться ей или плакать, и в результате из ее горла стали вырываться странные звуки — смесь того и другого. Шэрон и Дениз перестали кричать и уставились на нее, словно у нее выросли две головы.

— По крайней мере одна хорошая сторона в этом есть, — сказала Холли то ли в шутку, то ли всерьез.

— Какая же? — спросила Шэрон, утирая слезы.

— Ну, мы же давно говорили, как было бы здорово смотаться в Африку, — и Холли залилась придурковатым смехом, — так вот, похоже на то, что сейчас мы на полпути туда.

Девушки поглядели за горизонт, в сторону их предполагаемого путешествия.

— Это самый дешевый способ туда добраться, — подхватила игру Шэрон.

Дениз уставилась на них как на умалишенных. Одного взгляда на нее, болтающуюся посреди океана на жалком матрасике в одних леопардовых трусиках и с посиневшими губами, оказалось достаточно, чтобы они закатились истерическим хохотом.

— Девки, вы чего???

— Ну, я бы сказала, мы в глубокой, глубокой… дыре, — сквозь смех проговорила Шэрон.

— И пути наружу что-то не просматривается, — добавила Холли.

Они смеялись сквозь слезы еще несколько минут, а потом до них донесся шум моторки. Дениз вскочила и снова как сумасшедшая замахала руками. Холли и Шэрон захохотали еще пуще, увидев, как по мере приближения береговой охраны груди Дениз прыгают вверх-вниз все энергичнее.

— Это не хуже наших знаменитых «Девушек в большом городе», — восторженно выкрикнула Шэрон, когда дюжий спасатель сграбастал практически обнаженную Дениз.

— Похоже, у них шок, — заметил один из них другому, перенося хохочущих девушек в катер.

— Быстрее, спасайте матрасы! — выпалила Холли, сгибаясь от смеха.

— Матрасы за бортом! — добавила Шэрон.

Спасатели тревожно переглянулись, поскорее укутали потерпевших в полотенца и на полной скорости помчались к берегу.

Там их встречала изрядная толпа. Когда подруги ступили на землю, раздались дружные аплодисменты, заставившие их переглянуться и расхохотаться еще громче. Дениз повернулась и поклонилась публике.

— Сейчас вот хлопают. А где они все были раньше? — проворчала Шэрон.

— Предатели, — поддакнула Холли.

— Вот они! — раздался знакомый писк.

Девушки оглянулись и увидели Синди, которая вместе со всей своей барби-командой прокладывала себе путь через толпу.

— Я следила за вами в бинокль, — заявила Синди, — и вызвала береговую охрану. С вами все нормально?

Она тревожно взглянула на каждую.

— Да-да, все хорошо, — ответила Шэрон вполне серьезно. — А вот бедным матрасам не дали ни единого шанса.

Они снова прыснули, и их увели в медпункт.

Только вечером, за ужином, девушки осознали, насколько серьезную опасность они пережили. Они тихо сидели над тарелками и думали о том, как безрассудно они себя вели и как им повезло. Дениз беспокойно ерзала на стуле, и Холли обратила внимание, что она практически не притронулась к еде.

— Что с тобой? — спросила Шэрон, всосав длинную макаронину (отчего соус забрызгал ей лицо).

— Ничего, — тихо сказала Дениз, отпивая воду из стакана.

Снова повисла тишина.

— Простите, мне надо выйти. — Дениз вскочила и быстро направилась в сторону туалета.

Холли и Шэрон переглянулись.

— Что это с ней такое? — спросила Холли.

— Она выпила сейчас литров десять воды, — хмыкнула Шэрон. — Неудивительно, что ей надо в туалет.

— Я вот думаю, может, она сходит с ума потому, что сегодня мы выставили себя полными дурами?

Шэрон снова хмыкнула и продолжила молча есть. Холли вспомнила, как тогда, в открытом море, ей неожиданно стало очень весело, — но сейчас воспоминание об этом неприятно резануло ее. Успокоившись, она вполне могла честно признаться себе, почему совершенно не боялась смерти. После того как схлынула первая волна паники, ей согрела сердце дикая мысль, что она снова будет с Джерри и теперь уже ничто их не разлучит. Очень опасная мысль. Ей срочно надо менять отношение к жизни.

Дениз вернулась и тяжело вздохнула.

— Дениз, да что с тобой? — еще раз спросила Холли.

— А вы смеяться не будете? — по-детски спросила та.

— Ну что ты, перестань, мы же друзья, — заверила ее Холли, старясь стереть с лица улыбку.

— Я же сказала — ничего!

Дениз снова наполнила стакан водой.

— Ах, да перестань, Дениз, ты можешь нам все-все рассказать. Мы не будем смеяться, обещаем.

Шэрон говорила так серьезно, что Холли стало стыдно за свою улыбку.

Дениз испытующе взглянула на подруг, пытаясь понять, насколько можно им доверять.

— Ну ладно, — решилась она наконец и чуть слышно пробормотала что-то нечленораздельное.

— Что-что? — воскликнула Холли, придвигаясь поближе.

— Милая, ты говоришь слишком тихо, мы ничего не слышим, — подтвердила Шэрон, тоже пододвигая свой стул.

Дениз оглянулась по сторонам, чтобы убедиться, что ее не слышат посторонние, и нагнулась к середине стола.

— Я говорю, что от долгого лежания в воде у меня обгорела задница.

— О! — Обескураженная Шэрон откинулась в кресле.

Холли отвернулась, стараясь не встретиться с Дениз глазами, и принялась катать хлебные шарики.

Снова воцарилось молчание.

— Ну вот видите, я же говорила, что вы будете смеяться, — надулась Дениз.

— Но мы... Мы же не смеемся, — выдавила из себя Шэрон.

Молчание.

— Смажь пожирнее кремом, — не смогла удержаться Холли, — чтобы не шелушилось.

И они с Шэрон рухнули от смеха.

Дениз пригнула голову и стала ждать, пока подруги отсмеются. Ждать пришлось долго. По совести говоря, через много часов, вертясь на своей софе и пытаясь уснуть, она все еще ждала.

Последнее, что она услышала, был ценный совет от Холли:

— Попробуй лечь на живот!

— Холли, — прошептала Шэрон, когда они наконец угомонились, — ты очень волнуешься из-за завтра?

— В смысле? — ответила та, зевая.

— Письмо! — сказала Шэрон, удивляясь, что Холли не поняла ее с ходу. — Только не говори, что ты забыла.

Холли протянула руку под подушку и нащупала конверт. Через час она сможет открыть шестое письмо от Джерри. Разумеется, она не забыла.

На следующее утро Холли разбудили доносившиеся из туалета звуки. Шэрон стояла над унитазом. Ее рвало. Холли тихонько подошла сзади и осторожно собрала назад ее волосы.

— Ты как? — тревожно спросила она, когда рвота у Шэрон наконец прекратилась.

— Ох, это все чертовы сны. Мне всю ночь снилось, что я то на матрасе, то в лодке. Похоже, у меня морская болезнь.

— Мне тоже это снилось. Вчера было ужасно, правда?

Шэрон кивнула.

— Я никогда больше не буду плавать на этом матрасе, — слабо улыбнулась она. В дверном проеме появилась Дениз. Она снова была в своем мини-бикини, но на сей раз прикрыла обгоревшие ягодицы позаимствованным у Шэрон парео. Холли пришлось проглотить язык, чтобы не отпустить какую-нибудь шуточку в ее адрес, потому что Дениз явно страдала от боли.

Когда они подошли к бассейну, Дениз и Шэрон направились прямо к барби-команде. А что еще оставалось делать — девчонки спасли им жизнь. Холли не могла поверить, что накануне вечером уснула. Она собралась дождаться полуночи, тихонько выскользнуть на балкон и прочитать письмо. Как она могла уснуть — она так ждала этой минуты! Сейчас щебет барби интересовал ее меньше всего. Прежде чем они успели втянуть ее в беседу, она махнула Шэрон рукой в знак того, что уходит. Та ободряюще улыбнулась в ответ — она-то понимала, почему Холли не до болтовни. Холли запахнула вокруг бедер свое парео и подхватила маленькую пляжную сумочку, в которой лежало письмо.

Придя на пляж, она нашла укромный уголок подальше от радостных воплей ребятни, болтовни взрослых и плюющихся последними хитами бум-боксов. Расстелила свое пляжное полотенце и устроилась на нем, чтобы не испечься на песке. Волны набегали на берег и рассыпались сотнями брызг. В синем небе с криками носились чайки, пикировали в прозрачную воду и взмывали вверх, унося в клювах свой завтрак. Несмотря на ранний час, солнце уже припекало.

Холли бережно, как самую хрупкую вещь на свете, извлекла из сумочки письмо и старательно обвела пальцем завитки написанного от руки слова «август». Забыв обо всем, она осторожно сломала печать и прочла шестое послание Джерри.

«Привет, Холли!
Надеюсь, ты хорошо отдыхаешь. Кстати, прекрасно выглядишь в этом купальнике! Надеюсь, я выбрал хорошее место. Мы ведь чуть не отправились сюда в свадебное путешествие, помнишь? Ну, рад, что ты наконец здесь очутилась...

Между прочим, если ты сейчас в дальнем от отеля углу пляжа, у скал, — загляни за них, там слева маяк. Мне сказали, что туда приплывают дельфины, об этом мало кто знает. Я знаю, ты любишь дельфинов. Увидишь их, передавай им от меня привет.

P.S. Я люблю тебя, Холли...»

Трясущимися руками Холли затолкала открытку обратно в конверт и поглубже спрятала его в карман сумочки. Она будет беречь его как зеницу ока, пока не вернется домой и не присоединит это письмо к другим, хранящимся в верхнем ящике ее прикроватной тумбочки. Вставая и быстро сворачивая пляжное полотенце, она явственно ощущала на себе взгляд Джерри. Ей казалось, что он здесь, рядом с ней. Потом она быстро пошла в конец пляжа, к скалам. Остановилась надеть кроссовки и стала карабкаться наверх, пока не добралась до гребня.

Все было, как он сказал.

Слева, словно факел, возвышался ярко-белый маяк. Холли осторожно спустилась со скалы и обошла маленькую бухточку. Это было совершенно уединенное, пустынное место. И тут Холли услышала веселый щебет: у берега по ту сторону скал, укрытые от взглядов купальщиков, резвились дельфины. Холли прижалась к песку, чтобы не мешать им, и стала наблюдать, как они со свистом и щелканьем носятся друг за другом.

Джерри был рядом.

Он мог бы взять ее за руку.

Холли прекрасно отдохнула и возвращалась в Дублин посвежевшей и загоревшей. То, что доктор прописал. Впрочем, когда самолет совершил посадку в дублинском аэропорту под проливным дождем, она не смогла удержаться от тяжелого вздоха. На этот раз никто из пассажиров не аплодировал, не выражал бурной радости, и вообще все выглядело по-другому, чем неделей раньше. Холли снова последней получила свой багаж, и только через час они доплелись до Джона, поджидавшего в машине.

— Похоже, в твое отсутствие лепреконы бастовали, — заметила Дениз, окидывая взглядом лужайку перед домом Холли.

Подруги крепко обнялись, расцеловались, и Холли вошла в тихий пустой дом. В нос шибануло спертым воздухом, и она сразу направилась к кухонной двери, выходящей на задний двор, чтобы проветрить.

Едва открыв ее, Холли остолбенела. Ее маленький садик совершенно преобразился.

Трава была пострижена. Сорняки исчезли. Плитки дорожки сияли чистотой, а забор — свежей краской. На клумбах пестрели вновь высаженные цветы, а в углу, в тени раскидистого дуба, стояла деревянная скамейка. Холли только ахнула. Кто мог все это сделать?

Глава двадцать девятая

После возвращения с Лансароте дни потекли тихо и неторопливо. Холли не звонила Шэрон и Дениз. Им было что обсудить, но, проведя целую неделю в тесном общении и беспрестанной болтовне, они нуждались в отдыхе друг от друга. Ее подруги, не сомневалась Холли, придерживались того же мнения.

Застать дома Киару не представлялось возможным — она с энтузиазмом вкалывала у Дэниела, а свободное время проводила с Мэтью. Джек на несколько оставшихся драгоценных недель летней свободы отправился в Корк, к родителям Эбби, ну а Деклан... Кто мог знать, где шатается Деклан.

По возвращении Холли поняла, что не то чтобы тяготится своей жизнью, но... Нельзя сказать, что так уж сильно ей радуется. Ее существование казалось таким... бессмысленным. Когда-то она ждала выходных, старалась переделать как можно больше дел, а теперь — теперь не видела необходимости вылезать по утрам из постели. С подругами она временно не общалась, так что оставалось вести долгие беседы с родителями. По сравнению с ласковой погодой на Лансароте Дублин был сырым и хмурым. Это значило, что Холли не могла поддерживать свой восхитительный загар и радоваться своему новому садику. Честно сказать, пару дней она вообще провела валяясь в кровати. Смотрела телевизор и ждала… Ждала первого числа следующего месяца, когда можно будет вскрыть очередное письмо от Джерри. Интересно, какое приключение он приготовил ей на этот раз? Холли догадывалась, что друзья не одобряют ее пассивности — во время каникул она доказала, что умеет поддерживать позитивный настрой! — но… Пока был жив Джерри, она жила ради него. Теперь она жила ради его писем. Больше ее ничто не занимало. Холли искренне полагала, что у нее в жизни было предназначение — встретить Джерри и идти с ним рука об руку до самого конца. А какое теперь у нее предназначение? Должно же быть хоть какое-то — или там, в небесной канцелярии, произошел крупный сбой.

Пока что ее ближайшие планы сводились к одному — вывести на чистую воду ее садовых лепреконов. Дальнейшие расспросы соседей ни к чему не привели: она по-прежнему понятия не имела, кто взял на себя роль ее таинственного садовника. Она даже подумала, что вызванный кем-то садовник «ошибся дверью», и каждый день ждала в своем почтовом ящике счет за оказанные услуги (оплачивать его она в любом случае не собиралась). Но никакого счета за услуги садовника никто ей не присылал, хотя прочие, как обычно, валились на нее в изобилии, и деньги быстро таяли. Она была по уши в долгах, а еще электричество, телефон, страховка за дом. Почта не приносила ей ничего, кроме чертовых счетов, и она с трудом представляла себе, из каких средств будет их все оплачивать. Но ее это мало беспокоило: она сделалась нечувствительной к дурацким мелочам жизни. Холли жила в мечтах.

В один прекрасный день она сообразила, почему ее лепреконы затаились: они же являлись ухаживать за ее садом исключительно в ее отсутствие. И вот утром она встала пораньше, села в машину, отъехала за угол, пешком вернулась домой и снова плюхнулась в постель — поджидать, не появится ли ее загадочный садовник.

После трех дождливых дней наконец снова распогодилось. Холли уже отчаялась ждать, когда услышала, как перед домом остановился грузовичок и кто-то вошел в сад. Она в панике выскочила из постели и заметалась по комнате, совершенно не соображая, что же ей теперь предпринять. Она отодвинула занавеску, выглянула наружу и увидела мальчика лет двенадцати, который тянул по дорожке к ее дому газонокосилку. Накинув старый безразмерный халат Джерри, она ринулась вниз, не заботясь о том, как сейчас выглядит.

Холли рывком распахнула входную дверь, заставив мальчика отскочить с поднятой рукой и раскрытым от неожиданности ртом. Видно было, что он собирался нажать кнопку звонка.

— Ага! — победно закричала Холли. — Попался, мой маленький лепрекон!

Тот открывал и закрывал рот, как рыба на песке, лишившись дара речи. Наконец скривился, будто собирался заплакать, и закричал: «Па-ап!»

Холли повертела головой, никого не увидела и решила, пока не подойдет отец мальчишки, выжать из него максимум информации.

— Так это ты работал в моем саду? — спросила она, стиснув руки на груди.

Он энергично замотал головой из стороны в сторону и сглотнул.

— Не отпирайся, — мягко сказала она, — я тебя застукала.

Она кивнула в сторону газонокосилки.

Мальчик повернулся, посмотрел в ту сторону, куда она указывала, и снова закричал: «Па-ап!»

Мужчина хлопнул дверью грузовичка и подошел к крыльцу.

— Что случилось, сынок? — спросил он, кладя мальчику руку на плечо и неодобрительно глядя на хозяйку.

Холли не собиралась пасовать.

— Я просто спросила вашего сына о вашей маленькой уловке.

— Какой такой уловке? — Мужчина, похоже, рассердился.

— А такой, что вы работали в саду без моего разрешения, а теперь ждете, что я вам заплачу за работу. Знаю я эти фокусы.

Она уперла руки в бока и постаралась принять как можно более внушительный вид.

Мужчина смутился.

— Извините, миссис, че-то я в толк не возьму, о чем это вы. Мы отродясь в вашем саду не работали.

При этом он красноречиво посмотрел на запущенную лужайку. «Спятила дамочка», — говорил его взгляд.

— Не *этот* сад. Вы потрудились над дизайном сада на заднем дворе.

Холли улыбнулась и хитро взглянула на отца с сыном. Попались!

Но отец улыбнулся ей в ответ.

— Над *дизайном*? Дамочка, да вы в своем уме?! Мы траву стрижем, и все тут. Видите, у нас газонокосилка, и ничего больше нет. Вжжжик! — и готово.

Холли медленно вышла из стойки «руки в боки». Ее разжавшиеся кулаки скользнули в карманы халата. Может, они говорят правду?

— Вы уверены, что никогда не работали у меня в саду?

— Дамочка, я никогда не работал на этой улице и никогда не работал в вашем саду. А теперь уж точно не буду, это вы не сумлевайтесь.

Холли поникла.

— Но я думала…

— Да плевать мне, что вы там думали, ясно? — прервал ее мужчина. — Только впредь собирайте мозги в кучку, прежде чем ребенка пугать.

Холли взглянула на мальчика и увидела, что по щекам у него текут слезы. Она в отчаянии зажала рот рукой.

— О господи! Извините ради бога! Постойте здесь минутку.

Она кинулась в дом, схватила кошелек, достала из него свою последнюю пятерку, вернулась на крыльцо и втиснула ее в пухлую маленькую ладошку. Парнишка просиял.

— Ладно, пошли, — сказал отец, разворачивая сына за плечо и подталкивая его к выходу.

— Па, не хочу я больше с тобой работать, — донесся с улицы его голосок.

— Да брось, сына, не переживай, не все ж такие трехнутые.

Холли закрыла дверь и изучила свое отражение в зеркале. Он прав: она тихо сходит с ума. Для завершения картины осталось только навести полный дом кошек.

Зазвонил телефон.

— Алло?

— Приветик! — радостно возвестила Дениз. — Что поделываешь?

— Жизни радуюсь.

— Я тоже! — хихикнула Дениз.

— И что же именно делает тебя такой счастливой?

— Да ничего особенного. Просто радуюсь.

Ну конечно же. Прекрасной, чудесной, полной жизни. Что за глупый вопрос.

— Ну, что новенького?

— Вообще-то я звоню позвать тебя завтра вместе поужинать. Я знаю, что поздновато предупреждаю, так что если у тебя другие планы... А вообще нет. Лучше *ты* их измени.

— Сейчас, только посмотрю в своем ежедневнике, — саркастически заметила Холли.

— Давай, жду, — на полном серьезе ответила Дениз, и в трубке воцарилось молчание.

— Та-а-ак, что тут у нас... Похоже, завтра вечером я свободна.

— Отлично! — Дениз прямо-таки распирало от счастья. — Встречаемся завтра в восемь в «Ганге».

— Встречаемся — с кем?

— Будут Шэрон с Джоном и еще кто-то из друзей Тома. Мы не виделись целую вечность, так что повеселимся!

— Ладно, до завтра, — ответила Холли и повесила трубку, испытывая раздражение. У Дениз что, совсем из головы выскочило, что она все еще безутешная вдова? Как она сможет веселиться?

Она взбежала наверх и открыла шкаф. Что из этого безнадежно устаревшего тряпья она может надеть завтра в ресторан? И чем, господи боже ты мой, заплатит за изысканный ужин? Она едва может позволить себе держать машину на ходу. Она сгребла одежду в охапку, швырнула ее через всю комнату и начала истошно вопить, пока ей не полегчало. Пожалуй, завтра надо прикупить пяток-другой кошечек.

Глава тридцатая

Холли прибыла в ресторан в восемь двадцать. До этого она потратила несколько часов, перебирая различные предметы своего гардероба. Наконец остановила свой выбор на комплекте, который Джерри когда-то посоветовал ей надевать в караоке-бар. Так она чувствовала его поддержку. Последние несколько недель падений у нее выдалось больше, чем взлетов, и поймать волну было не так-то просто.

Когда она увидела заказанный Дениз стол, душа у нее ушла в пятки.

Сидящая за столом компания представляла собой идеальную иллюстрацию на тему «семейное счастье».

Она остановилась на полпути, потом быстро шагнула в сторону и спряталась за стену. Вряд ли у нее хватит сил это выдержать. Холли осмотрелась по сторонам, размышляя, как проще всего отсюда удрать — идти обратно через главный вход нельзя, они сразу ее засекут. Наконец она увидела запасной выход рядом с дверью на кухню. Его приоткрыли, чтобы выпустить валивший с кухни пар. Шагнув в освежающе холодный воздух, Холли снова почувствовала себя свободной. Через мгновение она уже шагала через парковку, пытаясь придумать, что наврет Шэрон и Дениз.

— Привет, Холли.

Она застыла и медленно повернулась. Попалась! Потом увидела, что это Дэниел. Он курил, прислонившись к своей машине.

— А, привет, Дэниел.

Она шагнула ему навстречу.

— Не знала, что ты куришь.

— Только когда очень нервничаю.

— А ты нервничаешь?

Они обнялись.

— Да, пытаюсь решить, стоит ли присоединяться к тем счастливым парочкам.

Он мотнул головой в сторону ресторана.

Холли улыбнулась:

— И ты тоже?

Он рассмеялся.

— Что ж, если хочешь, я не скажу им, что видел тебя здесь.

— Так ты все-таки идешь?

— Ну, надо же порой смотреть правде в глаза, — мрачно ответил он, гася бычок о подошву.

Холли задумалась над тем, что он сказал.

— Пожалуй, ты прав.

— Нет, слушай, если у тебя нет никакого желания туда идти, то и не ходи. Я не хочу отвечать за то, что испортил тебе вечер.

— Да нет же, наоборот, здорово, что в нашей компании будет еще один одиночка. Нас так мало осталось.

Дэниел рассмеялся и галантно предложил Холли руку:

— Вы позволите?

Холли протянула ему свою, и они медленно прошествовали в ресторан. Сознание, что она сегодня не одна, грело ей сердце.

— Кстати, я уйду сразу после основного блюда, — шепнул он, входя внутрь.

— Предатель, — шлепнула она его по руке. — Мне самой придется уйти пораньше, а то опоздаю на последний автобус.

Уже несколько дней она не заправляла машину — не было денег.

— В таком случае у нас есть прекрасное оправдание. Я скажу, что обещал отвезти тебя домой. Когда тебе надо уйти?

— Скажем, в половине одиннадцатого?

В полночь она собиралась открыть сентябрьское письмо.

— Отлично! — улыбнулся он, и они вошли в ресторан.

— А вот и они! — объявила Дениз.

Холли уселась рядом с Дэниелом, стараясь не растерять свою уверенность, и извинилась за опоздание.

— Холли, это Кэтрин и Мик, Питер и Сью, Джоан и Конал, Тина и Брайан. Джона и Шэрон ты знаешь, это Джеффри и Саманта и наконец, но не в конце — Дез и Саймон.

Холли улыбнулась и кивнула всем сразу.

— Привет, а мы — Дэниел и Холли, — вежливо сказал Дэниел, и Холли хихикнула.

— Мы уже заказали, вы уж извините, — пустилась в объяснения Дениз. — Но понабрали всякого-разного, так что сможем поделиться. Не возражаете?

Дэниел и Холли кивнули.

— Ну, Холли, а ты чем занимаешься? — громко спросила у Холли ее соседка, чьего имени она не запомнила.

Дэниел поднял брови.

— Простите, в каком смысле? — ответила Холли предельно вежливо.

Она терпеть не могла, когда ее спрашивали, на что она живет, — особенно люди, с которыми она познакомилась меньше минуты назад. Она почувствовала, что Дэниел за ее спиной трясется от смеха.

— Ну, чем ты занимаешься по жизни? — повторила соседка.

Холли совсем уж собралась дать шутливый и слегка грубый ответ, как вдруг оселась: все разговоры за столом смолкли и все глаза устремились на нее. Она огляделась по сторонам и смущенно откашлялась.

— Ну… вообще-то… сейчас я без работы.

Ее голос дрогнул.

Губы соседки презрительно дернулись, показав застрявшие между зубов неаппетитные крошки.

— А что делаете вы? — громко спросил Дэниел, нарушая тишину.

— О, у Джеффри собственный бизнес, — гордо сказала она, поворачиваясь к мужу.

— Прекрасно, но *вы*-то что делаете? — повторил Дэниел.

Дама слегка обескураженно поморщилась.

— Ну-у… Мне есть чем заняться. Милый, расскажи им о своей компании, а? — Она снова повернулась к мужу.

Тот откинулся на своем стуле:

— Просто маленький бизнес.

Он откусил кусочек от своей булочки, медленно прожевал и проглотил. Все ждали, пока он продолжит.

— Маленький, но процветающий, — ввернула жена.

Джеффри наконец доел свой хлеб.

— Мы делаем ветровые стекла и продаем гаражам.

— Ух ты, как интересно! — хищно подался вперед Дэниел.

— А вы чем занимаетесь, Дермот? — спросила дама, переводя взгляд на Дэниела.

— Простите, я на самом деле Дэниел. Я — владелец паба.

— А-а, — кивнула дама и отвернулась от него.

— Ужасная стоит погода, правда? — сказала она, обращаясь ко всему столу, и начался общий разговор.

Дэниел подвинулся к Холли:

— Ну как, понравилась поездка?

— Просто фантастика! Мы отдыхали, расслаблялись и ничего такого не откалывали.

— То, что тебе и требовалось, — улыбнулся он. — А что это я там слышал насчет того, что вы чуть не утонули?

Холли закатила глаза:

— Дениз протрепалась???

Он рассмеялся и кивнул.

— Представляю себе, что она наплела!

— На самом деле ничего особенного. Только то, что вокруг вас бесновались акулы и вас пришлось спасать с вертолета.

— Да не может быть!

— Шучу. Но вы, похоже, в самом деле о чем-то захватывающем беседовали, раз не заметили, как вас сносит в море.

Холли слегка покраснела: она вспомнила, что они сплетничали как раз о нем.

— Пожалуйста, внимание! — возвысила голос Дениз. — Вы, наверно, хотите знать, зачем мы с Томом сегодня всех вас собрали.

— Преувеличение года, — шепнул Дэниел, и Холли прыснула.

— Дело в том, что мы хотим кое о чем объявить.

Дениз торжественно обвела всех взглядом.

Холли уставилась на нее во все глаза.

— Так вот: мы с Томом решили пожениться! — крикнула Дениз.

Холли в шоке прижала ладонь ко рту. Этого просто *не может быть*!

— Ах, Дениз, — прошептала она, оббегая стол и сжимая ее в объятиях. — Какая чудесная новость! Поздравляю!

Она оглянулась на Дэниела. Его лицо побелело.

Открыли бутылку шампанского, и все стали чокаться со всеми — с Джеммой и Джимом, Самантой и Сэмом или как их еще там.

— Эй, подождите! — остановила всех Дениз прежде, чем кто-либо успел сделать глоток. — Шэрон, а где твой бокал?

Все поглядели на Шэрон, которая держала в руках стакан апельсинового сока.

— Вот, возьми, — сказал Том, протягивая ей бокал шампанского.

— Нет-нет, спасибо, — ответила та.

— Как это — нет? — капризно спросила Дениз, пораженная, что ее подруга не желает пить по такому торжественному случаю.

Джон и Шэрон переглянулись со смущенными улыбками.

— Ну... мы не хотели говорить сегодня... Все-таки это ваш с Томом день...

Все дружно потребовали продолжать.

— Ну ладно... Я беременна! У нас с Джоном будет ребенок!

Взгляд Джона повлажнел, а Холли словно примерзла к своему стулу. Вот уж чего она не ожидала! Ее глаза наполнились слезами, пока она поздравляла Шэрон и Джона. Затем она снова села на стул и перевела дыхание. Для одного вечера все это слишком.

— Итак, выпьем за помолвку Тома и Дениз и за ребенка Шэрон и Джона! — провозгласила Джемма-и-Джим или Саманта-и-Сэм, и все стали чокаться.

Холли молча жевала, не чувствуя вкуса еды.

— Уйдем в одиннадцать? — тихо уточнил Дэниел, и Холли кивнула в знак согласия.

После ужина они произнесли свои дежурные извинения, и никто не стал их задерживать.

— Сколько с меня? — спросила Холли у Дениз.

— Да брось, — отмахнулась та.

— Перестань! Я не могу позволить тебе платить за меня! Сколько, честно?

Кто-то из сидящих за столом женщин взял меню и стал подсчитывать общую сумму заказа. Блюд было очень много, но Холли ела только закуски — больше она ничего не могла себе позволить.

— Ну, получается примерно по пятьдесят с каждого. Включая вино и бутылку шампанского.

Холли сглотнула и поглядела на зажатые у нее в руке тридцать евро.

Дэниел накрыл ее ладонь своей.

— Ладно, Холли, пошли.

Она уже открыла рот, собираясь извиниться, что у нее не хватает денег, когда Дэниел убрал свою руку. В ладони у Холли оказалась еще одна двадцатка.

Она благодарно улыбнулась Дэниелу, и они направились к его машине.

По дороге они молчали. Каждый думал о прошедшем вечере. Холли искренне хотела бы радоваться за своих подруг, но у нее это плохо получалось. Она не могла избавиться от мысли, что у всех в жизни что-то происходит — только не у нее.

Они заехали на дорожку, ведущую к ее дому. Холли пригласила Дэниела выпить кофе или чаю, уверенная, что он поблагодарит и откажется. Но, к ее изумлению, он поблагодарил и... отстегнул ремень безопасности. Дэниел ей нравился, с ним было легко и весело, но сейчас Холли предпочла бы остаться одна.

— Занятный выдался вечерок, правда? — сказал Дэниел, устроившись на диване и делая первый глоток кофе.

Холли задумчиво покачала головой.

— Дэниел, я знаю этих девчонок всю свою жизнь, но я и понятия не имела, что у них готовятся такие грандиозные события!

— Ну, если это тебя утешит, могу сказать, что я тоже давно знаком с Томом и тоже ни о чем не подозревал.

— Шэрон еще на курорте не брала ни капли в рот. И ее как-то утром тошнило. Но она уверяла, что это морская болезнь...

Холли замолчала, погруженная в свои мысли: только теперь она начала понимать, что к чему.

— Морская болезнь? — удивился Дэниел.

— Ну, после нашего морского приключения.

— А, ну да.

На этот раз никто из них не рассмеялся.

— Забавно, — сказал Дэниел, сползая ниже на диване.

«Господи, — подумала Холли, — он, наверное, никогда не уйдет».

— Ребята всегда говорили, что мы с Лорой поженимся первыми из всей нашей компании, — продолжал он тем временем. — Я и подумать не мог, что Лора сделает это раньше меня.

— Она вышла замуж? — участливо спросила Холли.

Дэниел кивнул, не глядя на нее. Потом желчно рассмеялся.

— Он тоже был из нашей компании. И называл себя моим другом.

— Теперь уже, видимо, нет.

— Да уж. Теперь уже нет.

— Грустно слышать, — сказала она со всей искренностью.

— Что ж, каждому из нас отпущена своя доля невезения. Ты-то это знаешь.

— Н-да…

— Я понимаю, этим не утешишь, но поверь, своя доля везения тоже.

— Ты думаешь?

— Я надеюсь.

Они помолчали немного, и Холли взглянула на часы. Пять минут первого. В самом деле, пора выпроваживать Дэниела.

Тот словно прочитал ее мысли:

— А как там послания не отсюда?

Холли подалась вперед и решительно поставила свою кружку на стол.

— Ну, сегодня ночью я должна открыть очередное. Так что... — Она взглянула на него.

— Ладно.

Он мгновенно сбросил с себя расслабленность, сел прямо и тоже поставил кружку.

— Я лучше пойду.

Холли закусила губу, стыдясь, что так невежливо выставляет его из дому. Но в то же время она испытывала облегчение оттого, что он наконец уходит.

— Спасибо огромное, что подбросил, — сказала она, провожая его к входной двери.

— Да ладно.

Он снял свое пальто с вешалки, и они наскоро обнялись в дверях.

— До скорого, — произнесла она. Глядя, как он идет к машине под дождем, она чувствовала себя законченной стервой. Впрочем, чувство вины немедленно угасло, как только она закрыла за ним дверь. — Ну, Джерри, — промурлыкала она, устремляясь к лежащему на кухонном столе конверту, — что у тебя припасено для меня в этом месяце?

Глава тридцать первая

Холли крепко держала письмо в руке и глядела на часы. Двенадцать пятнадцать. Обычно в это время Шэрон и Дениз уже звонили и спрашивали, сгорая от нетерпения, что оказалось в конверте. Но сейчас что-то никто не звонил. Похоже, новость о помолвке и о беременности важнее нового послания Джерри. Холли отругала сама себя. Нельзя быть такой злюкой. Она хотела бы прямо сейчас оказаться в ресторане и праздновать радостные события в жизни своих подруг, как в старые добрые времена. Беда в том, что сейчас она не смогла бы выжать из себя и улыбки.

Она завидовала им и их везению. Она сердилась за то, что они двигаются дальше, не оглядываясь на нее. В самой многолюдной компании она все равно была одна, и останется одна даже в огромном зале с тысячами людей. Но все-таки, слоняясь по тихим комнатам своего дома, она чувствовала себя особенно одинокой.

Она уже не помнила, когда в последний раз чувствовала себя совершенно счастливой, когда хохотала до рези в животе, до ломоты в скулах. Ей страшно не хватало возможности засыпать умиротворенной; не хватало умения наслаждаться едой (которая превратилась для нее в необходимое условие поддержания собственной жизни), осточертел холодок, возникавший в животе всякий раз, когда она вспоминала Джерри. Ей не хватало *удовольствия* от просмотра любимых телепередач — теперь они стали просто возможностью убить время. Она ненавидела возникающее утром ощущение, что ей незачем вылезать из кровати. Чувство, которое возникало, когда она все-таки вылезала из нее, она ненавидела еще больше. Она ненавидела то, что ей нечего было больше предвкушать с нетерпением. Ей не хватало осознания того, что ее любят, ощущения, что Джерри смотрит на нее, когда она входит в комнату. Ей не хватало его прикосновений, его объятий, его ободряющих слов. Его слов любви.

Она ненавидела подсчитывать, сколько еще дней осталось до того момента, когда она сможет вскрыть следующий конверт, потому что это было все, что от него осталось; а после этого, сентябрьского, конвертов оставалось только три. И она ненавидела саму мысль о том, что с ней будет, когда от Джерри больше ничего не останется. Воспоминания — это прекрасно, но они не имеют вкуса и запаха, их нельзя потрогать. И со временем они неизбежно слабеют.

Так что к черту Шэрон и Дениз — пускай они живут своими радостями, а все, что есть у Холли в ближайшие несколько месяцев, — это Джерри. Она смахнула слезинку и медленно открыла седьмой конверт.

«Лети из пушки на Луну и не бойся промахнуться — все равно останешься среди звезд. Обещай мне найти работу, которая тебе сейчас нравится!

P.S. Я люблю тебя...»

Холли читала и перечитывала это послание, прислушиваясь к своим ощущениям. Она страшилась вернуться на работу, убежденная, что еще не готова к этому, что еще слишком рано. Но теперь у нее не осталось выбора. Время пришло. И если Джерри сказал «пора» — значит, пора.

Лицо Холли озарилось улыбкой. «Я обещаю, Джерри», — прошептала она. Что ж, на этот раз в конверте не оказалось поездки на курорт. Зато он помог ей сделать шаг вперед — к тому, чтобы ее жизнь вернулась в нормальную колею. Прочитав послание несколько раз, Холли, как обычно, долго изучала его слово за словом. Убедившись наконец, что проанализировала каждый завиток почерка, она взяла с посудомоечной машины тетрадь с ручкой и начала составлять список возможных работ.

СПИСОК ВОЗМОЖНЫХ РАБОТ

1. Агент ФБР. — Я не американка. Не хочу жить в США. Не имею опыта работы в полиции.

2. Адвокат. — Ненавижу учебу. Не хочу миллион лет проторчать в университете.

3. Врач. — Бррр.

4. Медсестра. — Не переношу ходить в халате.

5. Официантка. — Съем все блюда прежде, чем донесу.

6. Частный сыщик. — Хорошая идея, только кто ж меня наймет?

7. Косметолог. — Кусаю ногти и редко делаю эпиляцию. Не хочу разглядывать чужие телеса.

8. Парикмахер. — Не хочу иметь начальника вроде Лео.

9. Продавец-консультант. — Не хочу иметь начальника вроде Дениз.

10. Секретарша. — БОЛЬШЕ НИ ЗА ЧТО.

11. Журналист. — Ниасилю, многа букв. Ха-ха. Выйдет комедия.

12. Комик. — См. выше (п. 11). Не смешно.

13. Актриса. — Выше отмеченного критиками успеха в «Девушках в большом городе» мне уже не подняться.

14. Манекенщица. — Низенькая, слишком толстая, слишком старая.

15. Певица. — См. п. 12.

16. Крутая рекламщица, хозяйка жизни. — Гмм-м... Требует дополнительного рассмотрения (завтра).

Холли рухнула спать в три часа ночи. Ей снилось, что она проводит блистательную презентацию перед целой шеренгой топ-менеджеров в кабинете небоскреба на Грифтон-стрит. Что ж, Джерри велел ей целиться в Луну...

Она проснулась рано, под впечатлением от своих снов быстро приняла душ, на скорую руку прихорошилась и отправилась в местную библиотеку изучать рабочие вакансии в интернете.

Громкий стук каблуков по деревянному полу, сопровождавший ее проход через читальный зал к столу библиотекаря, заставил некоторых посетителей оторвать глаза от книг и проводить ее взглядом. Ее каблуки еще продолжали цокать, а лицо уже залила краска, когда она поняла, что на нее смотрят. Она замедлила шаг и постаралась ступать на носочки, чтобы не привлекать внимания. При этом ей казалось, что она выглядит как персонаж мультика, с преувеличенной осторожностью крадущийся на цыпочках. От этой мысли ее лицо залилось краской пуще прежнего. Двое детей в школьной форме, явно прогуливающие уроки, фыркнули, когда она проходила мимо их стола.

— Ш-ш-ш! — пригрозил им библиотекарь.

Холли продолжила свой путь, прибавив шагу. Ее каблуки звонко стукнули, по обширному залу разнеслось эхо. Она заторопилась, стараясь поскорее преодолеть оставшееся расстояние, и эхо заметалось между стенами. Наконец Холли подбежала к регистратуре, прекратив эту пытку.

Библиотекарша взглянула на нее снизу вверх и изобразила на лице удивление — как будто не слышала, как Холли только что топала по комнате.

— Здрастье, — зашептала Холли. — Скажите, можно от вас выйти в интернет?

— Простите? — сказала библиотекарша совершенно нормальным голосом и подвинулась поближе к Холли.

— Ой, — смутилась Холли, не понимая, с чего это она стала шептать. — Я говорю, можно от вас выйти в интернет?

— Ну конечно, — улыбнулась библиотекарша. — Вон там, пожалуйста.

Она указала на целый ряд компьютеров у противоположной стены.

— Пять евро за каждые двадцать минут.

Холли протянула последние десять евро. Это было все, что она смогла выдоить утром со своего банковского счета. Ей пришлось заниматься этим под взглядами длинной очереди. Пришедшие вслед за ней клиенты стояли и смотрели, как она постепенно уменьшала просимую у банкомата сумму, а тот всякий раз бесцеремонно пищал и заявлял что «недостаточно средств», пока наконец запрос не упал с сотни евро до десятки. Она поверить не могла, что это все, — зато получила веский стимул энергично заняться поисками работы.

— Нет-нет, — замахала руками библиотекарша, — расплатитесь, когда закончите.

Холли взглянула на шеренгу компьютеров вдалеке. Опять придется немножко пошуметь. Она глубоко вздохнула и пустилась в путь, обходя ряды столов. В какой-то момент она чуть не рассмеялась — до того это оказалось похожим на падение костяшек домино. Стоило ей поравняться с очередным рядом, как читатели поднимали головы и начинали пялиться на нее. Наконец она добралась до компьютерного ряда, и только здесь поняла, что все машины заняты. Она чувствовала себя так, словно ей не досталось места в игре «займи стул». В конце концов, это становилось просто нелепым. Она сделала сердитый жест в сторону читателей, словно говоря: «чего уставились?», и те тут же уткнулись носами в свои книги.

Холли осталась стоять посреди комнаты, барабаня пальцами по сумочке и глядя по сторонам. Вдруг глаза ее чуть не выскочили из орбит: за одним из экранов сидел Ричард и увлеченно барабанил по клавиатуре. Холли тихонько подкралась к нему и постучала по плечу. Он подпрыгнул и оборотился в кресле.

— Привет, — шепнула она.

— А, Холли, привет. Что ты здесь делаешь? — В голосе Ричарда чувствовалось напряжение, как будто его застали за каким-то предосудительным занятием.

— Просто жду, пока освободится компьютер, — объяснила она. И гордо добавила: — Я ищу работу!

Просто произнося эти слова, она чувствовала, как пробуждается от спячки.

— Ну что ж... — Он повернулся обратно к экрану и захлопнул открытое на нем окошко. — Можешь воспользоваться этим.

— Нет-нет, — запротестовала она, — не прерывайся ради меня!

— Да я ничего особенного не делаю. Так, кое-что по работе.

Он встал, освобождая ей место.

— А чего ты вообще сюда-то приехал? — удивилась она и пошутила: — У вас там в Блэкроке что, компьютеров нет?

Холли не очень хорошо понимала, в чем, собственно, заключается работа ее брата. А сейчас, когда он работает на одном месте уже десять лет, спрашивать об этом как-то странно. Она знала только, что он носит белый халат, пропадает в лаборатории и проводит бесконечные эксперименты с какими-то разноцветными жидкостями. Холли и Джек всегда говорили друг другу, что их братец стряпает «эликсир счастья». Сейчас ей было неловко даже вспоминать об этих шуточках.

— Моя работа везде меня достает, — отшутился Ричард.

— Ш-ш-ш! — снова громко шикнула библиотекарша. На сей раз явно в их адрес. Зрители Холли снова оторвались от своих книг и все разом взглянули на нее. Ну вот, сердито подумала она, теперь ей предлагают шептаться.

Ричард коротко попрощался, расплатился в регистратуре и тихо выскользнул из зала.

Когда Холли уселась за компьютер, сосед странно ей улыбнулся. Она улыбнулась ему в ответ. При этом ее взгляд упал на его экран и обнаружил открытый порносайт. Холли поспешила отвести взгляд. Сосед продолжал пялиться на нее с жутковатой улыбкой, но Холли перестала обращать на него внимание и углубилась в свои поиски.

Через сорок минут она с чувством глубокого удовлетворения выключила компьютер, пошла к библиотекарше и выложила на стол свою десятку. Женщина, не обращая на нее внимания, набрала что-то на своем компьютере. Потом повернулась к Холли:

— Пятнадцать евро, пожалуйста.

Холли сглотнула и уставилась на свою банкноту. Потом сказала:

— Но вы же, помнится, говорили, пять евро за двадцать минут?

— Совершенно верно, — подтвердила библиотекарша, лучезарно улыбаясь.

— Но я была в Сети только сорок минут!

— На самом деле сорок четыре минуты. Дополнительное время засчитывается как полный сеанс работы, — заявила библиотекарша, тыкая пальцем куда-то в экран.

— Но это всего несколько минут! Как они могут стоить пять евро?

Библиотекарша ничего не ответила и продолжала улыбаться.

— Слушайте, вы что, ждете, что я заплачу? — догадалась наконец пораженная Холли.

— Таковы правила.

Холли понизила голос и пригнулась к женщине:

— Слушайте, мне очень неудобно, но у меня при себе всего десять евро. Могу я занести остальное попозже?

Библиотекарша покачала головой:

— Нет, это не разрешается. Надо заплатить всю сумму.

— Но у *меня нет* всей суммы!

Женщина продолжала смотреть отсутствующим взглядом.

— Ладно, — вздохнула Холли и вытащила мобильник.

— Извините, запрещено!

Библиотекарша указала на висящий на стене знак с перечеркнутым мобильным телефоном.

Холли выдохнула и *медленно* посчитала в голове до пяти.

— Если вы не дадите мне воспользоваться мобильным, я не смогу никому позвонить и попросить меня выручить. Если я не смогу никому позвонить, никто сюда не придет и не даст мне денег. Если никто не придет и не даст мне денег, я не смогу вам заплатить. Что будем делать?

Последнюю фразу Холли почти выкрикнула.

Библиотекарша нервно заерзала.

— Могу я выйти позвонить?

Перед женщиной встала дилемма.

— Ну… обычно мы не позволяем людям с неоплаченными счетами выходить из зала… Ну да ладно, так и быть. Сделаем исключение.

Она широко улыбнулась Холли и поспешно добавила:

— Только стойте прямо перед входом, чтобы я вас видела!

— Отсюда вы меня видите? — ехидно спросила Холли от дверей.

Библиотекарша стала нервно перебирать лежащие перед ней бумаги.

Холли стояла в дверях и размышляла, кому ей позвонить. Шэрон и Дениз она исключила сразу. И та и другая наверняка примчались бы по первому зову, но Холли не хотела посвящать подруг, пребывавших на седьмом небе от счастья, в свои неурядицы. Она не могла позвонить Киаре: та работала в дневную смену. Джек с сентября снова начал преподавать, Эбби — тоже, Деклан ушел в колледж, Ричард... Ну, это вообще не обсуждается.

Холли листала записную книжку, и по ее лицу катились слезы. Обладатели большинства забитых в нее номеров вообще ни разу не позвонили ей со дня смерти Джерри. А это значило, что и ей больше некому звонить. Холли повернулась спиной к библиотекарше, чтобы та не видела, как она плачет. Что же делать? Как это горько — звонить и просить пять евро! Но еще горше то, что и позвонить-то некому... Но что-то надо предпринять. Иначе эта упертая библиотекарша сдаст ее в полицию. Холли в отчаянии набрала первый номер, который пришел ей в голову.

«Привет, это Джерри. Пожалуйста, оставьте сообщение, я перезвоню вам, как только смогу».

— Джерри, — зарыдала Холли в трубку, — мне тебя так не хватает!

Она стояла у дверей читального зала и ждала. Библиотекарша не спускала с нее глаз, видно, боялась, что она сбежит. Холли скорчила ей гримасу и отвернулась.

— Тупая сука, — прорычала она себе под нос.

Наконец подъехала машина ее матери, и Холли постаралась вернуть себе как можно более нормальный вид. Наблюдая, как мама с безмятежным видом заруливает на стоянку и паркуется, Холли погрузилась в воспоминания. Мама обычно забирала ее из школы — вот и на сей раз семейная машина прибыла, чтобы спасти ее из дневного кошмара. Холли снова почувствовала себя маленькой девочкой. Она всегда ненавидела школу — разумеется, пока не встретила Джерри. После этого она мчалась в школу вприпрыжку, потому что там они могли, оккупировав заднюю парту, болтать сколько душе угодно.

Глаза у Холли снова подозрительно заблестели, и Элизабет поспешила обнять свою дочку.

— Бедная маленькая Холли… Что случилось, золотко?

Пока Холли рассказывала свою историю, мать гладила ее по волосам и бросала на библиотекаршу сердитые взгляды.

— Ладно, детка. Иди посиди в машине, пока я с этим разберусь.

Холли охотно воспользовалась этим предложением, скользнула в машину и включила радио погромче. Она всегда так делала, пока мама разбиралась со школьными хулиганами.

— Вот коровища, — проворчала Элизабет, залезая в машину. Потом взглянула на осунувшуюся дочку. — Поехали домой? Отдохнешь как следует.

Холли благодарно взглянула на маму. Домой… Как ей нравилось звучание этого слова.

Холли уютно расположилась на диване рядом с мамой. Она снова чувствовала себя подростком. Они частенько тогда устраивались вот так на диване и принимались болтать обо всем на свете. Холли очень хотела бы снова поговорить сейчас, как раньше.

Элизабет прервала ее мысли:

— Я звонила тебе вчера вечером и не застала. Ты где-то была?

Холли отхлебнула чаю. О, волшебный чай, чудесный ответ на все заморочки в жизни. О тебе распускают сплетни — а у тебя есть чашка чая. Тебя увольняют с работы — а у тебя есть чашка чая. Твой муж говорит тебе, что у него рак мозга, — а у тебя есть чашка чая...

— Да, я ходила в ресторан с девочками. И еще с кучей народа.

Холли устало потерла глаза.

— Как там девочки?

Мама всегда хорошо относилась к ее подругам — в отличие от подруг Киары, которые ее ужасали.

Холли сделала еще один глоток.

— Шэрон ждет ребенка, а Дениз помолвлена, — выпалила она, глядя вдаль.

— Хм, — сказала Элизабет, не очень понимая, как ей реагировать, потому что Холли вывалила ей эти новости так, словно они ее удручали.

— И что ты по этому поводу думаешь? — мягко спросила она наконец, откидывая у дочери волосы с лица.

Холли уставилась на свои ладони, сдерживаясь из последних сил. Получилось у нее это плохо. Ее плечи затряслись, и она попыталась снова спрятать лицо за волосами.

— Ах, Холли, — печально сказала Элизабет, ставя свою чашку и пододвигаясь поближе. — Не переживай, это совершенно нормальная реакция.

Холли не могла выдавить ни слова.

Входная дверь хлопнула.

— Мы пришли-и-и! — объявила Киара на весь дом.

— Очень рады, — пробормотала Холли, пряча лицо на груди у матери.

— Где все??? — кричала Киара, открывая и закрывая все двери.

— Дорогая, одну минутку! — отозвалась Элизабет, досадуя, что младшая дочь так грубо прервала их с Холли беседу по душам. Холли давно уже не была с ней так откровенна. С самых похорон она предпочитала держать все в себе, но вот теперь, кажется, «всего» накопилось слишком много. А громогласная Киара могла загнать ее обратно в скорлупу.

— У меня новости! — кричала тем временем Киара.

Ее голос становился все громче по мере того, как она приближалась к гостиной. Наконец дверь распахнулась под напором плеча Мэтью, который нес Киару на руках.

— Мы с Мэтью возвращаемся в Австра... — начала она радостно, но крик застыл у нее на устах, когда она увидела свою плачущую сестру в объятиях матери. Киара тихонько соскользнула на пол из рук Мэтью, вывела его из комнаты и бесшумно прикрыла за собой дверь.

— Ну вот и Киара уезжает!

Холли зарыдала еще пуще, и Элизабет тихонько к ней присоединилась.

Холли допоздна говорила с матерью обо всем, что накипело у нее на душе за последние несколько месяцев. И хотя та наговорила ей в ответ множество утешительных слов, она чувствовала себя так же скверно, как до этого. Она заночевала в гостевой комнате — и наутро обнаружила, что оказалась в сумасшедшем доме. Холли улыбалась, слушая привычные вопли брата и сестры, опаздывающих на репетицию и на работу соответственно, сопровождаемые грозными призывами отца поторопиться и мягкими увещеваниями матери говорить потише, чтобы не разбудить Холли. Жизнь шла своим чередом, и не существовало достаточно большого пузыря, чтобы укрыться в нем от внешнего мира.

К обеду отец доставил ее домой и вручил ей чек на пять тысяч евро.

— Нет, папа, я не могу этого принять, — пробормотала потрясенная Холли.

— Бери, — добродушно сказал он, отводя ее руку. — Позволь нам тебе помочь, детка.

— Я верну все, до последнего цента!

Холли на прощание помахала отцу с зажатым в другой руке чеком, и с ее плеч словно гора упала. Теперь она могла позволить себе думать о двадцати разных вещах — между прочим, обновление гардероба она в их число не включила. По дороге на кухню она заметила, что огонек автоответчика на столике в прихожей мигает. Она присела на нижнюю ступеньку и принялась слушать.

Пришло пять новых сообщений.

Первое было от Шэрон. Та спрашивала, все ли у нее в порядке, потому что они не созванивались целый день. Второе — от Дениз. Та спрашивала, все ли у нее в порядке, потому что они не созванивались целый день. Девушки явно говорили друг с другом. Третье снова было от Шэрон, четвертое от Дениз, а пятый звонивший просто повесил трубку. Холли стерла их все и поднялась наверх переодеться. Она понимала, что еще не совсем готова к беседе с подругами: ей надо было сперва разобраться со своей жизнью.

Холли уселась перед компьютером и принялась набирать свое резюме. Постоянно меняя работу, она давно стала асом по этой части. Правда, с тех пор, когда ей приходилось готовиться к собеседованиям, прошло уже немало времени. Даже если дойдет до собеседований — кому нужен сотрудник, не работавший перед этим целый год?

Ей понадобилось два часа, чтобы напечатать что-то более-менее пристойное. На самом деле Холли гордилась проделанной работой. Ей удалось сделать так, что она выглядела на бумаге умной и опытной. Холли громко рассмеялась — хочется надеяться, что ей удастся заморочить голову будущим работодателям и они поверят, какой она ответственный работник. Перечитывая свой опус, Холли подумала, что охотно наняла бы сама себя.

В понедельник она тщательно выбрала, во что одеться, и отправилась на машине (которую наконец-то удалось заправить) в агентство по трудоустройству. Перед тем как выйти из припаркованной машины, аккуратно подвела губы, глядя в зеркальце заднего вида. Хватит терять время. Если Джерри велел ей найти работу — она будет искать работу.

Глава тридцать вторая

Несколькими днями позже Холли сидела на новой скамейке своего преобразившегося садика, попивая бокал красного вина и прислушиваясь к шелесту листвы. Разглядывая изящные контуры сада, она решила, что, кто бы над ним ни потрудился, это явно был профессионал. Она вздохнула и позволила нежным запахам цветов коснуться ноздрей. Было восемь часов, и уже начинало темнеть. Светлые вечера кончились; зима была на пороге.

Она стала думать о сегодняшнем звонке из агентства. Такой быстрый ответ оказался для нее полной неожиданностью. Когда она вернулась домой, женский голос на автоответчике сообщил ей, что ее резюме вызвало большой интерес и ей уже назначены два собеседования.

В животе у нее возник холодок. Ей никогда особо не удавались собеседования, но, впрочем, она никогда особо не рвалась на те места, ради которых таскалась на эти встречи. В этот раз все было по-другому. Она мечтала возобновить трудовую деятельность и открыть для себя что-то новое. Первое собеседование касалось работы менеджера по рекламе в дублинском городском журнале. У нее не было ни малейшего опыта в этой области, но она очень хотела научиться. Это предложение звучало куда заманчивее, чем все ее предыдущие места работы — а ей в основном приходилось заниматься ответами на телефонные звонки, отсылкой факсов и тому подобным. Да она что угодно готова делать, только не это — все будет шаг вперед.

Второе приглашение на собеседование поступило от крупного ирландского рекламного агентства. Она понимала, что у нее нет ни малейших шансов пройти его, но ведь Джерри велел ей целиться в Луну…

Еще Холли думала о другом телефонном звонке — от Дениз. Ее голос звучал очень возбужденно и, похоже, ее ничуть не смущало, что Холли не разговаривала с ней с прошлой недели — того самого торжественного ужина в ресторане. Наверно, она просто этого не помнила. Дениз вся была в мыслях о предстоящей свадьбе и почти час рассказывала Холли о том, какое на ней будет платье, какой у нее будет букет и где будет происходить церемония. Она начинала фразу и не заканчивала ее, перескакивая на другой предмет. Все, что требовалось от Холли, — время от времени поддакивать в знак того, что она слушает… хотя на самом деле она не слушала. Единственная крупица информации, которую она сумела выудить, — это то, что Дениз хочет назначить свадьбу на 31 декабря и что Том даже не пикнул. Холли немало удивилась, услышав, что свадьба так скоро. Честно говоря, она думала, что это окажется одна из тех «официальных» помолвок, которые тянутся по меньшей мере несколько лет — особенно если учесть, что Том и Дениз на день помолвки провели вместе всего пять месяцев. Но Холли не беспокоилась по этому поводу. Она стала горячим сторонником идеи «нашел любовь — храни ее вечно». Том и Дениз нашли друг друга — зачем терять время и переживать по поводу бесконечных вопросов: «Достаточно ли вы уверены в своих чувствах?»

Шэрон тоже не звонила с того самого дня, и Холли чувствовала, что пора ей самой позвонить, пока Шэрон не станет совсем не до того. У Шэрон сейчас особое время, ей нужна поддержка, и она, ее подруга, должна подставить свое плечо. Но Холли не могла этого сделать. Она завидовала. Это было ужасно глупо, несправедливо, эгоистично, но Холли ничего не могла с собой поделать. Она *должна была* вести себя эгоистично в эти дни, чтобы выжить. У нее до сих пор ком подкатывал к горлу при мысли, что Шэрон и Джон сделали то, что они, Холли и Джерри, должны были сделать первыми. Шэрон всегда говорила, что терпеть не может детей, зло подумала Холли.

Стало прохладно. Холли зашла в свой теплый дом и снова наполнила бокал красным вином. Все, что ей оставалось делать ближайшие пару дней, — это ждать собеседований и молиться о том, чтобы они прошли успешно. Она перешла в гостиную, поставила в музыкальный центр любимый Джерри сборник романтических баллад, устроилась с вином на диване и погрузилась в грезы о том, как они вдвоем танцуют по комнате.

На следующее утро ее разбудил автомобильный сигнал. Она вскочила с кровати и накинула халат Джерри. Наверно, пригнали обратно машину, которую она несколько дней назад сдала на ежегодное техобслуживание. Но, поглядев через штору, Холли отскочила обратно в комнату. Это была не ее машина: из нее вылезал Ричард. Холли надеялась, что он не успел ее приметить, потому что была совершенно не в настроении принимать его сейчас. Она беспокойно прошлась по комнате, слыша, как дверной звонок тренькает второй раз. Она вела себя ужасно. Но она просто не могла себя заставить спуститься вниз и вести с братом еще один бестолковый разговор. Ей нечего было ему сказать. В ее жизни ничего не изменилось, у нее не было волнующих новостей. У нее *вообще* не было новостей, тем более для Ричарда.

Она облегченно вздохнула, когда услышала шум удаляющихся шагов и стук захлопывающейся автомобильной дверцы. Она залезла в душ, подставила лицо струям теплой воды и снова ушла в себя. Через двадцать минут она сбежала вниз в своих тапочках диско-дивы. Странный скрежещущий звук заставил ее замереть на месте. Она навострила уши, пытаясь определить его происхождение. Вот опять: скрежет и шуршание, словно кто-то копошится у нее в саду… Вдруг до нее дошло — да это же ее садовый лепрекон.

Она прокралась в гостиную, вообразив почему-то, что тот, кто был снаружи, может услышать ее в доме, опустилась на колени, подползла к окну и отогнула занавеску. Обомлев, она увидела, что машина Ричарда все еще стоит на ее дорожке. Но еще больше поразил ее вид Ричарда, стоящего на коленях с каким-то садовым инструментом в руках и старательно высаживающего на клумбу новые цветы. Она отпрянула от окна и опустилась на ковер в середине комнаты, не понимая, что делать дальше. Шум еще одной подъехавшей машины вывел ее из оцепенения. Ее мозг лихорадочно заработал, соображая, как быть — открывать дверь подогнавшему ее машину механику или нет? Ричард по каким-то причинам не желал, чтобы она знала, что это он ухаживает за ее садом, и она готова была уважить его желание — по крайней мере сейчас.

Увидев, что механик идет к входной двери, она спряталась за диваном и сама рассмеялась — так глупо все это выглядело. Зазвенел дверной звонок, потом механик подошел к окну и стал заглядывать внутрь. Холли еще глубже забилась за диван. Сердце ее забилось сильнее, будто она делала что-то незаконное. Она сжала губы, стараясь удержаться от смеха, и снова почувствовала себя маленькой девочкой. Она никогда не умела играть в прятки: как бы хорошо она ни спряталась, когда водящий подходил к ней, на нее нападал смех и выдавал ее. Так что ей без конца приходилось водить самой. И теперь, услышав, как механик бросил ключи в почтовый ящик и ушел восвояси, она вздохнула с облегчением.

Лишь через несколько минут она высунула голову из-за дивана и проверила, можно ли выбраться наружу. Отряхивая пыль с одежды, она корила себя, что, пожалуй, все-таки уже старовата для таких нелепых игр. Выглянув снова из-за занавески, она увидела, как Ричард собирает свой садовый инвентарь. Холли выскочила из тапочек и сунула ноги в кроссовки.

Вообще-то в нелепых играх нет ничего дурного, а у нее сейчас нет других дел. Как только Ричард выехал с ее дорожки, она выбежала наружу и запрыгнула в свою машину. В погоню за лепреконом!

Холли держалась в трех машинах от него (как видела в фильмах), и сбросила скорость, когда он стал притормаживать. Он припарковался, зашел в мини-маркет и вернулся с газетами в руках. Холли надела темные очки, бейсболку, развернула валяющийся до сих пор у нее в бардачке номер «Арабских новостей» и принялась наблюдать поверх газеты. Поймав свое отражение в зеркальце, она не могла удержаться от смеха: трудно было сыскать на свете более подозрительную личность, чем она сейчас. Ричард тем временем пересек улицу и направился в «Большую ложку». Холли была разочарована: она ожидала чего-то более захватывающего.

Она несколько минут просидела неподвижно, придумывая новый план, и вздрогнула, когда ей в окно постучал дорожный инспектор.

— Здесь нельзя парковаться! — сказал он, одновременно показывая на парковку.

Холли ласково улыбнулась ему в ответ и тяжело вздохнула, выискивая свободное место. Небось у Кэгни и Лэси[1] таких проблем не было.

Сидящий в Холли ребенок вдруг заснул. Взрослая Холли сорвала очки и бейсболку и бросила их на пассажирское сиденье, чувствуя себя ужасно глупо. Игры кончились. Началась реальная жизнь.

Она пересекла дорогу и зашла в кафе. Ее брат сидел за дальним столиком, спиной к ней, и читал газету, прихлебывая чай. Холли решительно направилась прямо к нему, счастливо улыбаясь.

---

1 Героини американского сериала о женщинах-полицейских (1982–1988).

— Господи, Ричард, ты вообще когда-нибудь на работу ходишь? — выпалила она вместо приветствия.

Тот вздрогнул. Она собиралась сказать что-то еще, но осеклась, когда он поднял на нее глаза, полные слез, и его плечи затряслись.

Глава тридцать третья

Холли в замешательстве огляделась по сторонам, пытаясь понять, обращает ли кто-нибудь еще на них внимание. Затем подвинула стул и присела рядом с братом. Она что, что-то не то сказала? Холли в замешательстве вглядывалась в лицо Ричарда, не зная, что добавить. Она могла точно сказать, что никогда раньше не оказывалась в подобной ситуации.

По его лицу текли слезы, он изо всех сил старался их удержать.

— Ричард, что случилась? — смущенно спросила она, неловко положила свою ладонь на его и робко сжала.

Его продолжали сотрясать рыдания.

Тучная женщина, на сей раз в переднике канареечно-желтого цвета, вынесла из кухни пачку бумажных платочков и положила на стол.

— Вот, возьмите, — сказала она, протягивая Ричарду один.

Тот взял платок, вытер глаза и громко, постариковски, высморкался. Холли постаралась спрятать улыбку.

— Извини, что я тут разревелся, — смущенно сказал он, стараясь не смотреть Холли в глаза.

— Брось, — ответила она мягко, снова кладя свою ладонь на его, на сей раз гораздо ловчее. — Плакать — это нормально. В последние дни это мое новое хобби, так что меня этим не удивишь.

Он слабо улыбнулся.

— У меня все словно из рук валится, — грустно сказал он. По его щеке покатилась слезинка, он подхватил ее платочком, прежде чем она успела упасть.

— Что, например? — спросила она, озадаченная трансформацией своего брата. За последние несколько месяцев он столько раз поворачивался к ней новой неожиданной стороной, что теперь она не знала, что и думать.

Ричард глубоко вздохнул и отхлебнул чаю. Холли взглянула на женщину за стойкой и заказала еще один чайник.

— Ричард, — мягко начала она, — я недавно узнала, что говорить о своих проблемах помогает. Для меня лично это было большой новостью, потому что я привыкла держать рот на замке и гордилась этим.

Она ободряюще улыбнулась:

— Расскажи мне, что случилось?

Он с сомнением смотрел на нее.

— Я не буду смеяться, не буду перебивать. Если ты не хочешь, я вообще не пророню ни слова. Буду просто слушать.

Ричард поглядел по сторонам, потом сфокусировал взгляд на солонке и перечнице посреди стола и спокойно сказал:

— Меня уволили.

Холли продолжала хранить молчание, ожидая, что он что-то еще добавит. Он молчал, потом наконец взглянул прямо на нее.

— Ничего страшного, Ричард. Я знаю, ты любил свою работу, но ты найдешь другую. Слушай, я теряла работу тыщу раз, и…

— Я потерял работу в апреле, — сердито перебил сестру Ричард. — Сейчас сентябрь. А для меня так ничего и не нашлось.

Он снова посмотрел вдаль.

— Хм… — выдавила Холли, не зная, что еще сказать.

Наконец она снова заговорила.

— Ну, ведь Мередит по-прежнему работает, так что у вас есть стабильный доход. Ты можешь спокойно искать подходящее место и рано или поздно найдешь. Я знаю, это звучит не очень…

— Мередит бросила меня месяц назад, — снова прервал ее Ричард, и на сей раз его голос дрогнул.

Холли прижала ладони ко рту и замерла. Господи, бедный Ричард. Она терпеть не могла эту суку, но Ричард ее просто обожал.

— А дети? — осторожно спросила она.

— Живут с ней, — ответил он и снова всхлипнул.

— Ох, Ричард, мне так жаль!

Холли оторвала ладони от лица и не знала, куда деть руки. Стоит ли ей сейчас его обнять?

— А уж мне-то как жаль, — мрачно ответил он, продолжая глядеть на солонку и перечницу.

— Это не твоя вина, — запротестовала Холли. — Так что не пинай себя так!

— Не моя? — ответил Ричард, и его голос начал дрожать. — Она сказала мне, что я смешной, жалкий человек, от которого семье нет никакого проку, и...

Ричард снова зарыдал.

— Выкинь из головы, что тебе эта идиотка наговорила, — сердито сказала Холли. Потом продолжила, стараясь придать вес каждому слову: — Ты отличный отец и верный муж. Тимми и Эмили тебя обожают, потому что ты возишься с ними, так что не обращай внимания. Мало ли что эта сука сболтнула.

Она обвила руки вокруг плачущего брата и крепко его обняла. Она хотела немедленно отправиться к Мередит и вцепиться ей в рожу. Вообще-то ей всегда этого хотелось, но теперь у нее появился хороший повод.

Слезы Ричарда наконец иссякли, он освободился из ее объятий и потянулся за еще одним платочком. Сердце Холли разрывалось от жалости. Ее брат всегда так старался делать все правильно, жить совершенной жизнью и завести идеальную семью. И вот сейчас выяснилось, что все его усилия пошли прахом. Не удивительно, что он сломался.

— А где ты живешь? — спросила она, вдруг осознав, что последние несколько недель у него просто нет дома, в который он может вернуться.

— В мотеле здесь неподалеку. Приятное место. Хорошие люди.

Ричард налил себе еще одну чашку. От тебя ушла жена, а у тебя есть чашка чаю...

— Ричард, зачем тебе жить в мотеле? — поразилась Холли. — Почему ты никому из нас ничего не сказал?

— Я думал, что мы сумеем это уладить... Но это невозможно. Она уперлась насмерть.

Как бы ни хотелось Холли немедленно предложить брату пожить у нее, она понимала, что не стоит этого делать. Ей бы, дай бог, со своими делами разобраться — и она была уверена, что брат ее поймет.

— А папа с мамой? Они же будут рады тебе помочь!

Ричард покачал головой:

— Нет, там же сейчас Киара. И Деклан. Я не могу выставлять себя перед ними на посмешище. Я теперь взрослый мужчина.

— Ричард, не валяй дурака! — возмутилась Холли. — Твоя старая комната ждет тебя. Точно тебе говорю.

Чтобы убедить его, она добавила:

— Я сама там ночевала несколько дней назад.

Он поднял на нее глаза.

— Нет ничего смешного в том, чтобы возвращаться в родительский дом снова и снова. Это очищает душу.

Ричард глядел на нее с сомнением.

— Хм... не уверен, что это стоит делать, Холли.

— Если тебя Киара смущает, то не переживай. Она скоро уезжает в Австралию со своим парнем, и дом станет менее... оживленным.

Его лицо немного расслабилось.

— Ну что ты раздумываешь? — подбодрила его Холли. — Решайся! И к тому же не будешь переплачивать за простыни и сэндвичи чужим людям. Какими бы милыми они ни были.

Ричард улыбнулся, но улыбка его быстро увяла.

— Я... я не могу, Холли. Я не представляю, что я скажу папе и маме. Как я попрошусь к ним пожить.

— Я поеду с тобой, — обещала Холли. — И сама с ними поговорю. Вот увидишь, они будут рады. Ты же их сын, и они тебя любят. Мы все тебя любим, — добавила она.

— Ладно, — наконец согласился он.

Она взяла его под руку, и они направились к стоянке.

— Да, кстати, Ричард, спасибо за сад, — сказала Холли, прежде чем они разошлись по своим машинам. Потом поднялась на цыпочки и поцеловала в щеку.

— Так ты поняла?

Она кивнула.

— У тебя явный талант. Я сполна оплачу твой труд, как только сама найду работу.

Ричард расплылся в улыбке. Потом они разошлись по машинам и направились в дом, в котором выросли.

Холли стояла в туалете офисного здания, куда приехала на свое первое собеседование, и смотрела на себя в зеркало. Она так сильно похудела с тех пор, когда покупала все свои костюмы, что пришлось разориться на новый. Зато он выгодно подчеркивал ее стройную фигуру. Пиджак доходил почти до колен, но сидел как влитой, держась всего на одной пуговице на талии. Брюки тоже сидели идеально, красиво ниспадая на сапоги. Блузку она выбрала черную, в светло-синюю полоску, и поддела под нее светло-голубой топ. Она и вправду чувствовала себя крутой рекламщицей. Оставалась самая малость — и на других произвести такое же впечатление. Она наложила еще один слой помады и поправила локоны, которые решила на этот раз оставить распущенными по плечам. Потом сделала глубокий вдох и решительно направилась в приемную.

Там она села и бросила взгляд на других соискателей. Все они были гораздо моложе ее. У многих на коленях лежали пухлые папки. Она присмотрелась и убедилась, что папки были просто у всех. Видимо, она что-то пропустила. Холли снова поднялась и направилась к секретарше.

— Извините, — сказала Холли, чтобы привлечь ее внимание.

— Да, чем могу помочь? — улыбнулась та в ответ.

— Я только что выходила в туалет и, похоже, пропустила, когда всем раздавали папки. Можно мне тоже?

Холли вежливо улыбнулась и выжидательно посмотрела на секретаршу. Но та казалось смущенной.

— Простите, я что-то не совсем понимаю. О каких папках вы говорите?

Холли обернулась и указала на папки, лежавшие на коленях у всех ее конкурентов.

Девушка улыбнулась и поманила Холли пальцем. Та заложила волосы за ухо и наклонилась пониже.

— Извините, девушка, но это портфолио, которые они принесли с собой, — прошептала она в ухо Холли.

Та застыла, согнувшись.

— Ой, — наконец пришла она в себя. — Мне что, тоже надо было принести такое?

— А у вас оно есть?

Холли покачала головой.

— Ну тогда не переживайте, — сказала девушка по-дружески. — Вообще-то это не обязательно. Люди тащат все, что у них есть, только чтобы себя показать.

Холли хихикнула.

Она вернулась на свое место, но перестать переживать по поводу портфолио не получалось. Ее никто не предупредил. Почему она вечно обо всем узнает последней? Она пристукнула пару раз ногой по полу и огляделась по сторонам. Офис производил приятное впечатление: окрашенные в теплые и чистые цвета стены, из окон начала XIX века льется яркий свет. Перегородки между столами сотрудников были высокими и расставлены так, что оставляли достаточно пространства. Она могла бы весь день просидеть на таком рабочем месте, обдумывая разные проекты. Холли вдруг стало так спокойно, что, когда объявили ее имя, ничего в ней не шелохнулось. Она уверенно проследовала в кабинет, секретарша ободряюще подмигнула ей. Холли улыбнулась в ответ — она почему-то уже чувствовала себя здесь своей. Перед самой дверью она на секундочку остановилась и сделала глубокий вдох.

Целься в Луну, прошептала она себе. Целься в Луну.

Глава тридцать четвертая

Холли легонько постучала и услышала отрывистое приглашение войти. От звуков этого голоса сердце Холли дрогнуло, как перед кабинетом директора школы. Она отерла липкие ладони о костюм и вошла.

— Здравствуйте, — сказала она. Голос ее звучал увереннее, чем она себя чувствовала. Она пересекла небольшой кабинет и протянула руку человеку, вставшему при виде ее из-за стола. Он широко улыбнулся и крепко пожал ей руку. Слава тебе господи, его лицо совсем не соответствовало резкому голосу. Поглядев на него, Холли немного успокоилась — он показался ей похожим на отца. Казалось, ему было под шестьдесят, он был большой, грузный, как медведь, и с аккуратно подстриженными, отливающими серебром волосами. Наверно, в молодости был очень хорош собой, подумала Холли. Она с трудом подавила в себе желание перегнуться через стол и по-дружески обнять его.

— Холли Кеннеди, да? — спросил он, садясь и бросая взгляд на лежащее перед ним резюме. Холли уселась напротив и постаралась хранить спокойствие. Сочинив свое вдохновенное резюме, она прочитала все пособия для прохождения собеседования, какие только смогла раздобыть, и все-все знала о том, как надо входить в комнату, здороваться и сидеть на стуле. Теперь она пыталась применить полученные знания на практике и выглядеть умной, опытной и в высшей степени надежной. Но для этого одного только твердого рукопожатия мало.

— Именно так, — сказала она, ставя сумочку на пол рядом с собой и кладя дрожащие руки на колени.

Он нацепил очки на кончик носа и молча пробежал резюме. Холли не спускала с него глаз, пытаясь читать по лицу. Это было не просто: он был одним из тех людей, лица которых остаются при чтении совершенно непроницаемыми. Или просто на него совершенно не производило впечатления то, что он читал. Ожидая начала разговора, она перевела взгляд на стол. Ее глаза уперлись в фотографию в серебряной рамочке, на которой были запечатлены три хорошенькие девушки примерно ее возраста, беззаботно улыбающиеся в камеру. Она тоже улыбнулась, глядя на это фото. А когда отвела взгляд, то увидела, что ее собеседник отложил в сторону резюме и смотрит прямо на нее. Она снова улыбнулась и попыталась вернуть себе более деловой вид.

— Прежде чем мы начнем беседу, я хочу объяснить, кто я и о какой работе идет речь.

Холли кивнула, постаравшись проявить искренний интерес.

— Меня зовут Крис Фини, я основатель и главный редактор журнала. «Большой босс», как меня здесь называют, — хохотнул он, и Холли была зачарована блеском его голубых глаз.

— Теперь что касается работы. Мы ищем того, кто занимался бы рекламой в журнале. Как вы знаете, издание журнала и вообще любого СМИ теснейшим образом связано с размещением рекламы. Журнал во многом издается на рекламные деньги, так что это очень важная работа. К сожалению, человек, который вел ее прежде, покинул нас очень спешно, так что нам нужен кто-то, готовый начать незамедлительно. Как вы на это смотрите?

Холли кивнула.

— Хорошо смотрю. Вообще-то мне не терпится приступить как можно скорее.

Крис тоже кивнул и еще раз взглянул на ее резюме.

— Я смотрю, вы больше года не работали. Я правильно понимаю?

Он наклонил голову и выжидательно посмотрел на нее поверх очков.

— Да, все правильно. Но, к сожалению, у меня не было выбора. Мой муж болел, и мне пришлось уйти с работы, чтобы быть с ним рядом.

Она с трудом сглотнула. Но она понимала, что обойти этот момент невозможно при любом собеседовании: никто не захочет нанимать человека, который без видимых причин пролодырничал больше года.

— Вот оно что... — сказал Крис, пристально глядя на нее. — Надеюсь, теперь он поправился?

Крис тепло улыбнулся.

Холли не очень поняла, был ли это вообще вопрос и надо ли на него отвечать. Касается ли его ее личная жизнь? Он продолжал смотреть на нее, и она поняла, что это все-таки вопрос.

Она прокашлялась.

— К сожалению, нет, мистер Фини. Мой муж скончался в феврале. У него был рак мозга. Вот почему мне пришлось уйти с работы.

— Господи!

Крис положил резюме и снял очки.

— Конечно, я вас понимаю. Мне очень жаль это слышать, — сказал он совершенно искренне. — Это, должно быть, очень трудно — вы такая молодая и уже…

Он замолчал и уперся взглядом в столешницу. Потом снова поднял глаза:

— Моя жена только в прошлом году умерла от рака груди. Так что я понимаю, что вы испытываете.

— Мне очень жаль это слышать, — грустно сказала Холли. Ее взгляд встретился со взглядом человека по ту сторону стола.

— Говорят, работа помогает, — улыбнулся он.

— Угу, — хмыкнула она. — А еще чай литрами. Творит чудеса.

Он зашелся громким басовитым смехом.

— Да! Да! Мне тоже это говорили! И мои дочери все время тащат меня на свежий воздух.

— Ну как же, чудодейственный свежий воздух! Очень помогает при сердечных ранах. Это ваши дочери? — Холли указала на фотографии.

— Они самые! — с гордостью ответил Крис. Мои три маленькие докторицы, которые мужественно борются за меня. К сожалению, сад больше не выглядит как на этой фотографии.

— Как, это ваш сад? — Холли распахнула глаза. — Он великолепен! Я решила, что это Ботанический сад или что-то вроде этого.

— О нем заботилась Морин. Меня-то не так просто из офиса вытащить, у меня нет времени со всем этим возиться.

— Ох, не говорите мне о саде. Я, знаете, тоже не из тех, кто может про себя сказать: «я садовником родился». Мой стал как джунгли.

«Правильнее сказать, *был* как джунгли», — подумала она.

Они продолжали с улыбкой глядеть друг на друга. Холли было приятно услышать историю, похожую на ее собственную. Возьмут ее на работу или нет, по крайней мере она убедилась, что не одна в этом мире, что есть люди, которые вполне понимают ее.

— Однако вернемся к делу, — снова хмыкнул Крис. — У вас есть хоть какой-нибудь опыт сотрудничества с прессой?

Холли не понравилось это «хоть». Оно значило, что он прочитал ее резюме и не нашел в нем никакой зацепки для того, что ему нужно.

— Да, вообще-то есть.

Она тоже вернула деловой тон и снова старалась произвести на него впечатление.

— Я работала в агентстве недвижимости и отвечала за размещение в газетах наших предложений. Так что я была на другом конце этой цепочки и знаю, как иметь дело с компаниями, которые хотят купить рекламное место.

Крис довольно кивнул.

— Но вы никогда не работали в газете, журнале или каком-то подобном месте?

Холли медленно наклонила голову и начала лепетать что-то вроде «но я отвечала за рассылку информационных бюллетеней компании, в которой я работала…». Она продолжала хвататься за эту соломинку, но понимала сама, что звучит это довольно жалко.

Крис был слишком вежлив, чтобы прерывать ее, пока она перечисляла все свои работы и обязанности, хоть как-то связанные с рекламой или СМИ. Наконец она остановилась, утомленная звуками собственного голоса и нервно стиснула пальцы на коленях. У нее не хватало квалификации для этой работы, и она сама знала это, но она также знала, что она справится, если только он даст ей шанс.

Крис снял очки.

— Что ж, Холли, я вижу, у вас большой и разнообразный опыт работы в самых различных областях. Но я обратил внимание, что ни на одном месте вы не задерживались больше чем на девять месяцев…

— Я искала для себя подходящее место! — заявила она, чувствуя, как ее уверенность улетучивается.

— Как же я могу быть уверенным, что и меня вы не покинете через несколько месяцев? — Он улыбался, но Холли понимала, что он серьезен.

— Потому что это и есть то место, которое мне подходит! — сказала она без улыбки. Холли чувствовала, что ее шансы тают, но она не собиралась сдаваться без борьбы.

— Мистер Фини, — сказала она, выпрямляясь на кончике стула, — я очень усердный работник. Если мне нравится какое-то дело, я вкладываюсь в него на сто процентов. Я очень восприимчива, и если я чего-то не знаю, то приложу все усилия, чтобы это узнать — для себя и для компании, в которой работаю. Поверьте мне — и я вас не разочарую.

Она с трудом остановилась — как раз перед тем, как пасть на колени и умолять об этой чертовой работе. Ее щеки раскраснелись.

— Ну что ж, на этой ноте, пожалуй, и закончим.

Крис улыбнулся, встал с кресла и протянул ей руку:

— Спасибо, что уделили нам время. Мы с вами, разумеется, свяжемся.

Холли пожала руку, тихо поблагодарила, взяла свою сумочку с пола и направилась к выходу, чувствуя на спине взгляд Криса. Перед тем как выйти, она повернулась и сказала:

— Мистер Фини, я уверена, что ваша секретарша принесет вам огромный чайник прекрасного чая. От него мир делается лучше.

Она улыбнулась и закрыла дверь, из-за которой раздался взрыв громкого хохота. Дружелюбная секретарша подняла брови, когда Холли проходила мимо ее стола, а все оставшиеся соискатели уткнули носы в свои портфолио, лихорадочно соображая, что же такое могла сказать эта дамочка, что так развеселило их потенциального работодателя. Холли еще раз улыбнулась, вспоминая мистера Фини, и поспешила на свежий воздух.

Холли решила заскочить к Киаре на работу, раз уж она в центре, и заодно чего-нибудь перекусить. В пабе «У Хогана» она огляделась в поисках свободного столика. Зал заполняли люди в пиджаках, пришедшие на обеденный перерыв. Кое-кто, прежде чем вернуться на работу, пропускал по пинте-другой. Холли увидела маленький столик в углу и уселась за него.

— Эй, — громко сказала она, щелкнув пальцами в воздухе. — Меня здесь обслужит кто-нибудь?

Посетители за соседними столами неодобрительно покосились на дамочку, столь невежливую по отношению к персоналу, но Холли продолжала щелкать пальцами в воздухе.

— Оу! — выкрикнула она на австралийский манер.

Киара примчалась с перекошенным от ярости лицом, которое расплылось в счастливую улыбку, как только она узнала Холли и поняла, что та ее дразнит.

— Господи Иисусе, я чуть башку тебе не размозжила!

— Надеюсь, ты не всех посетителей так встречаешь?

— Только некоторых, — серьезно ответила Киара. — Решила здесь сегодня пообедать?

Холли кивнула.

— Мама сказала мне, ты работаешь на бизнес-ланчах. Но ты ведь вроде предполагала работать наверху, в баре?

Киара закатила глаза.

— Этот человек заставляет меня трудиться весь божий день. Я у него как рабыня.

— Это ты обо мне? — со смехом отозвался Дэниел, вырастая у нее за спиной.

Лицо Киары застыло.

— Нет-нет. Это я о Мэтью. Пристает ко мне все время. Я у него как секс-рабыня, — выкрутилась она и направилась в бар за блокнотиком и ручкой.

— Извини, что спросил... — смущенно пробормотал Дэниел в спину Киаре. Потом обернулся к Холли:

— Можно присоединиться?

— Ни в коем случае, — ответила та, выдвигая для Дэниела стул. — Ну, что у вас тут есть хорошего? — спросила она, изучая меню.

— Ничего, — шепнула одними губами за спиной у Дэниэла вернувшаяся Киара, и Холли хихикнула.

— Возьми наш специальный тост, — посоветовал Дэниел, и Киара энергично замотала головой.

— Что это ты головой трясешь? — спросил Дэниел, еще раз ловя ее с поличным.

— Ну, дело в том... Понимаешь, у Холли аллергия на лук, — снова вывернулась Киара.

Холли впервые слышала о своей аллергии, но деваться было некуда:

— Ну... да... у меня от него голова... раздувается. — Она надула щеки. — Страшная вещь, этот лук. Когда-нибудь он меня в могилу сведет.

Киара поглядела на сестру, которая опять ее выручила.

— Ну что ж, тогда просто надо вынуть лук, — предложил Дэниел, и Холли согласилась.

Киара приняла заказ и удалилась, изображая, как ее тошнит.

— Ты сегодня такая деловитая, — сказал Дэниел, изучая блузку Холли.

— Да, именно это впечатление я и старалась произвести. Я была на собеседовании.

От одного воспоминания об этом Холли содрогнулась.

— А, тогда понятно. Ну и как, удачно?

Холли покачала головой.

— Боюсь, придется покупать еще более деловой костюм, чем этот. Не думаю, что они мне перезвонят.

— Не переживай. Это не последняя вакансия. Кстати, у нас место в баре еще свободно. Не интересует?

— Я предполагала, что это работа для Киары. Кстати, — смущенно спросила Холли, — а почему она сейчас здесь, внизу?

Дэниел тяжело вздохнул.

— Холли, ты же знаешь Киару. У нас тут возникла... *ситуация*.

— Господи, только не это! Что она выкинула?

— Какой-то парень сказал ей что-то, что ей не понравилось, пока она наливала ему пинту. Она долила ее и подала... ему на голову.

— Боже мой, — выдохнула Холли. — Как же ты ее не уволил?

— Как же я могу уволить кого-то из клана Кеннеди? И кроме того — как бы я после этого встретился с тобой лицом к лицу?

— Точно, — подтвердила Холли. — Дружба дружбой, но Семья — превыше всего.

— Это худшее воспроизведение «Крестного отца», которое я когда-либо слышала! — буркнула подошедшая Киара, со стуком ставя перед Холли ее тарелку и поворачиваясь на каблуках.

— Эй, подожди! — нахмурился Дэниел, пододвигая тарелку к себе и разбирая ее сэндвич.

— Что ты делаешь? — удивилась Холли.

— Он с луком! — сердито сказал Дэниел. — Киара опять все перепутала и принесла не тот заказ!

— Нет-нет, она не перепутала! — кинулась Холли на защиту сестры и вырывая тарелку из рук Дэниела. — У меня аллергия только на красный лук.

— Как странно, — выгнул бровь тот, — впервые слышу, что они чем-то друг от друга отличаются.

— Отличаются, да еще как! — Холли изо всех сил старалась, чтобы ее голос звучал убедительно. — Они, конечно, принадлежат к одному семейству, но красный лук содержит такие вещества... токсины, которые... смертельно ядовитые токсины...

Она осеклась.

— Токсины? — недоверчиво спросил Дэниел.

— Конечно! Они же токсичны для меня, правда?

Холли поскорее впилась зубами в сэндвич, чтобы избавиться от необходимости придумывать что-то дальше. Но оказалось, что не так-то просто есть сэндвич под пристальным взглядом Дэниела. Она чувствовала себя форменной свиньей и наконец, не выдержав, положила недоеденный кусок на тарелку.

— Не нравится? — тревожно спросил Дэниел.

— Нет-нет, очень нравится! Просто я плотно позавтракала, — ответила Холли, похлопывая себя по пустому животу.

— Ну как, не удалось еще изловить твоего лепрекона? — вспомнил Дэниел.

— Ну, вообще-то я его нашла! — рассмеялась Холли, вытирая жирные пальцы о салфетку.

— Правда? И кто же это был?

— Представь себе, мой брат Ричард!

— Да ладно тебе! А что же он ничего не сказал? Хотел сделать сюрприз или что-то в этом духе?

— Вот-вот, что-то в этом роде.

— Хороший он парень, Ричард, — задумчиво произнес Дэниел.

— Думаешь?

— Да, из тех, что муху не обидят. Душевный человек.

Холли кивнула и замолчала.

— Ты разговаривала после того ужина с Шэрон или Дениз? — прервал он ее раздумья.

— Только с Дениз, — виновато ответила она. — А ты?

— Том выел мне мозг своими разговорами о свадьбе. Хочет, чтобы я был его шафером. Честно говоря, не ожидал, что они соберутся под венец так скоро.

— Я тоже, — кивнула Холли. — А что ты об этом думаешь?

— Ну, — пожал плечами Дэниел. — Совет да любовь. Желаю им счастья, конечно. Их собственного, эгоистического и капризного счастья.

— Понимаю, о чем ты думаешь. Ты никогда не разговаривал больше со своей бывшей?

— С кем, с Лорой? — поразился Дэниел. — Видеть ее больше не желаю!

— А она не дружит с Томом?

— Не так тесно, как раньше, слава тебе господи!

— А что, если ее тоже позовут на свадьбу?

Глаза Дэниела расширились.

— Слушай, я никогда об этом не задумывался. Ох, надеюсь, что нет! Том знает, что я с ним сделаю, если он ее позовет.

Снова воцарилась тишина.

— Завтра вечером мы договорились встретиться с Томом и Дениз, обсудить свадебные приготовления. Присоединяйся, если хочешь, — сказал он наконец.

— Ну спасибо! Веселенькая перспектива!

— Я знаю... потому и не хотел идти один. Позвони мне, если все-таки надумаешь?

Холли кивнула.

— Счет возьми, — проронила Киара, бросая на стол листок бумаги и не спеша отходя от стола.

Дэниел посмотрел ей вслед и покачал головой.

— Не переживай, Дэниел, — ободряюще сказала Холли, — это ненадолго.

— Чего? — удивился он.

Оп-па. Похоже, Киара еще не известила своего работодателя о том, что она уезжает.

— Да нет, ничего... — промямлила она, роясь в сумочке в поисках кошелька.

— Нет, правда, что ты имела в виду? — настаивал он.

— Ну... что у нее скоро смена заканчивается, — нашлась наконец Холли, доставая кошелек и глядя на часы.

— А-а-а... — удовлетворился ответом Дэниел и поспешно добавил: — Нет-нет, не надо, отдай счет мне.

— С какой это стати? — возразила она, перебирая счета и прочие бумажки в поисках купюр. — Кстати, хорошо, что напомнил: я тебе еще двадцатку должна.

Она положила деньги на стол.

— Да перестань! — досадливо махнул он рукой.

— Эй, ты что, теперь все мои счета будешь оплачивать? — улыбнулась Холли. — Я все равно эти деньги здесь оставлю, так что лучше тебе их взять.

Вернулась Киара и протянула руку за деньгами.

— Киара, запиши это на мой счет, — скомандовал Дэниел.

Киара взглянула на сестру и заговорщицки ей подмигнула. Но, увидев лежащую на столе двадцатку, удивленно подняла брови.

— О-о-о, спасибо, сестренка. Не знала, что ты так щедра на чаевые.

345

Затем сунула купюру в карман и отошла обслуживать других клиентов.

— Не переживай, — рассмеялся Дэниел, — я у нее из зарплаты вычту.

Лишь когда Холли приехала в свой квартал, ее наконец отпустило. Она мало спала прошлой ночью (слишком уж нервничала из-за предстоящего собеседования), и треволнений сегодняшнего дня оказалось для нее многовато. Ей не терпелось открыть бутылочку и обдумать следующие карьерные шаги.

Сердце ее начало биться сильнее, когда она приметила рядом со своим домом машину Шэрон. Они так давно не общались, что Холли было прямо неловко. Она даже хотела развернуться и уехать, но устыдилась этого порыва. Надо порою смотреть правде в глаза, чтобы не потерять еще одну лучшую подругу. Если она ее уже не потеряла.

Глава тридцать пятая

Холли вырулила на дорожку перед домом и, прежде чем вылезти из машины, глубоко вздохнула. Конечно, ей давно следовало навестить Шэрон. Но теперь, похоже, дела совсем плохи. Она обошла машину Шэрон... и увидела вылезающего из нее Джона. У Холли пересохло в горле: хоть бы с Шэрон было все в порядке!

— Привет, Холли, — решительно сказал Джон, громко захлопывая дверь машины.

— Джон! Что с Шэрон? Где она?

— Я только что отвез ее в больницу.

Джон медленно пошел навстречу Холли. Та в ужасе закрыла рот руками.

— Господи! Что с ней?

Джон казался смущенным.

— Нет-нет, все в порядке. Просто анализы надо сделать. Я сейчас должен за ней вернуться.

Руки Холли упали вдоль туловища.

— Уф...

Она устыдилась своих страхов.

— Знаешь, раз ты так о ней беспокоишься, могла бы и позвонить.

Джон поднял голову и уперся в Холли своими льдисто-голубыми глазами. Она видела, как у него на скулах ходят желваки. Холли попыталась выдержать его взгляд, но довольно быстро отвела глаза.

— Да, ты прав… — промямлила она. — Не хочешь зайти выпить чашку чаю?

В любое другое время Холли внутренне расхохоталась бы, произнося это: она вела себя как одна из *этих*.

Джон уселся за стол на кухне и стал следить, как Холли ставит чайник на огонь.

— Шэрон не знает, что я здесь. Пожалуйста, не говори ей.

— Ну… хорошо…

Холли стало еще более неуютно. Значит, это не Шэрон прислала его к ней. Шэрон не хочет больше ее видеть и вообще махнула на нее рукой.

— Знаешь, она по тебе скучает, — сказал Джон, по-прежнему не спуская с Холли глаз.

Холли с чашками в руках села напротив Джона.

— Я тоже по ней скучаю.

— Холли, уже две недели прошло.

— Быть не может! — слабо запротестовала она, поникая под его тяжелым взглядом.

— Ну хорошо, почти две. Какая разница, вы раньше каждый день перезванивались.

Джон взял у нее из рук одну чашку и поставил перед собой.

— Джон, раньше все было по-другому, — почти огрызнулась Холли.

Как это люди не понимают, что с ней творится? Она что, последний нормальный человек в этом мире?

— Послушай, мы все знаем, что тебе пришлось пережить... — начал Джон.

— Я знаю, что вы все знаете, что мне пришлось пережить. Еще бы вам не знать! Но почему никому из вас не приходит в голову, что я все еще *это переживаю*!

Воцарилось молчание.

— Ты несправедлива. Мы понимаем.

Голос Джона звучал тише, и он смотрел теперь на чашку.

— Ничего вы не понимаете! Я не могу просто идти себе дальше, как вы все, как будто ничего не произошло.

— Почему ты думаешь, что мы просто идем себе дальше, как будто ничего не произошло?

— Тебе объяснить? — язвительно спросила Холли. — Ну хорошо же. Смотри: Шэрон ждет ребенка, а Дениз выходит замуж, а...

— Холли, это просто называется «жить»! — перебил ее Джон, поднимая взгляд. — Ты, кажется, забыла, как это! Вспомни же! Я не говорю, что это легко; я знаю, что нет: Джерри был и моим лучшим другом, мне его очень не хватает. Мы всю жизнь соседи. Господи, мы в один детский садик ходили. И в одну школу. В одной футбольной команде играли. Я был его свидетелем на свадьбе, а он — на моей! Когда у меня возникали проблемы, я шел к Джерри, когда я хотел повеселиться, я шел к Джерри. Я говорил ему то, чего никогда не сказал бы Шэрон, а он говорил мне то, чего никогда не сказал бы тебе. Мы не были мужем и женой, но это не значит, будто я не понимаю, что ты чувствуешь. Он умер, но это не значит, что я тоже должен перестать жить!

Холли сидела, пораженная. Джон всем телом развернулся на стуле. Ножки громко скрипнули. Джон глубоко вздохнул, прежде чем продолжить.

— Да, это трудно. Да, это невыносимо. Да, это самое ужасное, что случалось со мной за всю мою жизнь. Но я не могу капитулировать. Я не могу перестать ходить в паб просто потому, что два чувака ржут и прикалываются за нашим с Джерри любимым столиком. И не могу перестать ходить на футбол, потому что мы всегда это делали с Джерри. Я могу вспоминать об этом с улыбкой, но не могу взять и перестать это делать!

Глаза Холли наполнились слезами. Но Джон продолжал.

— Шэрон понимает, как ты страдаешь. Но ты тоже ее пойми. У нее сейчас такой ответственный момент в жизни, и она нуждается в своей лучшей подруге, чтобы справиться с ним. Ты нужна ей, Холли, — так же, как она нужна тебе.

— Я стараюсь, Джон, — всхлипнула Холли, и горячие слезы покатились по ее щекам.

— Я знаю, Холли.

Джон наклонился вперед и схватил ладони Холли в свои.

— Но ты пойми: Шэрон нуждается в тебе. Если просто уклоняться, легче не станет.

— Но у меня сегодня было собеседование! — по-детски всхлипнула Холли.

Джон постарался скрыть улыбку.

— Отлично! И как оно прошло?

— Погано... — вздохнула она, и Джон расхохотался.

Они помолчали, потом Джон сказал:

— Знаешь, она ведь уже на пятом месяце...

— Что?! И она молчала?

— Она боялась тебе говорить, — мягко ответил Джон. — Она думала, что ты с ума начнешь сходить и не захочешь больше никогда с ней разговаривать...

— Ну и зря, — отрезала Холли. — Очень глупо было так думать.

— Правда? Так чего же ты ей не звонишь?

Холли потупилась.

— Ну... Я хотела ей позвонить, честно. Я каждый день брала трубку... и не могла этого сделать. Я клялась сама себе, что позвоню завтра, а на следующий день оказывалась очень занята. Ох, Джон, простите меня! Я так за вас обоих счастлива!

— Спасибо, но ты это лучше не мне скажи.

— Я знаю, я такая дура! Она никогда меня теперь не простит!

— Не говори глупостей, Холли. Это же Шэрон. Все будет прощено и забыто уже завтра.

Холли с надеждой посмотрела на Джона.

— Ну, может, не завтра. Может, в следующем году... Ты очень виновата перед ней, но она тебя точно простит.

Его ледяные глаза потеплели, в них мелькнул огонек.

— Кончай!

Холли хихикнула и шлепнула Джона по руке.

— Могу я поехать с тобой?

Когда они подъезжали к больнице, у Холли засосало под ложечкой. Она заметила Шэрон, стоящую у входа и ждущую, чтобы ее забрали. Она выглядела так трогательно, что Холли невольно улыбнулась. Подумать только, Шэрон станет мамой. Она не могла поверить, что ее подруга на пятом месяце беременности. Значит, когда они ездили отдыхать, у нее был уже трех-месячный срок, а она ничего не сказала! Но главное, чего Холли не могла понять, — как это она сама была такой глупой, что не заметила, насколько изменилось поведение подруги! Конечно, тогда у нее еще не было живота, да и сейчас, в джинсах и водолазке, которые ей очень шли, Шэрон ничем не отличалась от себя всегдашней. Холли вылезла из машины и увидела, как лицо Шэрон окаменело.

Ну вот. Сейчас Шэрон закричит, чтобы она не приближалась, что она не желает больше ее видеть, что она вывела ее на чистую воду, что...

Лицо Шэрон расплылось в улыбке, и она протянула руки к Холли.

— Иди сюда, глупышка, — мягко сказала она.

Холли ринулась к ней. Теперь, обнимаясь с ближайшей подругой, она чувствовала, что ее снова душат слезы.

— Ох, Шэрон, прости меня! Я вела себя как свинья. Мне так стыдно, мне так-так-так стыдно. Я не хотела...

— Замолчи, плакса-вакса. Обними-ка меня лучше.

Голос Шэрон дрогнул, она тоже всхлипнула и еще крепче обняла Холли. Некоторое время они молча сжимали друг друга в объятиях.

— Экхгм, — громко кашлянул Джон.

— А ну-ка, иди сюда ты тоже, — улыбнулась Холли и притянула Джона к себе.

— Это ведь твоя идея? — посмотрела Шэрон на мужа.

— Нет-нет, что ты! — запротестовал тот, незаметно подмигнув Холли. — Я просто проезжал мимо и сказал Холли, что могу ей помочь добраться...

— Ну что ж, — сказала Шэрон, когда они под руку с Холли шли к машине, — ты действительно ей помог. И мне тоже.

— Ну, что врачи говорят? — спросила Холли, привскакивая с заднего сиденья и протискиваясь меж передними, как нетерпеливый ребенок. — Что там у тебя?

— Ты просто не поверишь, Холли, — ответила Шэрон в тон подруге, — врачи говорят, и я им верю, потому что это самые лучшие врачи, так вот, врачи говорят…

— Ну! Ну! — Холли просто умирала от нетерпения.

— …что у меня там ребенок!

Холли откинула голову.

— Ха-ха-ха. Я имею в виду — *кто* там у тебя? Мальчик или девочка?

— Еще слишком рано. Пока что просто «ребенок».

— А ты спросишь у них, когда будет можно?

Шэрон потерла нос.

— Я не знаю, правда. Я еще не решила.

Она искоса взглянула на Джона, и они обменялись быстрыми улыбками.

Холли кольнула привычная зависть. Она тихо сидела и ждала, пока это пройдет и к ней вернется прежняя радость.

Подъехав к дому Холли, они не могли просто так расстаться снова — им столько всего надо было друг другу сказать. Рассевшись вокруг кухонного стола, они болтали, болтали…

— Шэрон, Холли сегодня ходила на собеседование, — вставил Джон, когда ему наконец удалось это сделать.

— Правда? А я не знала, что ты ищешь работу!

— Новое задание от Джерри, — улыбнулась Холли.

— Так вот чем ты занималась весь месяц! Рассказывай скорей! Как все прошло?

Холли скорчила гримасу и закрыла лицо руками.

— Ох, Шэрон! Это было ужасно! Я выставила себя полной идиоткой!

— Правда? А что это за работа?

— Продавать рекламу в журнале «Икс».

— О-о-о, круто! Я все время его на работе читаю.

— Что-то я не припомню такого журнала... Чему он посвящен? — спросил Джон.

— Всему! Там есть мода, спорт, культура, еда, обзоры... Правда, все!

— И реклама, — пошутила Холли.

— Не будет у него никакой рекламы, если Холли Кеннеди не будет ее продавать! — твердо сказала Шэрон.

— Спасибо, но я сомневаюсь, что буду там работать.

— Да что там такого ужасного случилось, на этом собеседовании? — заинтересованным голосом спросила Шэрон, протягивая руку к чайнику. — Не могла ж ты его провалить!

— Это, наверно, очень плохой знак, когда тебя спрашивают, есть ли у тебя опыт работы в СМИ, а ты отвечаешь, что как-то раз сочинила информационный бюллетень для одной дурацкой компании.

Шэрон фыркнула.

— Информационный бюллетень? Ты, я надеюсь, говоришь не о тех отпечатанных на принтере рекламных листовках?

Шэрон и Джон расхохотались.

— Ну и что? — пыталась защититься Холли. — Это же была *реклама* моей компании.

— Помнишь, ты заставляла нас распихивать эти дурацкие рекламки своей дурацкой конторы по всем окрестным почтовым ящикам? Дождь моросил, стоял собачий холод, а мы провозились не один день!

— Как же, как же! — промолвил Джон сквозь смех. — Помнишь, ты как-то вечером вручила нам с Джерри пару сотен этих бумажек, чтобы мы разложили их по ящикам?

— Ну и? — со страхом спросила Холли.

— Ну и мы запихали их в мусорный бак на заднем дворе паба Боба, взяли пива и прекрасно посидели! — Он усмехнулся, вспомнив их проделку, а у Холли отвисла челюсть.

— Ах вы паршивцы! — закричала она, но тоже засмеялась. — Из-за вас двоих компания прогорела, а я потеряла работу!

— Не думаю, что на эти листочки кто-нибудь хоть глазком взглянул, прежде чем их выкинуть, — поддела подругу Шэрон. — В любом случае это были слезы, а не работа. Ты же сама говорила.

— У Холли всегда были слезы, а не работа, — пошутил Джон. Но шутка вышла чересчур правдоподобной.

— Ну что ж, эта была не хуже других, — грустно сказала Холли.

— Вокруг полно разных мест, — ободрила подругу Шэрон. — Тебе надо только поднабраться опыта с собеседованиями.

— Ага, как же.

Некоторое время они просидели молча.

— Сочинила бюллетень! — снова фыркнул Джон.

— Молчи! — замахнулась на него чайной ложечкой Холли и вдруг неожиданно потребовала: — А ну-ка, рассказывай, что вы с Джерри еще проделывали тайком от меня?

— Настоящие друзья не выдают секретов, — с притворной серьезностью ответил Джон, улыбаясь своим воспоминаниям.

Но лед был сломан, и после того как Холли и Шэрон пригрозились побить его, если он будет и дальше играть в партизана, Джон сдался и рассказал кое-что. В этот вечер Холли узнала о своем муже вещи, о которых раньше даже не догадывалась. В первый раз со времени смерти Джерри они со смехом болтали о нем весь вечер, и Холли наконец узнала, как это — вспоминать его без грусти. Они частенько сидели так вместе вчетвером: Холли, Джерри, Шэрон и Джон. На сей раз трое собрались, чтобы вспоминать четвертого. И весь вечер он снова был для них живым. А вскоре, когда у Джона и Шэрон появится малыш, их опять станет четверо.

Жизнь продолжалась.

Глава тридцать шестая

В это воскресенье навестить Холли приехал Ричард с детьми. Она сама предложила ему привозить их почаще, чтобы не устраивать лишний раз кутерьму в доме родителей. Ребятишки играли в саду, пока Холли с Ричардом заканчивали ужин, наблюдая за ними через распахнутые двери столовой.

— По-моему, они страшно довольны, — заметила Холли.

— Правда? — улыбнулся он. — Я стараюсь, чтобы в их жизни все шло по-прежнему, насколько это возможно. Они не очень-то понимают, что произошло, а объяснить им трудно, сама понимаешь.

— И что вы им сказали?

— Ну, что мама и папа больше не любят друг друга, поэтому я буду жить в другом месте, чтобы всем было хорошо. Что-то в этом духе.

— И как они реагировали?

— Тимоти нормально, а вот Эмили теперь боится, что мы перестанем ее любить и отошлем из дома. — Он поднял на сестру печальные глаза.

Бедняжка Эмили, подумала Холли, глядя, как девочка забавляется со своей страхолюдной куклой. Ей прямо не верилось, что они с Ричардом ведут подобные разговоры. В последнее время он казался совершенно другим человеком. Или, может быть, это Холли изменилась. Ее теперь куда меньше раздражали его педантичные замечания, поток которых с его преображением отнюдь не иссяк. Впрочем, не удивительно, что они с Ричардом стали находить общий язык, — оба переживали тяжелый период одиночества и неуверенности в себе.

— А как дела у нас дома?

Ричард отвлекся от изучения картофельного пюре на тарелке и кивнул.

— Неплохо. Родители очень добры ко мне.

— А Киара тебя не слишком достает? — Холли чувствовала себя матушкой-наседкой, допрашивающей сына, не обижали ли его сегодня в школе. Но ей действительно хотелось проявить заботу. Помогая ему, она помогала и себе — это придавало ей сил.

— Киара есть Киара, — рассмеялся он. — Что скрывать, разногласий у нас достаточно.

— Ты только не переживай из-за этого, — посоветовала Холли, пытаясь подцепить вилкой свиную отбивную. — Вряд ли на свете найдется человек, с которым у нее нет разногласий. — Вилка наконец настигла свою цель… почти. Кусок мяса подскочил на тарелке и, описав роскошную дугу в воздухе, шлепнулся на пол.

— А еще говорят, свиньи не летают, — спокойно прокомментировал Ричард.

Холли захихикала:

— Эй, что я слышу?! Удачная шутка!

Ричард выглядел польщенным.

— Со всеми бывает, даже со мной, — пожал он плечами. — Хотя ты наверняка считаешь, что со мной — крайне редко.

Холли аккуратно отрезала себе кусочек вареной моркови, положила вилку с ножом от греха подальше и принялась медленно жевать, пытаясь тем временем сформулировать свою мысль.

— Ричард, мы все разные. Киара — немного сумасбродка, Деклан — мечтатель, Джек — шутник, я... ну, не знаю. А ты у нас всегда был самым сдержанным, серьезным и правильным. И ничего плохого тут нет, просто у каждого свой характер.

— А ты очень чуткая, — помолчав, сказал Ричард.

— Что-что? — Холли чуть не поперхнулась и тут же бросилась наворачивать остатки еды, чтобы скрыть смущение.

— Я всегда знал, что ты очень чуткая, — повторил он.

— Ладно тебе, когда такое было? — недоверчиво промычала Холли с набитым ртом.

— Да вот хоть сейчас. Иначе разве сидел бы я здесь, ужиная с тобой и глядя, как мои дети резвятся у тебя в саду? Но вообще-то я имел в виду: раньше, в детстве.

— Не может быть. Мы с Джеком вели себя с тобой отвратительно.

— Не всегда, Холли. — Он добродушно подмигнул. — И потом, братья и сестры для того и существуют, чтобы отравлять друг другу жизнь. Это закаляет, готовит к дальнейшим испытаниям. А я, между прочим, тоже был не сахар: старшего из себя корчил, вечно командовал.

— И при чем же тут моя якобы чуткость? — спросила она, не понимая, к чему он клонит.

— Джек был твоим кумиром. Ты постоянно ходила за ним хвостом и беспрекословно его слушалась. Я часто слышал, как он подбивает тебя наговорить мне всяких гадостей. А потом ты прибегала в мою комнату, выпаливала в точности все, что он велел, и убегала.

Холли виновато понурилась. Они с Джеком обожали изводить Ричарда.

— Но ты всегда возвращалась, — продолжил он. — Тихо подкрадывалась к моей двери и смотрела, как я делаю уроки. И я догадывался, что это твой способ извиниться. Вот что я имел в виду. Никто из нас не отличался совестливостью, я в том числе. Только ты переживала за других.

Он уткнулся в тарелку, а Холли молча сидела, переваривая услышанное. Она не помнила, чтобы Джек был для нее таким уж кумиром, но, если вдуматься, Ричард прав. Ее веселый, красивый, бесшабашный старший брат притягивал сердца как магнитом, и Холли постоянно выпрашивала разрешения поиграть с ним и его друзьями. Кажется, она и сейчас относится к нему точно так же. Если бы он вот сию минуту позвонил и позвал ее куда-нибудь, она бы все бросила и стремглав помчалась к нему. Просто до сих пор она как-то над этим не задумывалась. Тем не менее вот уже довольно долгое время она куда больше общается с Ричардом. Она всегда любила Джека больше других братьев, да и Джерри с ним отлично ладил. С Джеком, а не с Ричардом Джерри ходил в бар после работы, они всегда сидели рядом на семейных ужинах. Но Джерри больше нет, и хотя Джек иногда звонит спросить, как дела, видеться они стали гораздо реже. Уж не возвела ли его Холли на чересчур высокий пьедестал? Ей вспомнилось, как она выдумывала для него оправдания всякий раз, когда он не звонил или не приезжал, хотя обещал. Строго говоря, после смерти Джерри она только и делает, что выдумывает ему оправдания. Неужели их на самом деле только Джерри и объединял?

А вот Ричард в последнее время регулярно подбрасывает ей пищу для размышлений. Она завороженно наблюдала, как он снимает с шеи салфетку и сворачивает ее идеально ровным квадратиком. С маниакальной аккуратностью он в строгом порядке расставил все, что было на столе. Несмотря на неоспоримые достоинства, которые Холли наконец научилась за ним признавать, жить с таким человеком она никогда бы не смогла.

Раздался громкий рев, и они оба вздрогнули. Эмили валялась на земле, заливаясь слезами, а растерянный Тимми с ужасом взирал на нее. Ричард вскочил со стула и бросился в сад.

— Она сама упала, папочка, я честно ничего ей не сделал! — лихорадочно оправдывался мальчик. Холли вздохнула. Бедный Тимми. Отец за руку притащил его в дом, приказывая встать в угол и подумать о своем поведении. Нет, по большому счету люди никогда не меняются, с досадой отметила она про себя.

На следующий день Холли в экстазе приплясывала перед телефоном, в третий раз прослушивая сообщение на автоответчике.

«Здравствуйте, Холли, — произнес хриплый голос. — Это Крис Фини из журнала «Икс». Я просто звоню сказать, что собеседование с вами произвело на меня глубокое впечатление... — Он немного замялся. — Не в моих привычках, конечно, говорить такие вещи на автоответчик, но уверен, вам будет приятно узнать, что я с радостью принимаю вас в наш коллектив. Я хотел бы, чтобы вы приступили к работе как можно скорее. Перезвоните мне, пожалуйста, и мы все обсудим. Ну… до свидания».

Испуганная и счастливая, Холли бросилась на кровать, исполнила великолепный кувырок, а затем снова нажала кнопку на автоответчике. Она целилась в Луну… и попала!

Глава тридцать седьмая

Холли остановилась перед высоким старинным зданием в центре города. Радостное возбуждение приятно щекотало нервы. Наступил ее первый рабочий день, и что-то ей подсказывало, что отныне ее жизнь изменится к лучшему. Редакция журнала «Икс» занимала второй этаж над маленьким кафе. Ночью Холли едва сомкнула глаза от волнения. Однако того страха, который охватывал ее обычно перед новой работой, она не ощущала. Крису она перезвонила немедленно (предварительно прослушав его сообщение еще десяток раз), а затем поделилась новостью с родными и друзьями. Те пришли в полный восторг, и сегодня утром перед уходом из дома Холли получила огромный букет цветов от родителей — они поздравляли ее и желали удачи на новом месте.

Чувствуя себя школьницей перед началом учебного года, она заранее прикупила изящный кожаный портфель, дабы выглядеть настоящей деловой леди. Но за завтраком ее эйфория сменилась грустью: Джерри не мог разделить ее радость. Всякий раз, когда Холли меняла работу, что случалось довольно часто, они исполняли особый маленький ритуал. Джерри будил жену, принося ей завтрак в постель, а затем упаковывал для нее ланч: бутерброды с сыром и ветчиной, яблоко, пакетик чипсов и плитку шоколада. Потом отвозил ее на работу и звонил в обеденный перерыв, чтобы удостовериться, что детишки в офисе играют мирно и не дразнят новенькую. А вечером за ужином он давился от смеха, глядя, как Холли изображает в лицах своих сотрудников, и слушая ее традиционное нытье на тему «ненавижу работу». Правда, так бывало только в первый день. Во все остальные дни они вскакивали, проспав на добрых полчаса, наперегонки неслись в душ, а потом, полусонные, уныло слонялись по кухне, прихлебывая кофе и тщетно пытаясь взбодриться. Быстрый поцелуй на прощание, и каждый уходил своим путем. И так изо дня в день. Знай Холли заранее, что у них так мало времени, нипочем бы не стала тратить его на эту тоскливую рутину...

Ничего не поделаешь, сегодняшнее утро прошло без всяких ритуалов. Она проснулась одна в пустом доме — и никакого завтрака в постель, разумеется. Ей не пришлось отвоевывать право первой пойти в ванную, и на кухне стояла гнетущая тишина без приступов утреннего чиха, вечно одолевавших Джерри. А ведь у нее вопреки здравому смыслу теплилась надежда, что, когда она проснется, произойдет чудо и Джерри окажется рядом, чтобы не нарушать традицию. Такой важный день без него — это же просто неправильно и не может быть. Но смерть не делает исключений. Забирает раз и навсегда.

Перед тем как войти в здание, Холли проверила, не расстегнулась ли у нее молния на брюках, не замялись ли полы пиджака, ровно ли застегнута рубашка. Убедившись, что выглядит как подобает, она поднялась по деревянной лестнице в свой новый офис. В приемной ее встретила все та же секретарша.

— Добрый день, Холли, — сказала она, пожимая ей руку. — Добро пожаловать в наш скромный уголок. — Девушка широким жестом обвела помещение. Холли она понравилась с первого взгляда еще тогда, перед собеседованием. Примерно ее ровесница, длинные светлые волосы, милое, улыбчивое лицо.

— Меня, кстати, зовут Алиса, я секретарь, если помнишь. Пойдем, провожу тебя к боссу, он ждет.

— Ой, но я же не опоздала, правда? — всполошилась Холли, украдкой глядя на часы. Она специально вышла из дома пораньше, чтобы не угодить в пробку.

— Нет, конечно, — заверила ее Алиса, направляясь к кабинету мистера Фини. — Не обращай внимания на Криса и прочих трудоголиков. Делом заняты, чтоб им пусто было. Вот меня ты тут после шести точно не увидишь.

Холли рассмеялась, вспомнив, что не так давно сама рассуждала в точности, как Алиса.

— Имей в виду, ты вовсе не обязана брать с них пример, то бишь приходить затемно и сидеть до ночи. Крис, по-моему, в своем кабинете вообще живет, так что с ним соревноваться бесполезно. Он у нас ненормальный. — Она повысила голос на последних словах. Затем, постучавшись, пропустила Холли в кабинет.

— Это кто ненормальный? — ворчливо поинтересовался Крис, вставая со стула и потягиваясь.

— Вы, — улыбнулась Алиса и закрыла за собой дверь.

— Видите, как со мной обращаются подчиненные? — подмигнул Крис, протягивая ей руку. Его теплое, крепкое рукопожатие придало Холли уверенности. Судя по всему, атмосфера среди сотрудников царила непринужденная.

— Спасибо, что приняли меня на работу, мистер Фини, — от всей души поблагодарила его Холли.

— Не за что. И зовите меня просто Крис. Пойдемте, покажу вам, что у нас где.

Холли последовала за ним. Стены коридора были увешаны обложками журнала «Икс» в рамках — все номера, вышедшие за последние двадцать лет.

— Смотреть-то особенно нечего. Вот здесь трудятся наши пчелки. — Он толкнул дверь, и Холли заглянула в просторное помещение, где стояло около десятка столов с компьютерами. За каждым кто-то печатал или разговаривал по телефону. Все, как по команде, отвлеклись от своих дел и вежливо помахали ей. Холли широко улыбнулась, помня, как важно первое впечатление. — Наши замечательные журналисты, которые помогают мне оплачивать счета, — пояснил Крис. — Это Джон-Пол, редактор раздела моды, это Мэри, она ведет кулинарный раздел, а это Брайан, Шон, Гордон, Эшлинг и Трейси, они дурака валяют целыми днями. — Крис усмехнулся. Один из мужчин, не отрываясь от телефонной трубки, шутливо показал ему кулак. — Остальные журналисты — внештатники и в редакцию заглядывают редко, — продолжил Крис, ведя ее в соседнюю комнату. — А здесь прячутся наши компьютерные гении. Знакомьтесь, Дермот и Уэйн, дизайнеры, они отвечают за макет и обложку. С ними вы будете тесно сотрудничать — им нужно сообщать, какие объявления куда пойдут. Ребята, это Холли.

— Привет, Холли, — оба встали, обменялись с ней рукопожатием и вернулись к работе.

— Воспитанные они у меня, — заметил Крис. Они вышли обратно в холл. — Вон там переговорная. Каждое утро без пятнадцати девять у нас собрание.

Холли кивала на каждое его слово, пытаясь запомнить все имена.

— Туалеты вниз по лестнице. А теперь я покажу вам ваше рабочее место.

Они пошли в направлении его кабинета. Холли с любопытством разглядывала стены. Ничуть не похоже на места, где ей доводилось работать прежде.

— Вот ваш кабинет. — Крис открыл дверь, пропуская ее.

Оглядевшись в крошечной комнатке, Холли расплылась в улыбке. Никогда еще у нее не было собственного кабинета. Пусть он так мал, что в нем едва помещаются письменный стол и стеллаж, зато целиком принадлежит ей. На столе стоял компьютер, а вокруг громоздились толстые папки. Стеллаж был забит книгами, такими же папками и стопками журналов. Огромное окно занимало практически всю стену. Несмотря на мерзкую погоду на улице, в комнате было тепло и уютно. Холли здесь определенно нравилось.

— Чудесно, — сказала она Крису, ставя на стол свой портфель.

— Вот и славно. Ваш предшественник отличался завидной аккуратностью, так что по содержимому этих папок вы без труда поймете, что вам следует делать. С любыми вопросами и затруднениями не стесняйтесь обращаться ко мне. Мы с вами соседи. — Он постучал по стене, разделяющей их кабинеты. — Сами понимаете, я не ожидаю от вас чудес на первых порах. Ведь это совершенно новая для вас область деятельности. Поэтому я рассчитываю, что вопросов у вас будет много — чем больше, тем лучше. Следующий номер выходит первого числа.

Во взгляде Холли мелькнул испуг. У нее всего две недели, чтобы заполнить рекламой целый журнал.

— Не волнуйтесь. — Он ободряюще улыбнулся. — Я прошу вас сосредоточиться на ноябрьском выпуске. Ознакомьтесь с дизайном журнала. Он не меняется от месяца к месяцу, так что вы быстро разберетесь, в каких разделах какие объявления. Это большой объем работы для одного человека, но при должной аккуратности все пойдет гладко, вот увидите. Поговорите с Дермотом и Уэйном, они покажут вам стандартный макет. Если что-то понадобится, просите Алису, она всегда поможет. Вот как будто бы и все. У вас есть вопросы?

— Пока нет, вы все очень хорошо объяснили.

— Тогда позвольте откланяться. — Уже у самой двери он обернулся: — Холли, я принял вас, потому что вы производите впечатление весьма решительной женщины.

Она кивнула, пытаясь всем своим видом показать, что он прав.

— Трудолюбие я распознаю с первого взгляда. Еще ни разу не ошибся. — Он одобрительно улыбнулся и бесшумно закрыл за собой дверь. Холли тут же устроилась за столом в своем новом кабинете. Ей не терпелось приступить к делам. Открывающаяся перспектива немного пугала ее. Впервые в жизни у нее такая ответственная должность, и, судя по всему, занята она будет по горло, но оно и к лучшему. Ей необходимо отвлечься наконец от скорбных мыслей. Как бы там ни было, столько имен ей нипочем не запомнить сразу, так что она вытащила блокнот и записала те, что еще не успела забыть. Затем открыла первую папку и погрузилась в чтение.

Холли так увлеклась, что пропустила обеденный перерыв и заметила это только ближе к вечеру. Впрочем, похоже, никто из сотрудников за весь день не вышел поесть. На прежних работах Холли откладывала все дела за полчаса до перерыва, чтобы поразмыслить, чего ей хочется на обед. А потом еще уходила на пятнадцать минут раньше и возвращалась на пятнадцать минут позже под предлогом пробок на дороге, хотя на самом деле в кафе она шла пешком. Обычно Холли почти весь день мечтала о своем, названивала друзьям (особенно за границу, чтобы не оплачивать дорогие международные звонки) и первой стояла в очереди за зарплатой, которую, как правило, разматывала в течение двух недель.

Да, эта работа разительно отличалась от всех предыдущих, и Холли не намеревалась ни на минуту отвлекаться от нее на пустяки.

— Киара, ты точно взяла с собой паспорт? — Элизабет задавала дочери этот вопрос в третий раз после выхода из дома.

— Да, мам, — раздраженно откликнулась Киара. — Я тебе уже тысячу раз сказала, что он при мне.

— Покажи, — потребовала Элизабет, выглядывая из-за спинки переднего пассажирского сиденья.

— Еще чего! И не подумаю показывать! Я тебе не ребенок, в конце концов!

Деклан фыркнул и тут же получил локтем в бок.

— Заткнись, а?

— Киара, просто покажи маме паспорт, и она успокоится, — устало посоветовала Холли.

— Ладно, — пробурчала сестренка и принялась рыться в сумке. — Вот он, смотри, мам... ой, то есть не здесь, а... ах да, я, наверное, сунула его вот сюда... о черт!

— Господи, Киара! — зарычал отец, в сердцах нажимая на тормоз и разворачивая машину.

— Чуть что, сразу Киара! — надулась та. — Я его в сумку положила, пап. Небось нарочно кто-то вытащил, — ворчала она, расшвыривая во все стороны содержимое сумки.

— Да чтоб тебя! — не выдержала Холли, когда ей в лицо порхнули кружевные трусики.

— Потерпишь, — огрызнулась Киара. — Скоро будете отдыхать от меня сколько влезет.

Все внезапно умолкли, осознав, что так оно и есть. Киара бог весть когда еще вернется из далекой Австралии. И какая бы она ни была шумная и взбалмошная, они будут скучать по ней.

Холли, прижатая к окну, сидела сзади с сестрой и Декланом. Отец вез их в аэропорт провожать Киару. Опять. Ричард взялся отвезти Мэтью и Джека (несмотря на бурные протесты последнего), и они скорее всего уже давно на месте. А Фрэнк поворачивал домой уже второй раз — в первый Киара обнаружила, что забыла свое любимое колечко в нос, и потребовала за ним вернуться.

Через час они наконец добрались до аэропорта, расположенного всего минутах в двадцати езды.

— Господи, ну и где вы застряли? — едва завидев родных, входящих в здание с похоронными лицами, Джек бросился к Холли. — А я тут, значит, должен общаться с Диком без посторонней помощи.

— Прекрати, Джек, — недовольно откликнулась сестра. — Не съел же он тебя.

— Ого, я смотрю, ты сменила пластинку! — насмешливо поразился он.

— Ничего я не сменила, это кое-кто утратил чувство ритма, — отрезала она и пошла здороваться с Ричардом, одиноко стоящим поодаль.

— Солнышко, звони нам почаще, пожалуйста, — умоляюще говорила Элизабет, прижимая к сердцу младшую дочь.

— Обязательно, мамочка. Ну не плачь, не плачь, а то я тоже зареву.

У Холли комок стоял в горле, она с трудом сдерживала слезы. За эти несколько месяцев Киара проявила себя как настоящий друг. Даже в худшие моменты, когда Холли казалось, что жить не стоит вовсе, сестренка всегда умудрялась развеселить ее. Она будет ужасно скучать по Киаре, хотя и понимает, что они с Мэтью должны быть вместе. Он оказался славным парнем, и Холли искренне радовалась, что они с Киарой нашли друг друга.

— Береги нашу девочку. — Холли поднялась на цыпочки, чтобы обнять высоченного Мэтью.

— Не волнуйся, она в надежных руках, — улыбнулся он.

— Теперь твоя очередь за ней присматривать, договорились? — Фрэнк дружески хлопнул его по спине.

У Мэтью хватило ума понять, что это не вопрос, а грозное предупреждение, поэтому он постарался как можно убедительнее заверить Фрэнка, что все будет в порядке.

— Счастливо, Ричард. — Киара крепко обняла старшего брата. — Держись подальше от этой стервы Мередит. Ты слишком хорош для нее. — Она повернулась к Деклану: — Приезжай в гости, Дек, мы тебя всегда ждем. Может, кино про меня сделаешь, — серьезно сказала она, целуя его на прощание.

— Джек, приглядывай за моей старшенькой, — с улыбкой попросила Киара и, заключив в объятия Холли, грустно добавила: — Черт, как же мне будет тебя не хватать!

— Мне тебя тоже, — голос Холли дрожал. Конечно, сестра уезжает навстречу своему счастью, но в последнее время они стали так близки, что в глубине души ей хотелось, чтобы Киара осталась.

— Ладно, пойду я, господа скорбящие, пока вы меня не заразили своим унынием, — с наигранной бодростью объявила Киара.

— Не прыгай больше на этих веревках, дорогая. Это так опасно, — обеспокоенно сказал Фрэнк.

— Это называется банджи, пап, — засмеялась Киара и в последний раз расцеловала родителей. — Не переживай, я придумаю что-нибудь новенькое.

Вся семья в молчании смотрела, как Киара и Мэтью рука об руку уходят на посадку. Даже Деклан тер глаза, делая вид, что никак не может чихнуть.

— Смотри на свет, Дек. — Джек положил ему руку на плечо. — Говорят, помогает.

Деклан, задрав голову, уставился на лампы, чтобы не смотреть, как уезжает его любимая сестра. Фрэнк обнимал жену, которая все махала и махала дочери вслед, заливаясь слезами.

Внезапно все расхохотались. Когда Киара проходила через металлоискатель, раздался сигнал тревоги, и пришлось ей выворачивать карманы под насмешливые замечания стоящих в очереди пассажиров.

— И так каждый раз, — смеялся Джек. — Ума не приложу, как ее вообще из страны выпускают.

Киара и Мэтью тем временем пошли дальше, и наконец ее мелькающие в толпе розовые волосы скрылись из виду.

— Что ж, — вздохнула Элизабет, утирая слезы. — Может, поедете с нами домой, ребятишки, пообедаем все вместе.

Никто не посмел еще больше расстроить мать отказом.

— Разрешаю тебе покататься с Ричардом, — съязвил Джек и пошел с остальными к машине отца. Ядовитый сарказм в его голосе неприятно удивил Холли.

— И как прошла первая неделя на работе, дорогая? — спросила Элизабет, когда все расселись за обеденным столом.

— Чудесно, мамочка, — оживилась Холли. — Намного сложнее и интереснее, чем все, что было у меня раньше. И с коллективом отношения сложились. Там вообще очень теплая атмосфера.

— Это, между прочим, самое главное, — вставил довольный Фрэнк. — А как тебе начальник?

— Ой, просто душка! Он мне так тебя напоминает, пап, что каждый раз прямо обнять и расцеловать его хочется.

— По-моему, это называется сексуальное домогательство на рабочем месте, — пошутил Деклан, вызвав ухмылку Джека.

Холли показала братьям язык.

— А ты как, Деклан, уже принялся за новый фильм? — спросил Джек.

— Ага, о бездомных, — невнятно пробурчал Деклан с набитым ртом.

— Деклан, — поморщилась Элизабет, — не разговаривай с полным ртом.

— Извиняюсь, — ответил тот и выплюнул еду в тарелку.

Джек затрясся, остальные брезгливо отвели взгляд.

— Так что ты сказал, сынок, чем ты сейчас занимаешься? — поспешно спросил Франк, надеясь избежать семейной ссоры.

— В этом году я делаю для колледжа фильм о бездомных.

— О, хорошо, — похвалил отец и снова погрузился в собственные мысли.

— И кого из членов семьи ты на сей раз задействуешь в главной роли? Ричарда? — ехидно поинтересовался Джек.

Холли швырнула вилку с ножом на стол. К ее удивлению, Деклан серьезно ответил:

— Не смешно, брат.

— Господи, да что это вы все сделались такими недотрогами? Пошутить уже нельзя. — Джек недоуменно оглядел свою семью.

— Это действительно не смешно, Джек, — укоризненно произнесла Элизабет.

— А что он сказал? — Фрэнк снова очнулся от своих размышлений.

Элизабет лишь недовольно покачала головой, и он понял, что лучше не переспрашивать.

Холли посмотрела на Ричарда, который сидел в конце стола и спокойно продолжал есть. Она сочувствовала ему всем сердцем. Он не заслужил такого обращения. Не то Джек сегодня перегнул палку, не то он всегда таким был, а Холли, как дура последняя, считала его непревзойденным остряком.

— Извини Ричард, я неудачно пошутил, — сказал Джек.

— Ничего, все в порядке.

— Ты работу-то нашел наконец?

— Пока нет.

— Какая досада, — холодно заметил Джек, и Холли обожгла его сердитым взглядом. С чего это он так взъелся на брата?

— Знаешь, Джек, — вздохнула она, нарезая ломтиками куриную грудку, — пора бы тебе уже повзрослеть.

Джек одним глотком допил свое пиво и гневно покосился на нее в ответ.

Элизабет, не говоря ни слова, взяла свою тарелку, пошла в гостиную, включила телевизор и села доедать свой ужин в одиночестве. Ее «шаловливые эльфы» изменились. Глядя на них, ей больше не хотелось смеяться.

Глава тридцать восьмая

Барабаня пальцами по столу, Холли задумчиво смотрела в окно. Всю неделю работа у нее спорилась — любо-дорого посмотреть. Кто бы мог подумать, что труд порой доставляет столько удовольствия? Она, не жалуясь, пропускала обеденный перерыв, задерживалась допоздна, и при этом у нее так ни разу и не возникло желания заехать кому-нибудь из коллег по физиономии. Впрочем, это только третья неделя — дайте срок. В редакции вечно царила веселая суматоха, все были на «ты», и ребята в соседних кабинетах то и дело орали друг на друга через стенку. Но орали добродушно, так, не всерьез, и Холли это ужасно нравилось.

Ей приятно было ощущать себя частью дружного коллектива, она гордилась тем, что результаты ее работы важны для конечного продукта. Каждый божий день, сидя в своем кабинете, она думала о Джерри. Заключив очередной договор, она горячо благодарила его за то, что он указал ей путь наверх. Конечно, все еще бывали дни, когда она чувствовала себя глубоко несчастной и отдала бы что угодно, лишь бы не выбираться из постели. Но радостное предвкушение рабочего дня неизменно подстегивало ее.

Холли улыбнулась, услышав звуки радио у Криса за стенкой. Каждый час он включал новости, и поток информации волей-неволей откладывался у нее в голове. Никогда прежде она не чувствовала себя такой умной и энергичной.

— Эй! — завопила она во весь голос, грохнув кулаком по стене. — Нельзя ли потише?! Тут некоторые работать пытаются!

Крис у себя в кабинете рассмеялся, и она последовала его примеру. Затем снова уткнулась в бумаги. Внештатный журналист написал очень забавное эссе о том, как объехал всю Ирландию в поисках самого дешевого пива. Внизу страницы зияло пустое место, и Холли предстояло его заполнить. Едва она начала листать записную книжку, как ее осенило. Схватив трубку, она набрала номер.

— «У Хогана».

— Здравствуйте, Дэниела Коннолли, будьте добры.

— Минуточку.

Чертовы «Зеленые рукава», как обычно. Холли включила громкую связь и пустилась в пляс вокруг стола. Крис заглянул к ней, ухмыльнулся и закрыл дверь.

— Алло!

— Дэниел?

— Слушаю.

— Привет, это Холли.

— О, Холли, как поживаешь?

— Великолепно, спасибо, а ты?

СЕСИЛИЯ АХЕРН

— Лучше не бывает.

— Ага, то-то у тебя голос такой мрачный.

Он рассмеялся.

— Ну а как твоя хваленая работа?

— Я, собственно, именно по этому поводу и звоню, — виновато призналась Холли.

— Ну уж нет! — Он убедительно изобразил панику в голосе. — Я ввел новую политику компании: найм персонала из семьи Кеннеди строжайше воспрещен.

— Вот черт, а я уже размечталась, как вылью стаканчик-другой на голову клиенту!

— Так в чем дело? — осведомился он.

— Если не ошибаюсь, ты как-то говорил, что тебе следует побольше рекламировать клуб «Дива»? — Вообще-то Дэниэл говорил об этом, будучи уверен, что беседует с Шэрон, но Холли надеялась, что он не вспомнит о такой мелочи.

— Действительно, было дело.

— Вот и отлично. А не хочешь разместить рекламу в журнале «Икс»?

— Это тот, в котором ты работаешь?

— Нет, это я просто из академического интереса спрашиваю! Разумеется, тот самый.

— Ну конечно, как я мог забыть! Ваша контора прямо за углом от моего клуба. И, между прочим, из-за нее ты ежедневно проносишься как угорелая мимо моих дверей и никогда не заходишь. Почему я никогда не вижу тебя в обеденный перерыв? Неужели у нас такое отвратное меню? — поддразнил ее Дэниел.

— Да у нас, понимаешь, все обедают прямо на рабочем месте, — объяснила она. — Так что скажешь?

— Что вы все зануды.

— Да нет, я имею в виду — насчет рекламы!

— Почему бы и нет, мысль неплохая.

— Отлично, тогда она пойдет в ноябрьском выпуске. Можем каждый месяц размещать, если хочешь.

— Ты сначала скажи, во сколько мне обойдется это удовольствие, — усмехнулся Дэниел.

Холли быстренько провела расчеты и назвала ему сумму.

— Гмм... Насчет ежемесячного размещения подумаю, но на ноябрьский выпуск точно согласен.

— Ура! Вот увидишь, как только выйдет номер, ты станешь миллионером!

— Это в твоих интересах, — шутливо пригрозил он. — Кстати, через неделю у нас намечается вечеринка, презентация нового напитка. Тебя занести в список приглашенных?

— С удовольствием приду. А что за напиток?

— «Блю Рок[1]» называется. Какая-то сладкая дрянь, которая по всем прогнозам должна вызвать ажиотаж у потребителей. Вкус тошнотворный, зато всю ночь его дают бесплатно, так что я угощаю!

— Слышали бы тебя спонсоры! — весело откликнулась Холли. — И когда это будет? — Она открыла ежедневник и отметила дату. — Прекрасно. Я приду после работы.

— Не забудь прихватить с собой бикини.

— Не забудь... что???

— Бикини, — смеясь, подтвердил Дэниел. — Вечеринка в пляжном стиле.

— С ума сошел, зима же скоро!

— Ну, не я это придумал. Их слоган: «Блю Рок» согреет вас зимой.

— Фууу, пошлятина!

1   Blue Rock — голубая скала (англ.).

— А хлопот — ты себе не представляешь! Мы засыплем весь пол песком — и, спрашивается, как потом все это убирать? Кошмар! Слушай, побегу я, а то у нас сегодня бардак полный.

— Ладно, спасибо, Дэниел. Подумай над текстом объявления и свяжись со мной, как сможешь.

— Будет исполнено.

Положив трубку, Холли встала из-за стола и направилась в кабинет к Крису. У нее появилась идея.

— Ну что, закончила пляски? — благодушно приветствовал ее босс.

— Ага, это я новый танец выдумывала. Пришла вот показать вам. — Холли пока что не набралась смелости ему «тыкать».

— Что случилось-то?

— Ничего, просто мысль одна меня посетила.

— Садись. — Он кивнул на стул перед своим столом. Всего три недели назад она тряслась на этом самом месте во время собеседования, а теперь вот выкладывает начальству свои идеи. Забавно, как быстро все меняется в жизни. С другой стороны, ей ли не знать...

— И что за мысль?

— Знаете бар «У Хогана», тут неподалеку, за углом?

Крис кивнул.

— Я только что говорила с владельцем, он собирается дать рекламу в наш журнал.

— Замечательно, но надеюсь, ты не будешь мне докладываться каждый раз, как найдешь рекламодателя? Это ж мы тут на весь год застрянем.

— Да нет же, Крис, не в этом дело. Он мне сообщил, что в клубе намечается вечеринка в честь нового напитка «Блю Рок». Пляжная тематика, весь персонал в бикини и тому подобное.

— Как, осенью?! — Он удивленно приподнял бровь.

— Это пойло якобы «согреет нас зимой».

— Пошлость, — фыркнул он.

Холли улыбнулась.

— Я то же самое сказала. Так вот, я и подумала: может, стоит сделать об этом статью? Знаю-знаю, предложения мы выдвигаем на совещаниях, но мероприятие уже довольно скоро.

— Ясно. Что ж, отличная мысль, Холли. Я отряжу кого-нибудь из ребят на это дело.

Холли с довольным видом поднялась со стула.

— Кстати, вы не разобрались еще со своим садом?

Крис нахмурился.

— Ко мне уже человек десять приходило посмотреть на него. Все просят шесть тысяч, не меньше.

— Ух, дорого-то как.

— Да у нас большой сад. И работы там навалом.

— А какая самая низкая цена?

— Пять с половиной тысяч, а что?

— Мой брат сделал бы за пять, — собравшись с духом, выпалила Холли.

— За пять? А он вообще что-нибудь в этом смыслит?

— Помните, я вам говорила, что мой сад превратился в джунгли?

Он кивнул.

— Так вот, брат там такую красоту навел — загляденье! Единственный минус — он работает один, поэтому возится дольше.

— Да за такую цену мне все равно, сколько он провозится! У тебя случайно нет с собой его визитки?

— Э-э… есть! В сумке. Я вам попозже занесу, ладно?

Холли стащила у Алисы со стола лист бумаги потверже и покрасивее, набрала затейливым шрифтом имя и мобильный телефон Ричарда, внушительно обозвав его «дизайнером по ландшафту», затем распечатала все это и нарезала лист на ровные прямоугольнички.

— Отлично, — обрадовался Крис, взяв у нее карточку. — Сейчас позвоню ему.

— Нет-нет! — поспешно воскликнула Холли. — Лучше после выходных. Он сейчас занят по горло.

— Не вопрос. Спасибо, Холли. — Она уже направилась было к двери, как он окликнул ее снова. — Кстати, а ты писать умеешь?

— Ага, нас в школе учили.

Крис рассмеялся.

— С тех пор навыков не утратила?

— Ну… могу словарь купить в случае чего.

— Вот и хорошо, а то мне нужно, чтоб ты написала про эту пляжную вечеринку.

— Ой…

— Все ребята заняты на других мероприятиях. Не самому же мне идти! Так что полагаюсь на тебя. — Он зашуршал какими-то бумагами на столе. — Пошлю с тобой фотографа, щелкнете там каких-нибудь красоток в бикини на песочке.

— Да… конечно. — Сердце Холли бешено колотилось.

— Восемьсот слов, уложишься?

Исключено, подумала она. Ей всегда казалось, что весь ее лексикон насчитывает не больше пятидесяти.

— Никаких проблем, — уверенно ответила она и попятилась к выходу.

Ругая на чем свет стоит свою невезучесть, Холли судорожно размышляла, как бы ей теперь выкрутиться. У нее же орфографические ошибки через слово, какая там статья!

Схватив трубку, она нажала кнопку повтора.

— «У Хогана».

— Дэниела Коннолли, будьте добры.

— Минуточку.

— Только не ставьте мне эту...

Заиграли «Зеленые рукава».

— ...дурацкую музыку, — обреченно закончила она.

— Алло!

— Дэниел, это опять я.

— Ты когда-нибудь оставишь меня в покое?

— И не подумаю, мне нужна помощь.

— Знаю, только у меня не та специальность, — засмеялся он.

— Нет, серьезно, я рассказала главному про эту вашу вечеринку, и он хочет статью о ней в номер!

— О, блеск! В таком случае про объявление можешь забыть.

— Никакой не блеск! Он попросил *меня* написать эту чертову статью!

— Так это же здорово, Холли!

— Да нет! Я писать не умею! — пожаловалась она.

— Надо же! А у нас в начальной школе это был один из основных предметов.

— Ох, Дэниел, прекрати острить хоть на секунду!

— Ладно, чем я могу тебе быть полезен?

— Мне нужно, чтобы ты мне рассказал абсолютно все, что знаешь про этот напиток и про вечеринку. Тогда я смогу начать сегодня же, и у меня будет еще несколько дней в запасе — может, удастся состряпать хоть что-нибудь.

— Сию минуту, сэр. — крикнул он куда-то в сторону. — Послушай, Холли, у меня правда нет времени.

— Ну пожалуйста, — всхлипнула она.

— Так. Ты во сколько заканчиваешь?

— В шесть. — Она скрестила пальцы, молясь, чтобы он согласился помочь.

— Тогда заходи сюда после работы, и я отведу тебя куда-нибудь поужинать. Договорились?

— Дэниел, спасибо тебе преогромное! Ты настоящий друг! — От нахлынувшего облегчения Холли подхватилась с места и совершила несколько безумных скачков вдоль стола.

Положив трубку, она испустила глубокий вздох удовлетворения. Теперь у нее есть хоть какой-то шанс написать статью. Может быть, ее даже не уволят после этого. Только вот… Заново прокручивая в голове разговор, Холли остолбенела.

Это что же выходит, она только что согласилась пойти на свидание с Дэниелом?

Глава тридцать девятая

Перед концом рабочего дня Холли никак не могла сосредоточиться. Она то и дело поглядывала на часы, про себя уговаривая стрелки ползти помедленнее. Но те в кои-то веки решили проявить резвость. Ну почему они не мчатся с такой скоростью, когда ей предстоит открыть очередное письмо Джерри? Перспектива ужина с Дэниелом повергала ее в панику.

Ровно в шесть часов Алиса выключила компьютер и умчалась навстречу свободе. Слушая, как ее каблучки выбивают дробь по лестнице, Холли улыбнулась. Раньше она и сама поступала точно так же. Ведь когда тебя дома ждет самый чудесный на свете муж, жизнь видится совсем иначе. Был бы Джерри с ней до сих пор, она бы неслась к выходу, обгоняя Алису.

Кто-то из коллег в соседнем кабинете собирал вещи, готовясь уйти, — через тонкие стены отчетливо доносился каждый звук. Холли молила небо, чтобы явился Крис и обрушил на нее какое-нибудь срочное задание. Тогда ей придется сидеть тут до ночи и отменить встречу с Дэниелом. Но... что она, собственно, волнуется? Они тысячу раз ходили вдвоем на всякие мероприятия как двое друзей, не имеющих пары. Когда кто-то устраивал вечеринку или созывал народ прогуляться по барам, их обязательно приглашали обоих. Как будто поодиночке они не смогли бы нормально общаться с другими парами. Казалось, все считают, что, приглашая Дэниела, они обязаны пригласить и Холли. И каждый такой вечер они проводили, практически не отлипая друг от друга, — правда, всегда в большой компании. Тем не менее какая-то неуловимая мысль не давала Холли покоя. Что-то в его интонациях ее встревожило, и к тому же в груди у нее подозрительно екнуло, когда они договаривались о встрече. Ее не покидало чувство вины и стыда, как она ни старалась убедить себя, что это всего лишь деловой ужин. Так, стоп. Если подумать, ужин действительно деловой — ни больше ни меньше. Забавно, она теперь принадлежит к числу тех загадочных существ, что обсуждают за ужином дела. До сих пор ей доводилось обсуждать за едой только мужчин, смысл жизни и прочие девичьи секреты с Шэрон и Дениз.

Она выключила компьютер и собрала бумаги в портфель, каждое движение — как в замедленной съемке. Словно это поможет ей избежать ужина с Дэниелом. Холли изо всех сил хлопнула себя по лбу... это *деловой* ужин, и точка!

— Эй, Холли, вряд ли это стоит того, чтобы себя калечить! — оказывается, за спиной у нее, облокотившись на дверной косяк, стояла Алиса. Холли подскочила от неожиданности.

— Господи, нельзя же так подкрадываться!

— С тобой все в порядке?

— Ну да, — неубедительно соврала Холли. — Мне просто необходимо сделать кое-что, чего я делать совершенно не хочу. Вернее, в каком-то смысле хочу и от этого не хочу еще больше, потому что от этого кажется, что так делать нельзя, хотя на самом деле ничего тут плохого нет.

У Алисы глаза на лоб полезли.

— А я-то думала, что это *я* перебарщиваю с самоанализом.

— Не обращай внимания, — опомнилась Холли. — Это я потихоньку с ума схожу.

— Ничего, со всеми бывает.

— А ты что здесь делаешь? — удивилась Холли, вспомнив, что недавно слышала, как секретарша уходит. — Неужели свобода больше не прельщает?

— Пришлось вернуться. — Алиса недовольно поморщилась. — Совсем забыла, что у нас собрание в шесть.

— Ах вот оно что! — Холли с трудом скрыла разочарование. Сегодня никто не говорил ей ни о каком собрании. Само по себе это было нормально, не на каждой встрече требовалось ее присутствие. Но чтобы Алису позвали, а ее нет — такого еще не случалось. — Что-нибудь интересное? — закинула она удочку, изображая полное равнодушие и с показным тщанием прибирая на столе.

— Астрологическая летучка.

— Астрологическая?

— Ну да, они у нас каждый месяц.

— А-а... А я тоже должна идти или меня не приглашают? — Она старалась задать вопрос без горечи в голосе и весьма смутилась, убедившись, что ей это не удалось.

Алиса звонко рассмеялась.

— Конечно, все будут рады тебе, Холли. Собственно, затем я и топчусь у тебя на пороге — чтобы пригласить.

Чувствуя себя идиоткой, Холли положила портфель и последовала за Алисой в переговорную, где уже собрались все сотрудники.

— Ребята, Холли впервые на астрологической летучке, так что давайте поприветствуем ее, — объявила Алиса.

Под общие аплодисменты Холли села за стол. Крис состроил негодующую гримасу.

— Холли, заранее предупреждаю, что я не имею ни малейшего отношения к этому бреду, и извиняюсь, что тебя тоже затащили его слушать.

— Заткнулся бы уже, Крис. — Трейси шутливо замахнулась на шефа, усаживаясь во главе стола с блокнотом и ручкой наготове. — Итак, кто первый?

— Пусть Холли будет первая, — щедро предложила Алиса.

Холли в недоумении оглядела коллег.

— Но я понятия не имею, что надо делать.

— Просто отвечай на мои вопросы, — объяснила Трейси. — Кто ты по знаку Зодиака?

— Телец.

Все заохали и заахали, а Крис прижал ладони к вискам, делая вид, будто происходящее его ничуть не развлекает.

— Отлично! — обрадовалась Трейси. — Первый Телец в нашем коллективе, раньше ни одного не было. Значит так, ты замужем, встречаешься с кем-нибудь или как?

Холли залилась румянцем смущения. Брайан подмигнул ей, Крис ободряюще улыбнулся. Он единственный за этим столом знал о Джерри. После смерти мужа ей ни разу еще не приходилось отвечать на подобный вопрос.

— Э-э… да нет, я вроде как ни с кем не встречаюсь, но…

— Ага, ладно. — Трейси уже строчила что-то в блокноте. — В следующем месяце Тельцу предстоит встреча с высоким интересным брюнетом… — Она пожала плечами и оторвалась от своих записей. — Ребята?

— Потому что он сыграет важную роль в ее будущем, — подсказала Алиса.

Брайан снова подмигнул Холли. Его явно забавлял тот факт, что он тоже высокий брюнет… правда, очевидно, слепой, если считает себя интересным. Холли передернулась, и он отвел взгляд.

— Так, с карьерой легче легкого, — продолжала Трейси. — Телец будет очень занят, его ждут перемены к лучшему и новые интересные задания на работе. Благоприятный день… пожалуй, вторник, а благоприятный цвет… голубой, — решила она, посмотрев на блузку Холли. — Вот и все. Кто следующий?

— Подождите-подождите! — перебила Холли, потрясенная до глубины души. — Это что — мой гороскоп на следующий месяц?

Стол взорвался смехом.

— Мы разбили твои грезы? — подколол Гордон.

— Вдребезги. Я люблю читать свой гороскоп! Пожалуйста, скажите мне, что не все журналы так делают! — взмолилась она.

Крис покачал головой.

— Нет, далеко не все, Холли. Некоторые просто нанимают одаренных людей, которые выдумывают эту чушь самостоятельно, не привлекая весь коллектив. — Он адресовал Трейси гневный взгляд.

— Ха-ха, как смешно, — сухо парировала та.

— То есть ты не ясновидящая, Трейси? — печально уточнила Холли.

— Нет, даром предвидения меня феи при рождении обделили, зато я превосходно веду колонку житейских советов и умею составлять кроссворды, большое спасибо. — Она возмущенно покосилась на Криса, а он в ответ беззвучно произнес: «Ого!».

— Ну вот, вы мне все испортили, — рассмеялась Холли, устало откидываясь на спинку стула.

— Ты следующий, Крис. Близнецы будут вкалывать до потери пульса, не вылезать из кабинета и питаться всякой дрянью. Им срочно необходимо привести свою жизнь в порядок.

Крис закатил глаза.

— Ты это каждый месяц пишешь.

— Пока ты не сменишь образ жизни, я не имею права менять прогноз для Близнецов, не так ли, ребята?

Неумолимая Трейси прошлась по знаку каждого из присутствующих, уступив под конец требованиям Брайана, чтобы Лев весь месяц служил предметом вожделения противоположного пола и выиграл в лотерею. Угадайте с одного раза, кто Брайан по зодиаку. Холли взглянула на часы и поняла, что безнадежно опаздывает на *деловую* встречу с Дэниелом.

— Прошу прощения, мне надо бежать. — Она поднялась из-за стола.

— Высокий интересный брюнет ждет тебя, — хихикнула Алиса. — Если он тебе не нужен, можешь отправить его ко мне.

Холли вышла из здания, и ее сердце бешено заколотилось, когда она увидела Дэниела, идущего ей навстречу. На дворе стояла холодная осень, так что он опять облачился в свою черную кожаную куртку — на сей раз с голубыми джинсами. Ветер растрепал его темные волосы, подбородок покрывала щетина. Как будто только что с постели поднялся. У Холли снова екнуло в груди, и она поспешила отвести взгляд.

— Я же тебе говорила! — весело крикнула Трейси, обгоняя ее.

— Извини, ради бога, Дэниел, — попыталась оправдаться Холли. — Меня затащили на совещание, и я не могла позвонить.

— Ничего страшного, я понимаю, — улыбнулся он, и она тут же почувствовала себя виноватой. Это же Дэниел, ее друг, а не кто-то, кого следует избегать. И что на нее нашло? Нельзя же так, в конце концов.

— Что скажешь, куда пойдем? — спросил он.

— Да вот хоть сюда, — указала Холли на маленькое кафе на первом этаже их здания. Ей хотелось выбрать самое что ни на есть людное и будничное место.

Дэниел поморщился.

— Я бы предпочел что-нибудь посолиднее, если не возражаешь. Весь день хожу голодный как волк, даже перекусить времени не было.

Они пошли дальше. По пути Холли предлагала каждое встречное кафе, но Дэниел только головой качал. Наконец он остановился на итальянском ресторанчике, и Холли не могла отказаться — не потому, что он ей понравился, а потому, что Дэниел уже успел забраковать все остальные заведения на этой улице.

Внутри было тихо. Всего несколько парочек сидели за столиками при свечах, не сводя друг с друга влюбленных глаз. Как только Дэниел снял куртку и отвернулся, чтобы ее повесить, Холли быстро задула свечу на столе. Темно-синяя рубашка выгодно подчеркивала глаза ее спутника, мерцающие в полумраке ресторана.

Дэниел проследил за взглядом Холли и увидел молодого человека с девушкой на противоположном конце зала. Они держались за руки, явно позабыв о еде.

— Они тебя раздражают, да? — сочувственно спросил он.

— Вообще-то нет. Просто грустно на них смотреть, — тихо ответила Холли.

Занятый изучением меню, он не расслышал ее слов.

— Ты что будешь?

— Пожалуй, «Цезарь».

— Ох уж эти женщины со своими салатами! Ты что, есть не хочешь?

— Не очень, — соврала Холли и покраснела, поскольку в желудке у нее тут же громко заурчало.

— По-моему, там кто-то с тобой не согласен, — засмеялся он. — Ты вообще когда-нибудь ешь, Холли Кеннеди?

Еще как, но только не при тебе, подумала она.

— Просто у меня не богатырский аппетит в отличие от некоторых, вот и все.

— Ну-ну, кролики и те питаются обильнее, чем ты.

Холли постаралась направить беседу в безопасное русло, и в итоге они весь ужин проговорили о вечеринке. У нее не было настроения обсуждать личные дела, тем более что именно сегодня она никак не могла определиться в своих мыслях и чувствах. Дэниел заботливо принес ей копию пресс-релиза, чтобы она ознакомилась с ним заранее и поскорее приступила к работе над статьей. Кроме того, он дал ей телефоны людей, занимавшихся созданием напитка, — пообщавшись с ними, она сможет добавить в статью несколько цитат. Он очень помог ей, подсказав, в каком ключе следует освещать мероприятие и у кого раздобыть побольше сведений. Ее паника по поводу непосильного задания заметно улеглась. Зато зародилась новая — из-за того, что ей так неловко сидеть наедине с человеком, который, дураку понятно, ничего кроме дружбы от нее не ждет. К тому же она умирала от голода, так как сумела запихнуть в себя всего несколько салатных листьев.

Пока Дэниел оплачивал счет, Холли вышла на улицу подышать воздухом. Он, несомненно, очень щедр, и она рада, что у нее есть такой друг. Просто как-то казалось неправильно ужинать в столь интимной атмосфере с кем-то, кроме Джерри.

Завидев пожилую пару, направляющуюся прямиком к ней, она вздрогнула и попыталась спрятать лицо. Вот уж кого ей сейчас меньше всего хотелось видеть! Она наклонилась, делая вид, что завязывает шнурок, но обнаружила, что на ней сапожки на молнии. Пришлось без видимой необходимости подворачивать края брюк.

— Холли, это ты? — раздался знакомый голос. Холли уставилась на две пары обуви прямо у себя под носом, затем медленно выпрямилась.

— Ой, здравствуйте! — воскликнула она с притворным удивлением, тщетно пытаясь унять дрожь в коленках.

— Как поживаешь? — спросила женщина, обнимая ее. — Что ты тут стоишь одна на холоде?

Холли заклинала небеса, чтобы Дэниела что-нибудь задержало хоть ненадолго.

— Да вот... — фальшиво улыбнулась она, махнув рукой в сторону ресторана. — Просто перекусить заходила.

— А мы как раз туда идем, — подал голос мужчина. — Какая жалость, что мы разминулись, а то бы поужинали вместе.

— Да-да... как обидно...

— Что ж, все равно ты молодец. — Женщина похлопала ее по плечу. — Полезно иногда выйти из дома, сходить куда-нибудь самой.

— А я, собственно... — Холли украдкой бросила взгляд на дверь, молясь, чтобы она не открылась. — То есть, конечно, это приятно...

— Вот ты где! — обрадовался Дэниел, выходя из ресторана. — Я уж думал, ты от меня сбежала. — Он непринужденно приобнял ее за плечи. Она слабо улыбнулась ему и снова повернулась к собеседникам.

— О, простите, я вас не заметил. — Дэниел наконец тоже обратил на них внимание.

Мужчина и женщина взирали на него с каменными лицами.

— Э-э... Дэниел, познакомься. Это Джудит и Гарольд. Родители Джерри.

Глава сороковая

Холли изо всех сил нажала на гудок, осыпая проклятиями водителя стоящей впереди машины. Она была в ярости. Злилась на себя за то, что вчера вечером так по-дурацки попалась. И еще больше — за то, что чувствует себя скомпрометированной, хотя на самом деле все было в высшей степени невинно. А уж особенно — за то, что в глубине души подозревает, что не так уж все было и невинно, потому что весь вечер она наслаждалась обществом Дэниела. А не следовало бы, потому что это неправильно, хотя вчера казалось совершенно естественным...

Она отпустила руль и потерла виски. У нее болела голова, и она опять перемудрила с самоанализом, и чертовы пробки всю дорогу доводили ее до бешенства. Бедный Дэниел, печально подумала она. Родители Джерри были так невежливы с ним — резко оборвали разговор и направились в ресторан, стараясь не встречаться взглядом с Холли. Ну почему им обязательно надо было столкнуться с ней в счастливый момент? Могли бы навестить ее дома в любой день недели и убедиться, что она глубоко несчастна, — образцовая скорбящая вдова. Но судьба распорядилась иначе, и теперь они, наверное, думают, что ей прекрасно живется без их сына. Да пошли они, выругалась она про себя, снова сигналя машине впереди. И почему люди по пять минут стоят как вкопанные, когда загорается зеленый?

Она застревала на каждом встречном светофоре, тогда как больше всего на свете ей хотелось попасть наконец домой и закатить истерику. В очередной пробке она схватила мобильный телефон и позвонила Шэрон — вот кто ее непременно поймет.

— Слушаю.

— Привет, Джон, это Холли. Я могу поговорить с Шэрон?

— Извини, Холли, она спит. Я бы разбудил ее ради тебя, но она так устала за день...

— Нет-нет, ничего страшного, — перебила она. — Я завтра позвоню.

— Что-то серьезное? — забеспокоился он.

— Нет, — тихо ответила Холли. — Так, пустяки. — Она отключилась и тут же набрала номер Дениз.

— Алло? — хихикнула в трубку подруга.

— Приветик.

— Холли! Как дела? — Дениз снова захихикала. — Том, прекрати! — шепнула она в сторону, и Холли поняла, что звонит не вовремя.

— Все хорошо. Я просто так, поболтать, но слышу, что ты там занята. — Она выдавила из себя смешок.

— Ладно, дорогая, тогда завтра созвонимся, — пообещала Дениз.

— Ага, по... — Она не успела договорить, как Дениз уже повесила трубку.

Погрузившись в свои мысли, она стояла на светофоре, пока оглушительные гудки сзади не заставили ее подпрыгнуть на сиденье и тронуться с места.

Холли решила поехать к родителям и поговорить с Киарой. Сестренка в два счета ее развеселит. И только паркуясь у дома, она вспомнила, что Киара уехала. Глаза ее наполнились слезами. Опять она осталась одна.

В дом ее впустил Деклан.

— Что это с тобой?

— Ничего, — хлюпнула она носом, отчаянно жалея себя. — А мама где?

— Они с папой на кухне, разговаривают с Ричардом. Я там был явно лишний, вот и оставил их ненадолго.

— А… понятно. — Холли совсем растерялась. — А ты чем занимаешься?

— Смотрю материалы, которые отснял сегодня.

— Твой фильм о бездомных?

— Ага. Хочешь, посмотрим вместе?

— Давай. — Она благодарно улыбнулась, устраиваясь на диване. Через несколько минут просмотра она уже вовсю заливалась слезами, но в кои-то веки не из-за себя. Деклан сделал потрясающее интервью с удивительным парнем, живущим на улицах Дублина. До нее начало доходить, что многим приходится в жизни куда тяжелее, чем ей. Неловкая встреча с родителями Джерри у ресторана вдруг померкла и показалась полной ерундой.

— Деклан, это просто изумительно! — от души похвалила она, вытирая глаза, когда фильм закончился.

— Спасибо, — негромко отозвался он, вынимая кассету из видеомагнитофона и аккуратно убирая ее в сумку.

— Ты разве не доволен?

Он пожал плечами.

— Когда проводишь день с таким человеком, как-то неудобно радоваться, что ему настолько паршиво, что я могу сделать из этого отличное кино. Выходит, чем хуже ему, тем лучше мне.

Холли слушала его с интересом.

— Знаешь, Деклан, а я не согласна. По-моему, твой фильм важен и для него тоже. Люди увидят его и захотят помочь.

Деклан только рукой махнул.

— Может быть. Как бы там ни было, я иду спать, меня уже ноги не держат.

Подхватив сумку, он пошел к двери, по дороге чмокнув сестру в макушку. Холли глубоко тронул этот жест. Похоже, ее младший братишка взрослеет.

Взглянув на часы на каминной полке, она обнаружила, что уже почти полночь, и достала из сумки октябрьское письмо Джерри. Ее ужасала мысль о том, что рано или поздно письма закончатся. Не считая этого, оставалось еще два. Она ласково погладила конверт, перед тем как вскрыть его. На колени ей выскользнули две открытки, а между ними — засушенные цветочные лепестки. Ее любимый подсолнух. Еще в конверте лежал крошечный пакетик. Холли с любопытством изучала его, пока не поняла, что это семена подсолнечника. Дрожащими пальцами она прикоснулась к сухим лепесткам, боясь, как бы они не рассыпались у нее в руках. Джерри писал:

«Подсолнухи для моего солнышка, чтобы скрасить темные октябрьские вечера, которые ты так не любишь. Посади их побольше и не забывай, что впереди теплое, веселое лето.

P. S. Я люблю тебя...

398

P. P. S. Передай, пожалуйста, вторую открытку Джону».

Сквозь смех и слезы Холли прочла вторую открытку.

«Джону.
С тридцатидвухлетием!
Стареешь, дружище! Но надеюсь, у тебя еще много-много дней рождения впереди. Береги себя, радуйся жизни, заботься о моей жене и о Шэрон. Ты теперь за них отвечаешь! Всем привет!
Твой друг Джерри
Говорил я тебе, что сдержу обещание...»

Холли снова и снова перечитывала каждое слово, написанное рукой Джерри. Она просидела на диване целую вечность, представляя себе, как обрадуется Джон, получив послание от друга. Думала она и о том, как изменилась ее жизнь за последние несколько месяцев. Работа приносила ей радость, и, честно говоря, она собой гордилась. Каждый день она выключала компьютер и покидала свой кабинет с чувством глубокого удовлетворения. Джерри заставил ее быть сильной, подтолкнул к поискам занятия, которое приносило ей не только зарплату, но и нечто большее. Будь он рядом до сих пор, ей и в голову не пришло бы искать дополнительных источников самореализации. Жизнь без него стала пустой, но в этой пустоте оказалось полно места для нее самой. Разумеется, она без колебаний обменяла бы все это на Джерри.

Но что поделаешь? Волей-неволей она вынуждена думать о себе и о собственном будущем, потому как перекладывать ответственность ей больше не на кого.

Холли вытерла глаза и встала с дивана. Обман чувств — или действительно ее шаг стал легче и тверже? Она тихонько постучала в дверь кухни.

— Заходи, — позвала Элизабет.

На кухне родители и Ричард пили чай.

— О, привет, дорогая, — обрадовалась мама, бросаясь к Холли с распростертыми объятиями. — А я и не слышала, как ты приехала.

— Я уже почти час здесь. Мы с Декланом смотрели его фильм. — Холли обвела семью сияющим взглядом. Ей хотелось расцеловать их всех одновременно.

— Хорошо получилось, правда? — Фрэнк поднялся, чтобы поздороваться со старшей дочерью.

Холли кивнула и опустилась на свободный стул.

— Ты еще не нашел работу? — спросила она Ричарда.

Тот печально покачал головой. Казалось, он вот-вот расплачется.

— А я нашла.

Брат в недоумении воззрился на нее, пораженный ее бестактностью.

— Это мне известно, что *ты* нашла.

— Да нет, Ричард, — улыбнулась Холли. — Я нашла работу *тебе*.

— Ты… что сделала?

— Ты меня прекрасно слышал. — Она торжествующе улыбнулась. — Мой начальник позвонит тебе в понедельник.

Его лицо помрачнело.

— Холли, спасибо, это правда очень мило с твоей стороны, но я ничего не смыслю в рекламе. Мое призвание — наука.

— И садоводство.

— Ну да, я люблю работать в саду. — Он был совершенно сбит с толку.

— Вот поэтому наш главный и собирается тебе звонить. Хочет попросить, чтобы ты привел в порядок его сад. Я сказала, что ты сделаешь это за пять тысяч. Надеюсь, не слишком продешевила?

Она с удовольствием полюбовалась, как у него отвисла челюсть. Поскольку он явно утратил дар речи, Холли продолжила:

— А вот твои визитки. — Она протянула ему стопку карточек, которые сама же недавно напечатала.

Мама, папа и Ричард взяли по карточке и молча прочитали, что на них написано. Внезапно Ричарда обуял смех. Он вскочил со стула, притянул к себе Холли и под аплодисменты родителей закружил по кухне.

— Кстати, — заметил он, успокоившись и еще раз взглянув на карточку. — У тебя тут орфографическая ошибка. «Дизайнер» пишется через «и». Ди-зай-нер, а не де-зай-нер, — произнес он по слогам.

Холли только уныло вздохнула в ответ.

Глава сорок первая

— Честное слово, девчонки, это последнее! — крикнула Дениз, и ее лифчик повис на штанге примерочной.

Шэрон и Холли дружно застонали и откинулись на спинки стульев.

— Час назад ты говорила то же самое, — пожаловалась Шэрон, сбрасывая туфли и массируя распухшие щиколотки.

— Да, но сейчас я серьезно. Это платье будет что надо! У меня предчувствие! — возбужденно ответила Дениз.

— *Это* ты тоже час назад говорила, — проворчала Холли, устало закрывая глаза.

— Ты мне не вздумай тут уснуть, — возмутилась Шэрон, и глаза пришлось немедленно открыть.

Дениз протащила их по всем магазинам подвенечных платьев в городе, так что к настоящему моменту Шэрон и Холли были утомлены, раздражены до предела и по горло сыты примерками. Вся их радость за подругу и волнение по поводу предстоящей свадьбы успели испариться, пока Дениз примеряла одно платье за другим. И если Холли еще раз услышит ее дурацкий визг, то…

— О, какая прелесть! — оглушительно заверещала Дениз.

— Значит, так, — решительно прошептала Шэрон. — Если она выйдет к нам похожая на огородное пугало, скажем, что она выглядит потрясающе.

— Ну нельзя же так, — захихикала Холли.

— Ай, вы сейчас просто упадете! — снова взвизгнула Дениз.

— Хотя, конечно, если подумать… — Холли с несчастным видом посмотрела на Шэрон.

— Короче, вы готовы?

— Да, — без всякого энтузиазма откликнулась Шэрон.

— Та-дам! — Дениз вышла из примерочной кабинки, и Холли чуть не поперхнулась.

— Вам очень идет! — пропела продавщица, назойливо околачивающаяся рядом.

— Да ну вас! — завопила Дениз. — Никакой от вас помощи не дождешься! Вы все, что я мерила, хвалили!

Холли нерешительно покосилась на Шэрон и едва не расхохоталась: у подружки на лице застыло такое выражение, будто в воздухе запахло нечистотами.

— Интересно, Дениз когда-нибудь слышала о том, что платье можно сшить на заказ? — пробурчала Шэрон себе под нос.

— О чем это вы там шепчетесь? — ревниво спросила Дениз.

— О том, как чудесно ты выглядишь.

Холли бросила на Шэрон укоризненный взгляд.

— О, вам нравится? — вдохновилась Дениз.

— Да, — бесцветным голосом произнесла Шэрон.

— Точно?

— Да.

— Как вы думаете, Том будет счастлив, когда увидит, как я иду к алтарю? — Дениз величаво прошлась перед ними, чтобы они получше себе представили эту картину.

— Да, — повторила Шэрон.

— Точно-точно?

— Да.

— А как, по-вашему, стоит оно таких денег?

— Да.

— Правда?

— Да.

— А с загаром, наверное, еще лучше будет?

— Да.

— А вам не кажется, что у меня в нем попа толстовата?

— Да.

Холли удивленно оглянулась на Шэрон и поняла, что она отвечает на автомате.

— Но вы совершенно точно уверены? — не унималась Дениз. К счастью, она не слушала ответы.

— Да.

— Так что, я его беру?

Холли уже ждала, что продавщица подскочит на месте с протяжным воплем «Дааааа!!!», но та каким-то чудом сдержалась.

— Нет! — вмешалась Холли, пока Шэрон не успела в очередной раз поддакнуть.

— Нет? — переспросила Дениз.

— Нет, — подтвердила Холли.

— Тебе не нравится?

— Нет.

— Оно мне не идет?

— Нет.

— Думаешь, Тому не понравится?

— Нет.

— Но цена хотя бы разумная?

— Нет.

— Ой… — Дениз повернулась к Шэрон: — А ты согласна с Холли?

— Да.

Продавщица с недовольным видом направилась к другой покупательнице, надеясь, что с той ей повезет больше.

— Ладно, я вам доверяю, — вздохнула погрустневшая Дениз, последний раз оглядывая себя в зеркало. — По правде сказать, оно мне с самого начала не очень-то нравилось.

Шэрон с перекошенным лицом принялась надевать туфли.

— Дениз, ты обещала, что это последнее. Пойдем перекусим, пока я не свалилась замертво.

— Так я же имела в виду — последнее в этом магазине! А магазинов еще целая куча!

— Исключено! — запротестовала Холли. — Дениз, у меня живот свело от голода, и мне уже все платья кажутся одинаковыми. Пора сделать перерыв.

— Но у меня же свадьба, Холли!

— Да, а… — Холли судорожно искала приемлемое возражение, — а Шэрон беременна!

— Ну ладно, тогда пошли поедим, — разочарованно протянула Дениз и отправилась переодеваться.

Шэрон пихнула подругу локтем:

— Беременность, между прочим, не болезнь.

— Извини, это единственное, что с ходу пришло мне в голову.

В кафе «Бьюлиз» им удалось занять свой любимый столик у окна, выходящего на Графтон-стрит.

— Ненавижу шопинг по субботам, — простонала Холли, глядя на суету и толчею на улице.

— Вот и ушли в прошлое золотые деньки, когда можно было шляться по магазинам посреди недели, — подмигнула Шэрон, набрасываясь на клубный сэндвич. — Теперь ты у нас дама занятая.

— Ну да, и я ужасно устаю, но чувствую, что это честно заслуженная усталость, — радостно подтвердила Холли. — Совсем не то, что раньше, когда я бессонными ночами пялилась в телевизор.

— Расскажи нам, что там произошло с родителями Джерри, — с набитым ртом потребовала Шэрон.

— Ой, они так невежливо обошлись с бедным Дэниелом.

— Прости, что я не смогла с тобой поговорить. Уверена, если бы Джон знал, в чем дело, он бы обязательно меня разбудил, — извинилась подруга.

— Да ну брось, глупости какие! Это просто я тогда была на взводе.

— И правильно! Они тебе еще указывать будут, с кем встречаться, а с кем нет!

— Шэрон, я с ним не встречаюсь, — подчеркнула Холли для протокола. — И ни с кем встречаться не собираюсь в ближайшие лет двадцать. У нас был просто деловой ужин.

— Ах, вот оно что — деловой ужин! — хором прыснули Шэрон и Дениз.

— Вот именно так! Хотя не отрицаю, что мне нравится ужинать в компании, — призналась Холли и тут же спохватилась. — Вы не подумайте, это не в ваш огород камень. Я имею в виду, когда все друзья заняты, хорошо, если можно пообщаться с кем-то еще. Особенно если этот кто-то — мужчина, сами понимаете. И мне с ним очень легко. Вот и все.

— Конечно, мы понимаем, — кивнула Шэрон. — Тебе полезно иногда показываться на людях, заводить знакомства.

— Ну как, узнала о нем что-нибудь новенькое? — Дениз подалась вперед в предвкушении свежей сплетни. — Он у нас темная лошадка, этот Дэниел.

— А мне он совсем не кажется скрытным, — заступилась Холли. — Он мне рассказал о той девице, с которой был помолвлен, — Лора ее зовут. И о том, как два года прослужил в армии, а потом уволился...

— Обожаю военных, они такие лапочки, — промурлыкала Дениз.

— И диджеев, — добавила Шэрон.

— Ну да, куда же без диджеев, — рассмеялась Дениз.

— В общем, я ему высказала свое мнение насчет армии, — хитро прищурилась Холли.

— Да ну, не может быть! — со смехом воскликнула Шэрон.

— А именно? — спросила Дениз.

— И что же он ответил? — проигнорировала вопрос Шэрон.

— Просто посмеялся.

— Так что ты ему сказала-то? — повторила Дениз.

— У Холли есть теория по поводу армии, — объяснила Шэрон.

— И в чем же она заключается? — Дениз явно начала терять терпение.

— В том, что драться за мир — все равно что трахаться в надежде обрести девственность.

Девушки сложились пополам от хохота.

— Однако такие бесполезные попытки доставляют массу удовольствия, — вставила Дениз.

— То есть у тебя они пока бесполезные? — съехидничала Шэрон.

— Увы. Но мы никогда не упускаем случая пробовать еще и еще, — степенно отозвалась Дениз, и подружки опять зашлись смехом. — В общем, Холли, я рада, что вы с Дэниелом поладили, так как тебе придется танцевать с ним на моей свадьбе.

— Зачем?!

— Такова традиция: свидетель танцует со свидетельницей. — Ее глаза искрились от возбуждения.

Холли сидела как громом пораженная.

— Ты… ты хочешь, чтобы я была твоей свидетельницей?

Дениз радостно закивала.

— Не волнуйся, с Шэрон я уже советовалась, она не против.

— Конечно, я с удовольствием! — воскликнула польщенная Холли. — Но, Шэрон, ты точно не обидишься?

— Нисколько, выбрось это из головы. Меня вполне устроит роль разбухшей подружки невесты.

— Прямо так уж и разбухшей!

— А как же! Я же на восьмом месяце буду. Придется палатку прикупить вместо платья.

— Ой, надеюсь, ты не надумаешь рожать прямо на свадьбе, — испугалась Дениз.

— Да не волнуйся, не собираюсь я покушаться на твои лавры, — улыбнулась Шэрон.

Дениз облегченно вздохнула.

— Кстати, совсем забыла показать вам фотографию малыша! — Шэрон порылась в сумочке и извлекла на свет снимок УЗИ.

— И где он тут? — нахмурилась Дениз.

— Вот здесь, — показала Шэрон.

— Ух ты! Какой большой мальчик! — воскликнула Дениз, поднося снимок к глазам.

— Дениз! Это нога, дурочка! Пол еще не определили.

— А-а... — Дениз покраснела. — Все равно, поздравляю. Похоже, у тебя родится маленький инопланетянин.

— Да ну тебя! — упрекнула ее Холли. — По-моему, он очень милый.

— Рада, что тебе нравится, — сказала Шэрон, обменявшись заговорщицким взглядом с Дениз. — Потому что мы с Джоном хотим тебя кое о чем попросить.

— Что такое? — встревожилась Холли.

— Мы были бы очень рады, если бы ты согласилась стать крестной матерью нашего первенца.

Холли второй раз за день испытала шок. Ее глаза подозрительно увлажнились.

— Эй, когда я попросила тебя быть моей свидетельницей, ты не плакала. — Дениз убедительно изобразила негодование.

— Шэрон, это такая честь для меня! — Холли бросилась подруге на шею. — Спасибо!

— Тебе спасибо, что согласилась! Джон будет просто счастлив!

— Вы только реветь не начинайте, — попросила Дениз, но подруги продолжали обниматься, не обращая на нее внимания.

— О Боже! — закричала она с таким надрывом, что Шэрон и Холли чуть со стульев не свалились.

— Не верю глазам своим! — Дениз ткнула пальцем в окно. — Вон там отличный свадебный салон, а я его только сейчас заметила! Допивайте скорее, и немедленно туда! — потребовала она, жадно впившись взглядом в витрину.

Шэрон тяжело вздохнула и притворилась, будто теряет сознание.

— Я не могу, Дениз, я беременна...

Глава сорок вторая

— Слушай, Холли, я тут подумала... — начала Алиса. Стоя перед зеркалом в дамской комнате, они освежали макияж перед концом рабочего дня.

— Ой бедненькая! Не надорвалась? — насмешливо поддела Холли.

— Умереть со смеху, — сухо откликнулась коллега. — Нет, правда, я задумалась над гороскопом в текущем номере, и, по-моему, Трейси подозрительно верно все угадала.

— Брось!

Алиса отложила губную помаду и повернулась к Холли:

— Смотри, во-первых, насчет высокого симпатичного брюнета, с которым ты встречаешься....

— Я не встречаюсь с ним, мы просто друзья, — в миллионный, кажется, раз объяснила Холли.

— Ладно, как скажешь. Во-вторых...

— Я с ним не встречаюсь, — повторила Холли.

— Конечно, — отмахнулась Алиса, похоже, не слишком поверив. — Так вот, во-вторых...

Холли раздраженно швырнула косметичку.

— Алиса, я *не* встречаюсь с Дэниелом!

— Хорошо, хорошо. — Она подняла руки в знак капитуляции. — Я все поняла, ты с ним не встречаешься, а теперь прекрати меня перебивать и послушай! — Дождавшись, пока Холли успокоится, она продолжила: — Во-вторых, Трейси сказала, что благоприятный для тебя день — вторник, а сегодня как раз он и есть...

— С ума сойти, — язвительно вставила Холли, подводя губы карандашом.

— Да слушай же! И еще она сказала, что твой счастливый цвет — голубой. И вот сегодня, во вторник, симпатичный высокий брюнет приглашает тебя на презентацию напитка «Блю Рок», — с довольным видом подвела итог Алиса.

— Ну и что? — спросила Холли, которую эта пламенная речь ничуть не впечатлила.

— А то, что это неспроста.

— Конечно, неспроста! Блузку, которая подсказала Трейси цвет, я надела, потому что остальные валялись в грязном белье. А день она вообще с потолка взяла. Это не значит ровным счетом ничего!

— Эх ты, маловерная, — вздохнула Алиса.

— Если верить твоей дурацкой теории, то получается, Брайан должен выиграть в лотерею и стать объектом домогательств каждой женщины! — рассмеялась Холли.

Алиса закусила губу и потупилась.

— Ну что?

— Брайан, между прочим, сегодня выиграл четыре евро по лотерейному билету.

— Ура-ура! — фыркнула Холли. — Осталось только найти на этой планете хоть одно человеческое существо, которое сочтет его привлекательным.

Ответа не последовало.

— Ну что еще???

— Ничего, — улыбнулась Алиса.

— Не может быть!

— Чего не может быть? — В ее глазах запрыгали озорные искорки.

— Только не говори, что он тебе нравится! Ни за что на свете не поверю!

Алиса пожала плечами.

— Он хороший парень, вот и все.

— О нет! — в притворном ужасе Холли закрыла лицо руками. — Ты идешь на такие жертвы, только чтобы доказать мне свою теорию!

— Не собираюсь я ничего тебе доказывать.

— Вот и не вешай мне лапшу на уши, что он тебе нравится!

— Кто кому нравится? — поинтересовалась Трейси, заходя в туалет.

Алиса отчаянно помотала головой, чтобы Холли не ляпнула лишнего.

— Никто никому, — пробормотала та, недоуменно взирая на секретаршу. И как могла Алиса польститься на этого кретина из кретинов?

— Слышали, а Брайан-то сегодня четыре евро в лотерею выиграл! — сообщила Трейси из кабинки.

— Ага, я уже насплетничала, — весело отозвалась Алиса.

— Так что не расстраивайся, Холли, какой-никакой, а есть у меня дар предвидения, — похвасталась составительница гороскопов, шумно спуская воду.

Подмигнув Алисе в зеркале, Холли направилась к выходу.

— Пойдем уже, а то фотограф поседеет, нас дожидаясь.

— Фотограф уже здесь. — Алиса как ни в чем не бывало продолжала подкрашивать ресницы.

— И где же он?

— Она.

— Ладно, так где она?

— Та-дам! — Алиса вытащила из сумки фотоаппарат.

— Ты? — рассмеялась Холли. — Вот и отлично, после выхода статьи вылетим с работы вместе.

Протолкавшись сквозь битком набитый паб, девушки поднялись по лестнице наверх, в клуб «Дива». У дверей царила оживленная суета. Несколько мускулистых красавчиков в одних плавках били в гавайские барабаны. Длинноногие модели в купальниках, едва прикрывающих их скудные прелести, приветствовали гостей и надевали им на шею яркие цветочные гирлянды.

— Ну просто Гавайи, — хихикнула Алиса, щелкая фотоаппаратом направо и налево. — Ничего себе! — вырвалось у нее, когда они наконец вошли.

Холли с трудом узнала полностью преображенный клуб. В центре возвышался замысловатый фонтан: ярко-голубая жидкость каскадами низвергалась по бутафорским скалам.

— О, гляди-ка, «Блю Рок»! — догадалась Алиса. — Здорово придумано.

Вот такой из меня наблюдательный журналист, с улыбкой подумала Холли, которой никогда бы в голову не пришло, что эта голубая вода и есть знаменитый напиток. Дэниел ничего не говорил ей про фонтан — придется кое-что поменять в статье, которую уже завтра надо сдавать Крису. Оглянувшись в поисках Дениз и Тома, она увидела их позирующими перед камерой. Дениз махала рукой, демонстрируя сверкающее колечко. Ни дать ни взять, звезды шоу-бизнеса объявляют о своей помолвке.

Официанты и официантки, все в плавках и купальниках, разносили по залу подносы с бокалами голубого напитка. Холли взяла попробовать и не скривилась от сладкой дряни только потому, что ее как раз кто-то фотографировал. В точности как говорил Дэниел, пол был усыпан песком, над каждым столом торчал огромный бамбуковый зонт, а стульями служили деревянные бочонки. В воздухе витал божественный аромат жареного мяса. При виде официанта, несущего целое блюдо гриля, у Холли слюнки потекли. Она метнулась к ближайшему столику, схватила кебаб порумянее и с наслаждением откусила чуть ли не половину.

— Что я вижу, ты все-таки ешь!

Холли обернулась на голос и оказалась лицом к лицу с Дэниелом. Судорожно дожевав, она с трудом проглотила мясо.

— О, привет. У меня весь день крошки во рту не было, умираю с голоду. А вы на славу тут потрудились. — Она обвела рукой помещение в надежде, что он перестанет наконец любоваться, как она наворачивает кебаб.

— Да, вроде неплохо получилось. — Он выглядел страшно довольным.

Одежды на Дэниеле было несколько больше, чем на его подчиненных: голубые джинсы и голубая гавайская рубашка с розовыми и желтыми цветами. Он так и не побрился, и Холли поймала себя на мысли, что целоваться с ним — удовольствие еще то, все лицо обколешь об эту щетину. Не ей целоваться, конечно. Девушке вообще, теоретически... Нет, ей-то, разумеется, до лампочки, каково с ним целоваться.

— А ну-ка, Холли! Дай щелкну тебя с высоким интересным брюнетом! — завопила Алиса, подбегая со своим фотоаппаратом.

Холли захотелось провалиться сквозь землю. Дэниел добродушно усмехнулся.

— Тебе следовало бы почаще приводить сюда подруг.

— Она мне не подруга, — сквозь стиснутые зубы процедила Холли и встала рядом с ним, позируя для снимка.

— Постой-ка, папарацци. — Дэниел прикрыл ладонью объектив. Умыкнув с ближайшего столика салфетку, он вытер следы кетчупа с подбородка Холли. Теплая волна поднялась у нее внутри, мурашки пробежали по коже. Это от смущения, заверила она себя.

— Вот теперь можно. — Он обнял ее за плечи, и Алиса запечатлела их вдвоем.

Когда она умчалась, ни на секунду не выпуская из рук фотоаппарата, Холли повернулась к Дэниелу:

— Мне так неудобно перед тобой за тот вечер. Родители Джерри повели себя возмутительно, и мне очень жаль, что ты очутился в неловком положении.

— Не стоит опять извиняться, Холли. Да и тогда не стоило. Я только за тебя переживал. Не им указывать тебе, с кем встречаться. А обо мне не волнуйся, ерунда. — Он дотронулся до ее руки, будто собирался сказать что-то еще, но тут его окликнули из бара, и ему пришлось бегом спешить на выручку.

— Но я не встречаюсь с тобой, — пробормотала Холли себе под нос. Если еще и Дэниела надо в этом убеждать, то она, похоже, вляпалась. Только бы он не вообразил, что их ужин предполагал нечто большее, нежели встречу двух друзей. Он звонил ей после того чуть ли не ежедневно, и Холли не могла не признать, что радуется каждому его звонку. Снова какая-то неуловимая мысль грозилась выбить ее из равновесия. Она поскорее направилась к Дениз, сидящей на шезлонге с бокалом голубого пойла.

— Холли, гляди, какое местечко я тебе заняла! — Дениз указала на надувной матрас подле себя, и девушки расхохотались, вспомнив летнее приключение.

— И как тебе новый напиток, который согреет нас зимой?

Дениз состроила гримаску.

— Гадость. Я всего несколько глотков выпила, а уже голова кружится.

К ним подлетела Алиса, таща за собой мускулистого великана в несообразно маленьких пляжных шортах. Один его бицепс был толще ее талии. Она сунула фотоаппарат в руки Холли.

— Сними нас вдвоем, пожалуйста.

Холли сильно подозревала, что Крис ждет от них фотографий несколько иного плана, но не стала портить Алисе удовольствие.

— Для заставки на мой компьютер, — пояснила та, обращаясь к Дениз.

Холли отлично провела вечер, смеясь и болтая с Дениз и Томом, пока Алиса увлеченно фотографировала полураздетых официантов. Теперь она раскаивалась в том, что так злилась на Тома за конкурс караоке. Он оказался добрейшей души парнем, и они с Дениз идеально подходили друг другу. Дэниел едва успел обменяться с ними парой слов, служебные обязанности не позволяли ему расслабиться. Холли украдкой наблюдала, как он раздает направо и налево указания, которые тут же выполняются. Очевидно было, что персонал его очень уважает. Прирожденный руководитель. Каждый раз, когда он порывался подойти к ним поболтать, кто-нибудь набрасывался на него с вопросами. Чаще всего — тощие девицы в бикини. Они почему-то ужасно раздражали Холли, и она старалась поменьше на них смотреть.

— Боюсь себе представить, в каком виде я сдам свою статью, — пожаловалась Холли Алисе, когда они вышли на улицу.

— Нашла о чем беспокоиться. Восемьсот слов, сущие пустяки.

— Сущие пустяки, как же, — обиделась Холли. — Черновик я составила еще несколько дней назад, когда Дэниел поделился со мной информацией. Но сейчас, когда я посмотрела на все это своими глазами, я прихожу к выводу, что многое придется поменять. А я и первый-то вариант с трудом осилила.

— Ты что, правда так сильно переживаешь?

Холли вздохнула.

— Понимаешь, я вообще не умею выражать свои мысли на бумаге. А тем более что-то описывать. У меня еще в школе с сочинениями были проблемы.

Алиса призадумалась.

— Она у тебя на работе, статья эта?

Холли кивнула.

— Тогда давай зайдем! Я на нее посмотрю, подредактирую, где надо.

— Алиса, спасибо тебе огромное! — От избытка чувств Холли бросилась ей на шею.

Следующим утром Холли нервно ерзала на стуле, глядя, как Крис читает статью. Он, как обычно, хмурился, переворачивая страницы. Алиса не просто отредактировала ее убогий опус, но целиком переписала его — и получилось, по мнению Холли, превосходно. Забавно, увлекательно и по делу. У Алисы обнаружились недюжинные способности к журналистике, и Холли недоумевала, почему она до сих пор прозябает в должности секретаря, а не пишет для журнала.

Крис наконец окончил чтение, неторопливым жестом снял очки и поднял глаза. Холли напряженно теребила юбку, чувствуя себя школьницей, которую вот-вот поймают на списывании контрольной.

— И можно узнать, что ты забыла в отделе рекламы, Холли? — строго спросил Крис. — Ты блестяще пишешь. Мне очень нравится! Весело, с огоньком, и в то же время ни слова лишнего. Просто превосходно!

— Спасибо, — натянуто улыбнулась Холли.

— У тебя незаурядный талант. Прямо не верится, что ты его от меня скрывала.

Улыбка застыла на лице Холли, превращаясь в жалкую гримасу.

— Как ты смотришь на то, чтобы время от времени писать статьи в номер?

Она окончательно пала духом.

— Крис, честное слово, меня гораздо больше привлекает реклама.

— Ну разумеется, никуда она от тебя не денется. И зарплату я тебе повышу. Но по крайней мере, если опять нагрянет аврал, я буду знать, что у меня в команде прячется еще один талантливый автор. Молодец, Холли, — широко улыбаясь, он протянул ей руку.

— Спасибо, — машинально повторила Холли, едва отвечая на рукопожатие. — Пойду я, пожалуй, примусь за работу. — Она встала и деревянной походкой вышла из кабинета. Навстречу ей шла Алиса.

— Ну как, ему понравилось? — громко спросила она.

— Еще как... Он в восторге. Хочет, чтобы я еще писала, — виновато потупилась Холли.

— Ну-ну. — Алиса отвернулась и направилась к своему столу. — Будем считать, что тебе повезло, — бросила она через плечо и углубилась в свои дела.

Глава сорок третья

Дениз с силой захлопнула ящик кассового аппарата и протянула покупательнице чек.

— Спасибо за покупку, — улыбнулась она, но как только женщина отошла, улыбка сползла с ее лица. Длиннющая очередь тянулась к прилавку — на целый день работы. А курить-то как хочется! Дениз тяжело вздохнула. Шанса улизнуть все равно не представится, так что она не слишком вежливо выхватила кофточку у следующей покупательницы, пробила, сложила, упаковала в пакетик.

— Простите, вы Дениз Хеннесси? — послышался волнующий баритон у нее над ухом. Она заинтересованно вскинула глаза и тут же нахмурилась. У прилавка стоял полицейский.

Быстро прокрутив в уме события последних дней и убедившись, что ничего противозаконного она не натворила, Дениз кокетливо ответила:

— Совершенно верно.

— Патрульный Райан. Прошу вас пройти со мной в участок.

Просьба прозвучала скорее как приказ, и Дениз почувствовала, как земля уходит у нее из-под ног. На ее глазах интересный мужчина в форме превратился в чудовище, которое вот-вот навеки запрет ее в крошечной камере, где положено носить ужасный ярко-оранжевый спортивный костюм и уродливые шлепанцы, где нет горячей воды и запрещен макияж. Дениз живо представила себе, как банда злобных коренастых теток, в жизни не видевших туши для ресниц, избивает ее ногами в тюремном дворе, а надзиратели только посмеиваются да заключают пари, кто кого.

— За что? — Она с трудом обрела дар речи.

— Просто следуйте за мной, будьте любезны. В участке вам все объяснят.

Он зашел к ней за прилавок, и Дениз попятилась, беспомощно глядя на равнодушную очередь. Покупатели взирали на происходящее словно на экран домашнего телевизора, когда идет скучный сериал.

— Проверь его удостоверение, детка! — крикнула какая-то женщина, стоящая в самом хвосте очереди.

Срывающимся голосом Дениз попросила Райана показать удостоверение, что было лишено всякого смысла, потому что настоящее от поддельного она бы нипочем не отличила и вообще понятия не имела, как оно должно выглядеть. Дрожащей рукой она поднесла удостоверение к глазам, но так ни слова и не прочитала, настолько нервировали ее неодобрительные взгляды покупателей и персонала. Все небось думают одно и то же: вот, поймали преступницу.

Дениз собралась с духом и решила бороться до последнего.

— Я никуда не пойду, пока вы не объясните мне, в чем дело.

Райан подошел ближе.

— Мисс Хеннесси, если вы добровольно согласитесь сотрудничать с законом, мне не придется использовать вот это. — И он вытащил наручники из кармана брюк.

— Но я ничего не сделала! — в панике запротестовала она.

— Мы вполне можем обсудить этот вопрос в участке, — судя по металлическим ноткам в голосе, его терпение иссякло.

Дениз скрестила руки на груди, всем своим видом выражая отчаянную решимость.

— Повторяю, я никуда с вами не пойду, пока вы не скажете, в чем меня обвиняют.

— Что ж, — пожал он плечами. — Если вы настаиваете...

Дениз пронзительно завизжала, ощутив, как смыкаются наручники на ее запястьях. Не то чтобы ей раньше не случалось примерять на себя это приспособление, но обычно это происходило при куда более приятных обстоятельствах.

— Удачи, детка, — подбодрила ее все та же сердобольная покупательница. — Если тебя пошлют в Маунт-Джой, передай привет моей Орле и скажи, что я приеду навестить ее на Рождество!

В голове у Дениз проплывали мрачные картины. Вот она бесцельно ходит туда-сюда по камере, которую делит с маньячкой-убийцей. Быть может, к ней через решетку залетит птичка со сломанным крылом, и она выходит ее, постепенно научит летать, чтобы скрасить долгие годы заточения, совсем как в том фильме...

Они вышли на Графтон-стрит, и Дениз залилась румянцем стыда. Прохожие отшатывались, увидев полицейского, ведущего с собой закоренелую преступницу. Преступница шла, низко опустив голову и молясь, чтобы на пути не попался никто из знакомых. Сердце ее бешено колотилось, мелькнула мысль о побеге. Она быстро огляделась в поисках возможности удрать, но перед ними уже стоял полицейский фургончик — синий, с тонированными стеклами, все как положено. Дениз уселась за водителем и прижалась лбом к окну. Сзади в фургоне находились еще какие-то люди, но она боялась обернуться. Преждевременное знакомство с будущими сокамерниками ее не прельщало. Мысленно она уже прощалась со свободой.

— Куда мы едем?

Женщина-офицер, сидящая за рулем, и патрульный Райан оставили ее вопрос без ответа.

— Эй! — Дениз сорвалась на крик. — Мы совсем не туда направляемся! Вы же говорили, что отвезете меня в участок!

Полицейские молча смотрели прямо перед собой.

— ЭЙ! КУДА МЫ ЕДЕМ???

Молчание.

— Я НИЧЕГО ПЛОХОГО НЕ СДЕЛАЛА!!!

Молчание.

— Я НЕВИНОВНА, ЧЕРТ ВАС ПОДЕРИ, НЕВИНОВНА, КЛЯНУСЬ!!!

Дениз принялась пинать ногами спинку водительского сиденья, чтобы привлечь к себе внимание. Когда женщина-полицейский вставила кассету в магнитолу и включила звук на полную громкость, нервы у Дениз окончательно сдали. Только в каком-то уголке сознания мелькнуло удивление музыкальным пристрастиям родной полиции.

Патрульный Райан повернулся к ней с широкой ухмылкой:

— Ты сегодня очень плохо себя вела, Дениз, проказница!

Он встал, подошел к ней почти вплотную и, к ее безграничному потрясению, начал вращать бедрами в ритм знойной песенки «Hot stuff». Дениз уже собралась было как следует заехать ему между ног, как вдруг фургончик взорвался смехом и радостными визгами. Подскочив на сиденье и оглянувшись назад, Дениз увидела, как с пола встают ее сестры, Холли, Шэрон и еще человек пять ее подружек. Только когда сестры набросили ей на голову вуаль с криками «Девичник! Девичник!!!», до нее наконец дошло, что происходит.

— Ах вы мерзавки! — в ярости зашипела Дениз и не умолкала, пока не вывалила на них все изобретенные человечеством нецензурные слова плюс несколько собственных, сочиненных по ходу монолога. Девицы, сложившись пополам, держались за животы от хохота.

— А ты радуйся, что я тебе по яйцам не врезала! — переключилась она на полицейского, который как ни в чем не бывало продолжал танец.

— Дениз, это Кен, знакомься. Сегодня он целый день исполняет для тебя стриптиз, — торжественно объявила ее сестра Фиона.

Недобро прищурившись, Дениз набрала воздуха и извергла новый поток брани.

— Вы хоть понимаете, что меня чуть инфаркт не хватил? Я думала, меня в тюрьму посадят! Чтоб вам провалиться, что теперь клиенты обо мне подумают! А персонал?! — Она закрыла глаза и поморщилась, как от боли.

— Дениз, твоих подчиненных мы еще на прошлой неделе предупредили, — рассмеялась Шэрон. — Они просто подыгрывали.

— Вот стервы! — не унималась Дениз. — Всех до единой уволю, как только вернусь! Но как же покупатели? — всерьез забеспокоилась она.

— Не волнуйся, — подала голос вторая сестра. — Мы попросили продавщиц объяснить им, что это твой девичник перед свадьбой.

— Как же! Знаю я их! Голову даю на отсечение, они специально ни слова не скажут, из вредности! А значит, будут жалобы! И я лишусь работы!

— Дениз! Прекрати дергаться! — решительно потребовала Фиона. — Не думаешь же ты, что мы могли устроить подобное, не заручившись согласием твоего начальства? Все в курсе, все в порядке, идея им даже понравилась. А теперь расслабься и наслаждайся выходными!

— Выходными? Что вы еще затеяли? Куда мы едем? — Дениз ошеломленно уставилась на подруг.

— Мы едем в Голуэй, и это все, что тебе положено знать. — Шэрон напустила на себя загадочный вид.

— Ох и надавала бы я вам всем оплеух, если б не наручники, — пригрозила Дениз.

Кен тем временем невозмутимо сбросил форму, плеснул себе на плечи ароматного масла и опустился на одно колено перед Дениз, чтобы та его растерла. Девушки восторженно зааплодировали.

— Мужчины в форме настолько симпатичнее, когда ее снимают, — проворчала Дениз, любуясь его внушительными мускулами.

— Повезло тебе, что она в наручниках, Кен! А то бы ты нарвался на неприятности! — наперебой шутили подружки.

— Еще как нарвался бы, — подтвердила виновница торжества, завороженно наблюдая, как летят на пол последние предметы одежды. — Ой, девчонки! Лапочки вы мои! Спасибо! — В ее голосе не осталось и тени недовольства.

— Все нормально, Холли? — спросила Шэрон, протянув подруге бокал шампанского. Сама она обходилась стаканом апельсинового сока. — Ты с тех пор, как мы сели в машину, двух слов не сказала.

Холли безучастно смотрела на расстилающиеся за окном поля. Далекие холмы были усеяны крошечными белыми шариками — это овцы, нечувствительные к красотам природы, карабкались вверх, к новым пастбищам. Ровные каменные заборы отделяли одно поле от другого. Серыми линиями они прорезали зелень во всех направлениях, и земля казалась необъятной головоломкой, собранной из тысяч кусочков. Чтобы собрать в единое целое свою разбитую жизнь, нескольких кусочков Холли недоставало.

— Да-да, — вздохнула она. — Все нормально.

— Мне позарез надо позвонить Тому, — простонала Дениз, падая без сил на огромную двуспальную кровать, которую они делили с Холли. Шэрон на своем диванчике давно спала. Она ушла в номер раньше всех, гомон пьяных подружек наскучил ей довольно быстро.

— У меня строжайшие инструкции: ни под каким видом не позволять тебе ему звонить. Эти выходные только для девочек.

— Ну пожалуйста! — взмолилась Дениз.

— Нет. Твой телефон конфискован. — Холли выхватила мобильник у нее из рук и сунула себе под подушку.

Дениз выглядела так, будто вот-вот заплачет. Когда Холли устроилась поудобнее и закрыла глаза, у нее родился план. Она подождет, пока Холли заснет, выкрадет телефон и позвонит Тому. Холли весь день вела себя так тихо, что Дениз волей-неволей почувствовала обиду. Каждый раз, когда к ней обращались с вопросом, она отвечала «да» или «нет» и демонстративно отвергала любую попытку завести разговор. Очевидно было, что Холли ничуть не весело, но Дениз задевало то, что она даже не пытается развеселиться или хотя бы прикинуться довольной. Дениз понимала, что у подруги сейчас тяжелый период и трудностей навалом, но ведь это ее девичник, а, как ни крути, Холли делала все, чтобы его испортить.

Комната кружилась со страшной скоростью. Холли так и не смогла заснуть. Пять утра — выходит, последние двенадцать часов она пила без перерыва. Голова раскалывалась, к горлу подкатывала тошнота, а стены все кружились и кружились... Она села на кровати и открыла глаза, пытаясь прогнать ощущение дурноты.

Холли повернулась к Дениз, чтобы поболтать, но та мирно сопела, что явно исключало всякую возможность диалога. С тяжелым вздохом она оглядела номер. Больше всего на свете ей сейчас хотелось очутиться дома и забраться в собственную постель. Нащупав среди одеял пульт, она включила телевизор. Шла реклама. Холли покорно просмотрела ролики про замечательный нож, которым можно разрезать апельсин, не заляпав блузку соком, и про волшебные носки, которые не теряются в стиральной машине.

Дениз, ворочаясь во сне, больно пнула ее по ноге. Холли вздрогнула, потерла ушибленное место, затем сочувственно понаблюдала за безуспешными попытками Шэрон лечь на живот. В конце концов бедняжка кое-как устроилась на боку.

Тошнота накатила с новой силой. Холли бегом бросилась в туалет. Не надо было ей столько пить, но все эти разговоры о свадьбах, мужьях и женском счастье вызывали у нее непреодолимое желание закричать что есть мочи и заставить их всех заткнуться. Чтобы не видеть их и не слышать, ей пришлось выхлестать все запасы вина в баре. Мысль о предстоящих двух днях наводила ужас. Подружки Дениз оказались еще хуже, чем она сама, — шумные, смешливые, восторженные. Вообще-то для девичника — самое то, но у Холли не было сил им подражать. Шэрон вон хотя бы беременна, она всегда может сделать вид, что устала или что ей нехорошо. А какое оправдание у Холли? Что она превратилась в законченную зануду? Но сей неутешительный довод она решила приберечь на самый крайний случай.

Кажется, будто только вчера девичник был у самой Холли, а ведь с тех пор прошло уже семь лет. Они с подружками улетели на выходные в Лондон, чтобы оторваться по полной программе, но в итоге она так скучала по Джерри, что названивала ему каждый час. Каким заманчивым и волнующим представлялось ей будущее в те дни...

Она собиралась выйти замуж за мужчину своей мечты и жить с ним, пока смерть не разлучит их. Все выходные, посвященные девичнику, она считала часы до возвращения домой. В самолете она не находила себе места. Они провели в разлуке всего пару дней —

целую вечность, думала она тогда. Джерри ждал ее в аэропорту с огромным плакатом «Моя будущая жена». Она бросила сумки, со всех ног побежала в его объятия, прижала его к себе крепко-крепко и не хотела отпускать. Какая роскошь — возможность обнять любимого человека, когда пожелаешь, с горечью размышляла она теперь. Тот эпизод в аэропорту смахивал на мыльную оперу, но в нем все было настоящее: настоящие чувства, настоящие слезы и поцелуи, настоящая любовь. Настоящая жизнь. Которая с недавних пор обернулась для нее кошмаром.

Да, она научилась вставать по утрам — и даже одеваться и приводить себя в порядок. Да, ей удалось найти новую работу, познакомиться с новыми людьми, она даже начала покупать в дом еду и питаться по-человечески. Но — нет, ничто из этого не приносит ей радости. Все сплошные формальности, пункты из списка «что обычно делают нормальные люди». Ничто не заполняло пустоту в сердце — словно тело ее превратилось в одну большую головоломку, как зеленые поля, расчерченные аккуратными заборами серого камня по всей Ирландии. Она начала с самых простых кусочков, но вот края и углы собраны и осталось самое трудное — заполнить серединку. Подходящего материала она пока не нашла.

Холли громко прочистила горло, симулируя приступ кашля, в надежде, что подруги проснутся и поговорят с ней. Ей необходимо было поговорить, поплакать, выплеснуть свою тоску и обиду на судьбу. Но что нового она может сказать Шэрон и Дениз, чего бы они от нее еще не слышали? Что еще они могут ей посоветовать, кроме того, что советовали уже десятки раз? После совместного отпуска Холли стала гораздо чаще беседовать с ними по душам. Почему же ее все чаще посещало чувство, что она, как заезженная пластинка, без конца повторяет одни и те же жалобы? Не раз им удавалось поднять ей настроение и вернуть волю к жизни. После этого она еще несколько дней чувствовала себя уверенно и спокойно, пока новый приступ отчаяния не захлестывал ее с головой.

Устав бессмысленно пялиться на стены, Холли кое-как натянула спортивный костюм и спустилась обратно в бар.

Чарли плюнул с досады, когда дальний столик в очередной раз взорвался хохотом. Вытирая стойку, он поглядывал на часы: половина шестого и ему давно пора домой. Как он обрадовался, когда хохотушки, отмечающие девичник, ушли спать раньше, чем можно было ожидать. Он уже собирался навести порядок и закрыть бар, когда ввалилась новая компания. И, кажется, обосновалась здесь надолго. Уж лучше бы те милые девушки остались подольше, их обслуживать куда приятнее, чем эти наглые морды. И ведь даже не постояльцы, но Чарли вынужден им угождать, ведь среди них — дочь владельца отеля со своим дружком.

— Только не говорите, что пришли за добавкой! — рассмеялся бармен, когда одна из участниц девичника, шатаясь на ходу, подошла к стойке. Залезая на высокий табурет, она потеряла равновесие и чуть не шлепнулась на пол. Чарли изо всех сил попытался сделать серьезное лицо.

— Не-е-ет, мне бы водички. — Девушка икнула. — О боже! — она поймала свое отражение в зеркальной стенке бара. Про себя Чарли охотно согласился с ней: выглядит она чудовищно. Чем-то напоминает пугало в огороде у его отца. Соломенные волосы торчат как попало, под глазами черные круги от потекшей туши, вокруг рта — следы размазавшейся помады.

— Пожалуйста. — Он поставил перед ней большой стакан воды.

— Спасибо. — Она тут же макнула в воду палец и принялась стирать тушь из-под глаз.

Чарли не выдержал и расхохотался. Она покосилась на его бэджик.

— Что тут смешного, Чарли?

— Я-то думал, вы пить хотите. Сказали бы, я бы вам салфетку дал.

Улыбка смягчила ее черты, и оказалось, что лицо у нее очень даже приятное.

— А я считаю, что лед и лимон полезны для кожи.

— Надо же. — Чарли продолжал вытирать стойку. — Хорошо повеселились сегодня?

— Да вроде ничего.

Холли вздохнула. Слово «веселиться» не вязалось с ее настроением. Весь вечер она машинально смеялась, когда кто-то шутил, радовалась за Дениз, да, но как-то не по-настоящему, словно сидела с ними только для виду. Как застенчивая школьница, которая приходит на вечеринки, но ни с кем не заговаривает, и к ней поэтому тоже никто не обращается. Она сама себя не узнавала в последнее время. Как же ей хотелось перестать таращиться на часы в надежде, что скоро все закончится и можно будет вернуться домой и лечь спать. Как ей хотелось перестать подгонять время и просто наслаждаться моментом. Но всякий раз, когда она ходила куда-то с друзьями, повторялось одно и то же.

— Вам нехорошо? — Чарли оторвался от дел и пристально посмотрел на нее. Он сильно подозревал, что она вот-вот заплачет. Хотя ему, конечно, не привыкать. Пьяные часто впадают в сентиментальное настроение.

— Я так скучаю по мужу, — прошептала она, дрожа всем телом.

Уголки его рта невольно поползли вверх.

— Что смешного? — В ее голосе послышался вызов.

— Вы здесь надолго? — добродушно спросил он.

— На выходные. — Она старательно наматывала на палец измятую салфетку.

— И вы никогда раньше не проводили выходные без него?

— Только однажды. — Она нахмурилась. — В мой собственный девичник.

— И давно это было?

— Семь лет назад. — По ее щеке скатилась слезинка.

— Действительно, давно, — покачал головой Чарли и улыбнулся. — Но если вы в тот раз справились, то выдержите и сейчас. Говорят, семь — счастливое число, не так ли?

Холли поперхнулась водой. Убиться веником, какое счастливое.

— Не волнуйтесь, — мягко сказал Чарли. — Вашему мужу, наверное, тоже очень плохо без вас.

— Ой, надеюсь, что нет, — встрепенулась Холли.

— Вот видите? Уверен, и он тоже надеется, что вам хорошо. И вообще, у вашей подруги девичник, развлекаться надо, а не плакать.

— Вы правы. — Холли выпрямилась на табурете. — Он не обрадовался бы, если бы узнал, что я захандрила.

— Вот и умница. — Чарли улыбнулся было, но тут заметил, что через зал к бару с недовольным видом направляется дочка хозяина.

— Эй, Чарли! — заорала она. — Я полчаса пытаюсь привлечь твое высочайшее внимание! Может, перестанешь наконец трепаться с посетителями и поработаешь немного для разнообразия? Мои друзья умирают от жажды!

У Холли аж челюсть отвисла. Это какой же надо быть нахалкой, чтобы разговаривать с Чарли в таком тоне! Кроме того, от девицы так разило духами, что Холли закашлялась.

— Что-то не так, простите? — процедила та, выразительно оглядывая Холли с головы до ног.

— Ага. — Холли демонстративно отпила воды. — Ваши духи воняют так мерзко, что меня сейчас стошнит.

Чарли нырнул под стойку, делая вид, что ищет лимон, и зажал себе рот руками, чтобы не расхохотаться во весь голос.

— Что так долго? — спросил глубокий баритон наверху. Чарли вскочил на ноги, узнав по голосу жениха хозяйской дочки, — вполне под стать своей избраннице, если не хуже.

— Иди сядь, дорогая, — предложил мужчина. — Я сам принесу напитки.

— Прекрасно. Хоть один джентльмен нашелся, — фыркнула она и, на прощание окинув Холли уничижительным взглядом, энергичным шагом удалилась. Холли, наблюдая, как она раскачивает бедрами при ходьбе, решила, что это какая-нибудь манекенщица или актриса. Поэтому и капризная такая.

— Добрый вечер, — поздоровался «джентльмен», откровенно пялясь на ее грудь.

Чарли прикусил язык, чтобы не высказаться, и, налив кружку «Гиннесса», поставил ее на стойку, дожидаясь, пока пена немного осядет. Чуяло его сердце, что с этой девушкой бабнику Стиви все равно ничего не светит, тем более что она, похоже, без ума от своего мужа. Приятно будет полюбоваться, как Стиви торжественно пошлют куда подальше.

— Добрый, — буркнула Холли, демонстративно не глядя на собеседника.

— Меня зовут Стив. — Он протянул руку.

— Холли. — Она обозначила слабое рукопожатие, чтобы не показаться совсем уж хамкой.

— Холли, какое красивое имя. — Он задержал ее руку в своей, и ей пришлось-таки взглянуть на него. В его огромных голубых глазах плясали искры.

— Спасибо. — Она зарделась от смущения.

Чарли тихонько вздохнул. Если она купилась на его дешевые комплименты, значит, единственное развлечение на сегодняшний вечер вылетает в трубу.

— Позвольте угостить вас, Холли. — Голос Стива источал мед.

— Спасибо, не надо, у меня есть. — Она подняла стакан.

— Что ж, я тогда отнесу все это своим, а потом вернусь выпить с прелестной Холли. — Он адресовал ей слащавую улыбку, взял поднос и направился к друзьям. Как только он отвернулся, Чарли скорчил жуткую гримасу.

— Что это за кретин недоразвитый? — удивленно вопросила Холли, и он рассмеялся, довольный, что она оправдала его ожидания. Судя по всему, здравый смысл ей не чужд, хоть она и ревет после дня разлуки с мужем.

Чарли доверительно понизил голос:

— Это Стиви, жених Лоры, той самой белокурой стервы, которая только что подходила. Отель принадлежит ее папочке, так что я не могу позволить себе послать ее куда следует. Очень хочется, конечно, но не настолько, чтобы терять из-за этого работу.

— А, по-моему, оно того стоит, — проворчала Холли, неприязненно глядя на высокомерную красавицу Лору. — Ладно, спокойной ночи, Чарли.

— Спать пойдете?

— Да вроде как пора, начало седьмого.— Холли постучала по циферблату своих часиков. — Надеюсь, вам тоже скоро удастся попасть домой. — Она улыбнулась.

— А вот это вряд ли, — откликнулся он, провожая ее взглядом. Стив вышел из бара вслед за ней, и на всякий случай Чарли тоже направился к выходу — просто чтобы убедиться, что у нее все в порядке. Лора, заметив внезапное исчезновение кавалера, встала из-за стола и подошла к дверям одновременно с Чарли. Оба выглянули в коридор. Лора ахнула и закрыла лицо руками.

— Это что такое? — грозно зарычал Чарли, глядя, как Холли с негодованием отталкивает от себя Стива.

Резким движением Холли вытерла губы, до предела возмущенная попыткой Стива поцеловать ее, и отскочила на несколько шагов.

— По-моему, ты ошибся адресом, Стив. Возвращайся-ка к своей невесте, да поскорее!

Стив слегка покачнулся и, медленно развернувшись, нос к носу столкнулся с Лорой и разъяренным Чарли.

— Стиви! — взвизгнула Лора. — Как ты мог?!

Заливаясь слезами, она побежала прочь. Ветреный жених бросился за ней.

— Фууу! — с отвращением сказала Холли. — Я совершенно этого не хотела!

— Не беспокойтесь, я вам верю. — Чарли сочувственно похлопал ее по плечу. — Я все видел через дверь.

— В таком случае, спасибо, что поспешили на помощь, — обиделась Холли.

— Каюсь, слишком поздно подошел. Хотя должен признать, что засмотрелся на то, как у нее вытянулась физиономия.

Холли захихикала, посмотрев в конец коридора, где Стиви и Лора на повышенных тонах выясняли отношения.

Натыкаясь на мебель, Холли пробиралась через темный номер.

— Ай, — пискнула она, ударившись большим пальцем ноги о ножку кровати.

— Тише, — сонно прошептала Шэрон.

Холли схватила за плечо крепко спящую Дениз и трясла, пока та не проснулась.

— Что? Что такое? — простонала подруга.

— Вот. — Холли сунула ей в руки телефон. — Звони скорее будущему мужу и скажи, что любишь его, только девчонкам ни слова.

На следующий день Холли и Шэрон отправились на долгую прогулку по набережной за чертой города.

Октябрьский ветер был на удивление теплым, Холли даже пальто не стала надевать. Они остановились и слушали тихий плеск волн. Остальные девушки решились на легкий обед, но Холли сознавала, что ее желудок к такому испытанию пока не готов.

— Как ты? — ласково спросила Шэрон, обнимая ее за плечи.

Холли вздохнула.

— Знаешь, Шэрон, когда мне задают такой вопрос, я обычно отвечаю: «Спасибо, хорошо», но, честно говоря, это неправда. Интересно, когда люди спрашивают, как у тебя дела, они действительно хотят услышать ответ или просто вежливость проявляют? — Холли грустно улыбнулась. — В следующий раз, когда соседка, что живет через дорогу, спросит меня, как дела, я ей скажу: ничего хорошего, все очень плохо, спасибо. Мне тоскливо и одиноко. Я обижена на весь мир. Я завидую вам и вашей идеальной маленькой семье, особенно завидую потому, что у вас есть живой муж. А потом расскажу ей, как я нашла новую работу и познакомилась с кучей людей и как я изо всех сил стараюсь взять себя в руки, но у меня не получается. Потом расскажу, как я ненавижу, когда мне говорят, что время лечит, но ведь считается, что в разлуке чувства крепнут, и это меня совершенно сбивает с толку, потому что, выходит, чем дольше его нет со мной, тем больше он мне нужен. Я скажу ей, что ничего меня не лечит и каждое утро, просыпаясь одна в постели, я чувствую себя так, будто мои незалеченные раны посыпают солью. — Холли перевела дыхание. — А потом скажу, что безумно скучаю по своему мужу и что жизнь без него лишилась для меня всякого смысла. Что мне глубоко плевать, как у меня все сложится, раз его нет, и что я только и жду, когда же все это наконец закончится и я смогу воссоединиться с ним. Она, вероятно, ответит, как обычно: «Вот и славно». А потом сядет в машину, отвезет детей в школу, поедет на работу, вечером приготовит ужин, ночью займется с мужем любовью, а я тем временем хорошо если успею придумать, какого цвета блузку надеть на работу. Ну как? — Она заглянула в глаза Шэрон.

— Ай! — подскочила та, и ее рука соскользнула с плеч Холли.

— Не поняла, — опешила Холли, — это все, что ты можешь мне сказать?

Шэрон рассмеялась, держась за живот.

— Да нет, глупая, это ребенок толкается!

Холли утратила дар речи.

— Потрогай, — предложила Шэрон.

Прижав ладонь к набухшему животу, Холли ощутила едва уловимое движение. Обеим на глаза навернулись слезы.

— Эх, Шэрон, если бы моя жизнь состояла из таких вот чудесных моментов, я бы зареклась ныть на веки вечные!

— Смешная ты! У кого же вся жизнь состоит из чудесных моментов, а? Если бы даже и так, то они были бы уже не чудом, а рутиной. Как человек может распознать счастье, если никогда не испытывал горя?

— Ай-ай! — хором воскликнули они, когда ребенок шевельнулся в третий раз.

— Кажется, этот маленький сорванец растет футболистом, весь в папеньку!

— Сорванец? — потрясенно переспросила Холли. — У тебя будет мальчик?

Шэрон кивнула. Глаза ее светились неподдельным счастьем.

— Холли, познакомься с маленьким Джерри. Джерри, это Холли, твоя крестная мама.

Глава сорок четвертая

— Алиса! Привет! — подала голос Холли, переминаясь с ноги на ногу у стола в приемной. Она стояла тут уже несколько минут, и Алиса до сих пор не произнесла ни слова.

— Привет, — бросила она, не поднимая головы.

Холли собралась с духом.

— Алиса, ты на меня сердишься?

— Нет, — был резкий ответ. — Крис тебя вызывает. Хочет поручить тебе еще одну статью.

— Еще одну статью? — ужаснулась Холли.

— Я, кажется, ясно выразилась.

— Алиса, а почему бы тебе не заняться этим? — мягко спросила Холли. — Ты потрясающе пишешь. Уверена, если бы Крис знал, он бы обяз…

— Он знает, — перебила Алиса.

— Что?! Как это — знает?

— Пять лет назад я пришла сюда в поисках работы журналиста. Но единственная свободная вакансия была вот эта. Крис сказал, если я запасусь терпением, что-нибудь непременно подвернется. — Голос Алисы звучал настолько сердито, что Холли невольно попятилась. Впервые она видела их беззаботную, веселую секретаршу такой… нет, не расстроенной даже. *Взбешенной*.

Холли тяжело вздохнула и направилась в кабинет Криса. Ее одолевало сильное подозрение, что эту статью ей придется писать своими силами.

Листая ноябрьский выпуск журнала, над которым изрядно потрудился весь коллектив, Холли улыбнулась. Завтра, первого ноября, он поступит в продажу — подумать только! Ее первый журнал появится в киосках, и к тому же можно будет открыть следующее письмо Джерри. Завтра хороший день.

Хотя ее личный вклад ограничивался рекламными объявлениями, Холли переполняла гордость. Как же чудесно принимать участие в создании настоящего журнала! Никакого сравнения с тем убогим листком, который она состряпала несколько лет назад. Она улыбнулась, вспомнив, как пыталась похвалиться им на собеседовании. Нашла чем впечатлить потенциального босса. Тем не менее сейчас она чувствовала, что проявила себя наилучшим образом: ответственно подошла к новым для себя обязанностям и успешно справилась с ними.

— Приятно видеть, что ты так счастлива, — язвительно заметила Алиса, входя в кабинет и бросая ей на стол две бумажки. — Два звонка, пока тебя не было: Шэрон и Дениз. Будь добра, обяжи своих подруг звонить в обеденный перерыв.

— Конечно, спасибо, — примирительно сказала Холли, пытаясь прочесть записки. Алиса нацарапала что-то совершенно неразборчивое — наверняка специально. — Подожди! — крикнула она вслед уходящей секретарше.

— Что еще? — холодно осведомилась та.

— Ты читала статью про вечеринку? Фотографии здорово получились, и все остальное тоже! Я в восторге! — Холли широко улыбнулась.

— Делать мне больше нечего, — возмущенно ответила Алиса и вышла, хлопнув дверью.

Холли с журналом в руке выбежала за ней.

— Ты хотя бы взгляни! Так хорошо получилось! Вот Дэниел обрадуется!

— Что ж, поздравляю вас с Дэниелом. — Алиса сделала вид, что страшно занята, перекладывая с места на место какую-то мелочь на своем столе.

— Слушай, прекрати эти детские капризы и прочти чертову статью!

— Нет!

— Ну и ладно, значит, не увидишь свою фотографию с тем полуголым красавцем... — Холли повернулась и нарочито медленно пошла прочь.

— А ну дай сюда! — Алиса молниеносно выхватила у нее журнал и принялась перелистывать страницы. Найдя нужную, она остолбенела.

Над ее собственной фотографией с обнаженным культуристом красовался заголовок «Алиса в Стране чудес».

— Читай вслух, — потребовала Холли.

Дрожащим голосом Алиса начала читать:

— Новый коктейль поступил в продажу, и наш светский обозреватель Алиса Гудеар решила выяснить, так ли хорош «Блю Рок», как о нем говорят, и насколько эффективно он согреет нас зимой... — Тут она запнулась, осмыслив прочитанное. — Светский обозреватель?!

Холли окликнула Криса, и он тут же вышел к ним из своего кабинета, улыбаясь до ушей.

— Поздравляю, Алиса, ты написала блестящую статью. Мне очень понравилось. — Он отечески похлопал ее по плечу. — Поэтому я решил завести новую колонку под названием «Алиса в Стране чудес» и поручить ее тебе. Будешь ходить на всякие безумные вечеринки, которые ты так любишь, и писать о них каждый месяц.

— Но Холли... — с трудом выдавила из себя потрясенная девушка.

— Холли пишет с ошибками, — подмигнул Крис. — А вот ты у нас прирожденный журналист. И мне следовало воспользоваться твоим талантом гораздо раньше. Мне очень стыдно, Алиса, прости меня.

— О боже, — выдохнула она, не обращая внимания на его извинения. — Спасибо, спасибо тебе! — И бывшая секретарша бросилась на шею Холли, прижав ее к себе с такой силой, что та едва не задохнулась.

Холли тщетно пыталась высвободиться и глотнуть воздуха.

— Знала бы ты, как трудно было хранить это в секрете от всех!

— Представляю! Как тебе вообще удалось? — одарив Холли изумленным и благодарным взглядом напоследок, Алиса повернулась к начальнику: — Пять лет, Крис.

Он только удрученно кивнул.

— Я ждала этого пять лет, — повторила она.

— Знаю, знаю. — Он выглядел школьником, уличенным в недозволенной проделке. — Может быть, пройдем в мой кабинет и поговорим обо всем подробнее?

— Пожалуй, — ответствовала Алиса холодно и степенно, но счастливый блеск в глазах выдавал ее с головой. Повернувшись к Холли, она весело помахала ей рукой и только потом последовала за ним.

Холли же направилась к себе в кабинет. Пора было приниматься за декабрьский номер. По пути она споткнулась о кучу сумочек, наваленных прямо на полу в коридоре.

— Ой мамочки! Что это?

Крис, который как раз вышел из кабинета, решив для разнообразия разок поменяться с Алисой ролями и принести ей чаю, презрительно фыркнул.

— Не видишь разве, сумочки Джон-Пола.

— Да что вы? Зачем ему столько? — хихикнула Холли.

— Для статьи про всякие глупости вроде того, какие сумки модно носить в нынешнем сезоне. — Крис изо всех сил притворялся, что ему ничуть не интересно.

— Прелесть! — восхитилась Холли, поднимая одну из сумочек.

— Нравится? — Джон-Пол выглянул в коридор.

— Не то слово! — Холли перебросила ремешок через плечо. — Мне идет?

Крис покрутил пальцем у виска:

— Как может сумка идти или не идти?! Это же просто сумка, боже ты мой!

— Тебе все равно придется читать мою статью, никуда не денешься. — Джон-Пол погрозил боссу пальцем. — Сумочку надо подбирать с умом, чтоб ты знал. — Он повернулся к Холли: — Бери себе, если хочешь.

— Как, насовсем? — поразилась та. — Она же небось бешеных денег стоит!

— Ага, но у меня их выше крыши. Видела бы ты, сколько дизайнер мне напихал. Пытался меня умаслить, негодяй! — Джон-Пол очень неискренне изобразил возмущение.

— По-моему, у него получилось.

— Разумеется! Первая строка будет звучать так: «Ну-ка все быстренько подорвались — и в очередь, в очередь за сумками!»

Отсмеявшись, Холли сунула любопытный нос к нему в дверь:

— А что у тебя там еще интересненького?

— Пишу вот, что надевать на все эти рождественские вечеринки. Сегодня несколько платьев прислали. И, между прочим, — он оглядел ее с головы до ног, и Холли тут же втянула живот, — одно из них должно смотреться на тебе сногсшибательно. Заходи, примеришь.

— С ума сойти! Но я только посмотрю, ладно? Мне в этом году вечернее платье не понадобится. Никуда не пойду, хочу посидеть дома в тишине и покое.

Крис, стоя на пороге своего кабинета, покачал головой и зарычал во всю мощь своих богатырских легких:

— Кто-нибудь в этой задрипанной лавочке вообще работает?!

— Да! — проорала в ответ Трейси. — Поэтому заткнись и не отвлекай нас!

От дружного хохота сотрудников в здании задрожали стекла, но Холли могла бы поклясться: перед тем как Крис оглушительно — для пущего устрашения — захлопнул за собой дверь, на его лице мелькнула довольная улыбка.

Вволю покопавшись в коллекции Джон-Пола, Холли вернулась к себе и спустя какое-то время улучила минутку, чтобы перезвонить Дениз.

— Отвратный, душный магазин уродливой и безбожно дорогой одежды. Говорит задолбанный менеджер, чем могу помочь?

— Дениз! — Холли взрогнула от неожиданности. — Ты теперь всегда так отвечаешь?

Подруга захихикала.

— Не волнуйся, у меня определитель номера. Я знала, что это ты.

— А-а-а... — недоверчиво протянула Холли. Очень сомнительно, чтобы у Дениз на рабочем телефоне стоял определитель. — Мне тут передали, что ты звонила.

— Да-да, я просто хотела подтвердить, что мы идем на бал. В этому году Том заказывает столик на всех.

— На какой еще бал?

— На рождественский, куда мы каждый год ходим, тормоз!

— Ах да, конечно. Рождественский бал, который всегда проводится в середине ноября! — засмеялась Холли. — Извини, в этот раз я не смогу.

— Но я тебе еще даже дату не сказала! — возразила Дениз.

— Ну, я полагаю, как обычно, поэтому и говорю сразу, что не смогу.

— А вот и нет! Тридцатого ноября, так что очень даже сможешь.

— Тридцатого... — Холли нарочито громко зашуршала бумажками на столе. — Нет, Дениз, не получится, к сожалению. Тридцатого я занята. Сроки горят, — соврала она.

— Но там все начнется не раньше восьми! — не сдавалась Дениз. — Ты можешь прийти даже в девять, подумаешь, несколько тостов пропустишь.

— Нет, Дениз, извини, — твердо сказала Холли. — У меня слишком много дел.

— В кои-то веки, — буркнула Дениз себе под нос.

— Что ты сказала? — Холли начала сердиться.

— Ничего.

— Я слышала, ты сказала «в кои-то веки», не так ли? Знаешь что, Дениз? Так уж сложилось, что я серьезно отношусь к своей работе и не намерена терять ее из-за какого-то дурацкого бала.

— Как хочешь, — обиделась Дениз. — Не ходи тогда.

— И не пойду!

— Отлично!

— Прекрасно. Рада, что ты не возражаешь, — идиотизм их диалога вызвал у Холли невольную улыбку.

— Рада, что ты рада.

— Ну прекрати, Дениз, не будь ребенком, — попробовала урезонить ее Холли. — Мне просто нужно работать, вот и все.

— Ничего удивительного, — вырвалось у Дениз. — Ты у нас такая занятая теперь. На людях вообще перестала показываться. Когда я тебя куда-нибудь зову, у тебя всегда находятся дела поважнее, чем друзья, — как же, *работа*! На моем девичнике ты выглядела так, будто с тобой в жизни ничего хуже не случалось, а во второй вечер даже не потрудилась к нам спуститься. Не понимаю, зачем ты вообще поехала. Холли, если я тебя достала, скажи мне об этом прямо, вместо того чтобы сидеть с кислой миной, как распоследняя зануда!

Не веря своим ушам, Холли в изнеможении откинулась на спинку стула. Как может Дениз говорить ей такое? Как она может быть такой черствой эгоисткой и считать, что все вертится вокруг нее? Недаром ей кажется, что мир сошел с ума, если даже лучшая подруга не в состоянии ее понять.

— Никогда не думала, что ты такая эгоистка. — Холли пыталась совладать с голосом, но чувствовала, что ее обида прорывается в каждом слове.

— Это я-то эгоистка? — взвилась Дениз. — А кто просидел в номере весь девичник?! Мой девичник! Ты, моя *свидетельница*!

— Я сидела в номере с Шэрон, если помнишь, — попыталась оправдаться Холли.

— Чушь собачья! Шэрон прекрасно посидела бы и одна. Она беременна, а не при смерти, черт подери. И ее не надо караулить круглые сутки! — Дениз осеклась, осознав, что она только что ляпнула.

Кровь бросилась Холли в виски. Когда она заговорила, голос ее дрожал от гнева.

— И ты еще удивляешься, почему я с тобой никуда не хожу. Вот именно потому, что ты позволяешь себе подобные бестактные высказывания. Ты хоть на секунду задумалась, как мне тяжело? Вы без умолку трещали о треклятых свадебных приготовлениях, о том, как все чудесно и замечательно и как вы с Томом будете жить в счастливом союзе до конца своих дней. Если ты еще не заметила, Дениз, мне все это не светит, потому что мой муж *умер*. Но я очень рада за тебя, правда. Я от всей души желаю тебе счастья и не требую никаких особых поблажек себе. Я просто прошу каплю терпения — неужели так трудно понять, что нереально после такого прийти в себя за несколько месяцев! Что касается бала, я не намерена идти туда, куда мы с Джерри ходили вместе в течение десяти лет. Ты, возможно, не поймешь, Дениз, но, как ни странно, мне это НЕМНОЖКО БОЛЬНО. Так что не трудись заказывать место на меня, я прекрасно посижу дома! — Холли в сердцах бросила трубку.

Уронив голову на руки, она разрыдалась. Все ни к черту. Даже лучшая подруга ее не понимает. Наверное, не мир с ума сходит, а она сама. Может, ей и вправду следовало бы уже смириться с потерей Джерри. Может, нормальные люди только так и поступают после смерти близких. Может, надо было все-таки отыскать и купить справочник для вдов, чтобы выяснить, сколько времени отводится на траур, и перестать докучать родным и друзьям своей скорбью.

Когда ее рыдания наконец сменились тихими всхлипами, она прислушалась к царящей в офисе тишине. Похоже, все до единого слышали ее вопли и плач, так что от смущения она даже не решилась выйти в туалет за салфетками. Лицо ее раскраснелось, глаза опухли от слез. Холли утерлась рукавом рубашки и тут же в отчаянии выругалась. По дорогому белому шелку живописно размазались тональный крем, тушь и помада. В дверь негромко постучали, и она, насторожившись, выпрямилась в кресле.

— Войдите. — Ее голос дрожал.

В кабинете появился Крис с двумя большими кружками.

— Чайку? — сочувственно предложил он, и Холли слабо улыбнулась, вспомнив, как они шутили про чай на собеседовании. Он поставил перед ней чашку и опустился на свободный стул.

— Неудачный день, да? — спросил он мягко.

Холли кивнула, и слезы снова покатились по ее щекам.

— Извините, Крис. — Она попыталась взять себя в руки. — Это не отразится на моей работе.

Он только рукой махнул:

— Брось, Холли. Ты отличный работник, я же знаю.

Благодарная улыбка осветила ее лицо. Хоть что-то она делает хорошо и правильно.

— Хочешь уйти домой пораньше?

— Нет, спасибо. Работа отвлечет меня.

Босс печально покачал головой:

— Не дело это, Холли, поверь моему опыту. За последние пару лет я замуровал себя в этих стенах, и никакого толку. Если и помогает, то ненадолго.

— Но вы кажетесь вполне счастливым.

— Казаться и быть — не одно и то же, мы, к сожалению, оба это знаем.

Она тяжело вздохнула в знак согласия.

— Послушай, ты не обязана все время изображать мужество. — Он протянул ей салфетку.

— Да какое там мужество... — Она шумно высморкалась.

— Ты когда-нибудь слышала поговорку, что мужественные поступки люди чаще всего совершают со страху?

Холли призадумалась.

— Но у меня один страх, а мужества ни на грош.

— Всем нам иногда бывает страшно, в этом нет ничего плохого. Но в один прекрасный день страх уйдет. Посмотри, как ты славно потрудилась! — широким жестом он обвел кабинет. — А на это посмотри! — Он помахал журналом. — Только очень мужественный человек мог такого достичь.

— Мне нравится эта работа, — улыбнулась она.

— Вот и замечательно! Но ты должна научиться любить не только работу.

Холли нахмурилась. Он что, собирается поучать ее в духе «чтобы забыть одного, переспи с другим»?

— Я имею в виду, научиться любить себя. Свою новую жизнь. Не позволяй себе зацикливаться на работе. На ней свет клином не сошелся, поверь мне.

Она удивленно приподняла бровь. Чья бы корова мычала!

— Знаю, тут я не лучший пример для подражания, — согласился он с ее невысказанными мыслями. — Но я тоже учусь... — Он принялся стряхивать со стола несуществующие крошки, подбирая слова. — Я так понимаю, ты не хочешь идти на этот бал.

Ясное дело, он слышал весь ее разговор от первого до последнего слова. Холли поежилась.

— Когда Морин умерла, я тоже отказывался посещать места, где мы с ней бывали, — тихо продолжал Крис. — Каждое воскресенье мы гуляли в Ботаническом саду, и без нее я не находил в себе сил пойти туда снова. Каждый цветок, каждое дерево несли в себе тысячу сладких воспоминаний. Скамейка, на которой мы всегда сидели, ее любимый дуб, ее любимая клумба с розами — все напоминало мне о ней.

— Вы все-таки сходили? — Холли отпила чаю и ощутила разлившееся по телу благодатное тепло.

— Несколько месяцев назад. Было трудно, но я заставил себя и с тех пор хожу туда каждое воскресенье. Нужно смотреть в глаза действительности, Холли, и находить светлую сторону даже там, где ее нет. Я говорю себе: здесь мы смеялись, плакали, ссорились. И, вспоминая все это, я будто снова сижу рядом с ней. Зачем прятаться от любви, когда можно находить в ней утешение? — Он подался вперед, глядя ей прямо в глаза. — Некоторые всю жизнь проводят в поисках родственной души и никогда не находят. Никогда. А нам с тобой повезло, просто так уж вышло, что они прожили с нами не так долго, как мы надеялись. Грустно, но такова жизнь. Так что иди-ка ты на бал, Холли, и радуйся тому, что был на свете человек, которого ты любила и который любил тебя.

Понимая, что он прав, Холли в который раз за день залилась слезами. Да, она должна помнить Джерри и чтить их любовь, до сих пор живущую в ее сердце, но не оплакивать, не сожалеть о тех годах, что судьба не дала им провести вместе. Она повторила про себя строчку из его письма: «Береги наши чудесные воспоминания, но не бойся обзаводиться новыми». Пора отпустить Джерри, позволить его душе упокоиться с миром. В ее памяти он будет вечно жив. Но для этого ей нужно научиться жить самой.

Глава сорок пятая

— Прости, Дениз, прости меня, пожалуйста, — извинялась Холли перед подругой. Они сидели на складе в магазине у Дениз. По всему помещению громоздились коробки, вешалки, полиэтиленовые пакеты и прочие причиндалы, в беспорядке раскиданные по полу. В воздухе стоял запах пыли и залежалого товара. Камера видеонаблюдения равнодушно следила за ними со стены, записывая разговор.

Холли напряженно ждала ответа. Подруга сжала дрожащие губы и кивнула, как бы давая понять, что все в порядке.

— Нет-нет, — подалась к ней Холли. — Я не права, что сорвалась. Конечно, я в последнее время сама не своя, но это не повод вымещать обиды на друзьях.

Дениз наконец собралась с духом и заговорила:

— Нет, ты была совершенно права, Холли...

Холли попыталась было возразить, но Дениз продолжила:

— Я так перевозбудилась из-за свадьбы, что даже не задумалась о том, каково сейчас тебе. — Дениз внимательно смотрела на подругу. Черный пиджак подчеркивал ее бледность. Она так старалась казаться бодрой, что им всем не составило труда напрочь забыть о ее борьбе с призраками утраченного счастья.

— Но ты имеешь полное право радоваться, — настаивала Холли.

— А ты имеешь полное право горевать, — твердо ответила Дениз. — Я не подумала. Господи, я просто не подумала. — Она прижала ладони к пылающим щекам. — Не ходи на бал, если тебе это тяжело. Мы все поймем.

Холли окончательно запуталась. Крис почти что убедил ее пойти, а теперь вот лучшая подруга говорит, что можно и не ходить. У нее внезапно разболелась голова — не иначе, из-за всех этих переживаний. Она крепко обняла Дениз на прощанье, пообещав позвонить и сообщить свое решение насчет бала.

Обратно на работу она шла в глубокой задумчивости. Сомнения грызли ее все сильнее. Возможно, Дениз права — это всего лишь дурацкий бал, и она не обязана идти туда, если не хочет. И тем не менее этот дурацкий бал — важный символ их с Джерри совместной жизни. Они получали массу удовольствия, веселясь с друзьями и танцуя весь вечер под свои любимые песни. Если она пойдет без него, то нарушит замечательную традицию и заменит светлые, счастливые воспоминания новыми, куда менее приятными. Вот уж чего ей совершенно не хотелось. Она предпочла бы намертво вцепиться в каждый осколок их любви. Лицо Джерри постепенно стиралось в ее памяти, и это пугало. Когда он ей снился, это был уже не совсем он, а какой-то придуманный человек, плод ее воображения, с другим лицом и другим голосом.

Время от времени она звонила ему на мобильный, просто послушать голос на автоответчике. Она даже исправно вносила абонентскую плату, чтобы телефонная компания не заблокировала его номер. Его запах больше не ощущался в доме — он сам велел ей избавиться от его вещей. Его образ тускнел и расплывался, и она в отчаянии цеплялась за каждую мелочь, что осталась от него. Засыпая, она специально думала о нем, словно заклиная явиться ей во сне. Купила его любимый одеколон и разбрызгала по дому. Иногда на улице, уловив знакомый аромат или услышав звуки знакомой песни, она на мгновение переносилась в прошлое. В безвозвратно ушедшие счастливые дни.

Порой ей казалось, что он идет впереди в толпе прохожих, и она бросалась за ним вдогонку, преследовала его квартал за кварталом, — чтобы убедиться, что это совершенно другой человек, просто немного похожий на Джерри. Легко сказать — «отпусти»…

Перед тем как свернуть за угол и войти в свое здание, Холли решила еще на минутку заскочить в «Хоган». С Дэниелом она теперь чувствовала себя куда свободнее. После того ужина наедине, стоившего ей стольких волнений, она поняла, что ведет себя глупо. И догадалась почему. Раньше единственным ее близким другом мужского пола был Джерри — любовник и муж. Поэтому сближение с Дэниелом казалось ей странным и переходящим границы приличия. Но теперь Холли убедилась, что дружить с мужчиной можно, и не заводя с ним роман. Даже если он очень симпатичный.

Непринужденность в их отношениях переродилась в крепкое чувство товарищества. Собственно говоря, она это предчувствовала еще с первой встречи. Они могли беседовать часами, обсуждая свою личную жизнь, свои мысли и чувства. Их объединял общий враг — одиночество. Конечно, он страдал по совсем другой причине, ну и что? Они все равно помогали друг другу. Бывают ведь дни, когда нет ничего дороже чуткого собеседника, который один в силах заставить тебя забыть о своей тоске. А таких дней и у него и у нее выдавалось много.

— Ну как? — спросил Дэниел, выходя из-за барной стойки ей навстречу. — Пойдет ли Золушка на бал?

Холли улыбнулась и наморщила носик, собираясь сказать, что не пойдет, как вдруг сама себя перебила:

— А ты пойдешь?

Он в точности скопировал ее гримаску, и она не удержалась от смеха.

— Знаешь, туда ведь все обязательно притащатся парочками. Не думаю, что меня порадует еще один вечер в обществе Сэма и Саманты, Роберта и Роберты и далее по списку.

Он придвинул высокий табурет к стойке, и Холли уселась.

— А мы можем продемонстрировать полное отсутствие хороших манер и наплевать на них с высокой колокольни.

— Тогда какой смысл идти? — Дэниел присел рядом и водрузил свой тяжелый кожаный ботинок на перекладину ее стула. — Ты же не рассчитываешь, что я буду весь вечер трепаться с тобой, правда? Мы и так уже друг другу плешь проели. Может, ты мне надоела до смерти.

— Ну и прекрасно! — Холли прикинулась оскорбленной до глубины души. — Я, между прочим, и не собиралась с тобой разговаривать.

— Уф! — Дэниел вытер лоб, изображая облегчение. — Тогда я точно пойду.

— На самом деле мне просто необходимо там быть, — серьезно сказала Холли.

Дэниел тут же прекратил смеяться.

— Тем более. Значит, идем вместе.

— По-моему, это и тебе пойдет на пользу, — мягко добавила она, улыбаясь.

Его ботинок со стуком приземлился на пол. Дэниел отвел глаза, делая вид, что высматривает что-то в зале.

— Холли, я в полном порядке, — неубедительно соврал он.

Холли спрыгнула с табурета, обхватила ладонями его лицо и звучно чмокнула в лоб.

— Дэниел Коннолли, прекрати разыгрывать непробиваемого мачо. Со мной такие номера не проходят.

Они обнялись на прощанье, и Холли наконец отправилась на работу с твердым намерением претворить свое решение в жизнь. Громко протопав вверх по ступенькам, она промчалась мимо Алисы, все еще сидящей с мечтательным видом над своей статьей, и заорала на всю редакцию:

— Джон-Пол, мне нужно платье, срочно!

Крис в своем кабинете улыбнулся, слушая, как все ахают и охают над Холли в новом наряде. Открыл ящик стола, полюбовался на свою фотографию с любимой женой и поклялся себе, что непременно когда-нибудь сходит в Ботанический сад. Если Холли может, значит, и у него, наверное, получится.

Глава сорок шестая

Безнадежно опаздывая, Холли металась по комнате в попытках завершить последние приготовления к балу. Последние два часа она провела за медитативным занятием: наносила макияж, стирала нанесенное и наносила заново. В четвертый раз подкрашивая ресницы тушью, она взмолилась, чтобы ее слезопровод наконец перестал действовать — хотя бы до конца вечера. Сомнительно, конечно, но надежда умирает последней.

— Золушка, выходи, принц приехал! — послышался снизу веселый голос Шэрон.

Холли запаниковала — нет-нет, она еще не готова. Ей нужно хоть полчасика посидеть и заново подумать насчет бала, а то она что-то забыла весь список причин, по которым необходимо туда идти. В голове ни одного «за», сплошные «против».

Итак, доводы «против»: ей совершенно не хочется идти, она весь вечер проревет, ей придется сидеть за столом с так называемыми друзьями, которые ни разу не позвонили после смерти Джерри, она чувствует себя отвратительно, выглядит и того хуже, и там не будет Джерри.

Доводы «за»: твердая уверенность, что она просто обязана пойти, и, что еще важнее, одно обстоятельство, ни в коем случае не позволяющее дать задний ход...

Глубокий вдох, выдох, лишь бы не новый поток слез, это будет катастрофа — она только закончила краситься.

— Холли, мужайся. Ты сможешь, — шепнула она своему отражению в зеркале. — Это надо сделать обязательно, это тебе поможет, укрепит твой дух. — Она повторяла свою мантру снова и снова, пока скрип отворяемой двери не вернул ее к действительности, заставив подскочить на стуле.

— Извини, не хотела тебя пугать. — В комнату вошла Шэрон. — Боже, Холли, ты выглядишь потрясающе!

— Как чучело я выгляжу, — огрызнулась Холли.

— А ну прекрати нести чушь! — возмутилась Шэрон. — Я вон в двери еле прохожу, и то не жалуюсь! Ты прелесть, и смирись с этим! — Она подмигнула подруге в зеркало. — Все будет хорошо.

— Я просто предпочла бы остаться дома, Шэрон, правда. Мне сегодня последнее письмо открывать.

Холли не верилось, что это действительно последнее. Начиная с завтрашнего дня, не будет больше ласковых слов от Джерри, а она еще не готова обходиться без них. Тогда, в апреле, она сгорала от нетерпения, подгоняла месяцы, чтобы вскрыть очередной конверт, и время пролетело слишком быстро, и вот уже почти конец... Естественно, ей хотелось провести этот вечер дома и насладиться последним мгновением с Джерри.

— Знаю, — печально сказала Шэрон. — Но ведь оно может подождать пару часов, правда?

Холли уже открыла рот, чтобы ответить «нет», но тут с первого этажа их позвал Джон.

— Девочки, давайте побыстрее! Такси ждет! Нам еще за Томом с Дениз заезжать!

Шэрон пошла вниз, а Холли, прежде чем последовать за ней, вытащила из ящика туалетного столика ноябрьское письмо Джерри, открытое месяц назад. Ей требовалось заручиться напоследок его поддержкой. Поглаживая пальцами аккуратно выведенные строки, она представила себе, как Джерри их пишет. Она всякий раз подшучивала над выражением его лица, когда он что-нибудь писал, сосредоточенный, как прилежный первоклашка. Как она любила это лицо! Как скучала по нему! Черпая мужество из его послания, она несколько раз перечитала:

«Золушка должна в этом месяце пойти на бал. И блистать на нем! Она будет выглядеть лучше всех и веселиться от души, точно так же, как в старые времена.

Только пожалуйста, на сей раз никаких белых платьев...

P.S. Я люблю тебя...»

Этот конверт Холли вскрыла на следующий день после ссоры с Дениз. Несмотря на задушевные беседы с Крисом и Дэниелом, она еще сутки маялась, не в силах принять окончательное решение. Могла бы и сэкономить нервы, поскольку Джерри все уже решил за нее — она должна пойти на бал. Ее очередное задание... или экзамен? Холли твердым шагом спустилась вниз вслед за Шэрон.

— Ух ты! — восхитился Дэниел. — Выглядишь умопомрачительно, Холли!

— Как чуче... — завела было она свою волынку, но, поймав предостерегающий взгляд Шэрон, быстро исправилась: — Спасибо, Дэниел.

Джон-Пол помог ей выбрать вечерний наряд: простое черное платье на бретельках с разрезом до середины бедра сзади. На сей раз никаких белых...

Сидя с друзьями в такси, Холли на каждом светофоре молилась, чтобы зажегся красный и хоть чуть-чуть оттянул их прибытие. Размечталась, как же! В кои-то веки на улицах Дублина не оказалось пробок, и они добрались до отеля в рекордные сроки. Более того, ни оползень с гор, ни извержение вулкана городу не угрожали — небеса, равно как и преисподняя, оставались сегодня подозрительно глухи к молитвам Холли.

Войдя в зал, они подошли отметиться к столику у входа. Холли низко опустила голову, когда заметила, что все присутствующие женщины жадно впились глазами в новоприбывших, оценивая наряды. Удостоверившись, что их никому не затмить, красотки вернулись к прерванным на миг светским беседам. Администратор приветствовала их лучезарной улыбкой:

— Добрый вечер, Шэрон, здравствуйте, Джон, привет, Дениз... ой! — Не исключено, что она даже побледнела, но под таким слоем косметики толком не разберешь. — Добрый вечер, Холли. Как хорошо, что вы пришли, несмотря на... — Она осеклась и уставилась в список гостей, чтобы вычеркнуть их имена.

— Пойдем в бар. — Дениз подхватила Холли под руку и потянула за собой.

По пути их остановила дама, с которой Холли не встречалась уже много месяцев.

— Холли, примите мои соболезнования. Джерри был чудесным человеком.

— Благодарю, — натянуто улыбнулась Холли, и Дениз тут же уволокла ее дальше.

Едва они достигли барной стойки, за спиной раздался знакомый голос:

— Холли! Рад вас видеть.

— Взаимно, Патрик. — Она повернулась к высокому, грузному господину, известному своим активным участием в благотворительности. С лица его никогда не сходила апоплексическая краснота, вероятно, вследствие стресса, — шутка ли, руководить одним из самых успешных предприятий в Ирландии. И попутно потреблять алкоголь в неимоверных количествах. Он то и дело с неловким видом теребил бабочку на шее, будто боялся, что она его задушит. Казалось, смокинг на его массивной туше вот-вот лопнет по швам и пуговицы полетят во все стороны. Холли не очень хорошо его знала, они просто виделись каждый год на балу.

— Выглядите прелестно, как всегда. — Он галантно поцеловал ей руку. — Позвольте вас угостить. — Бармен схватил бокалы, заметив его повелительный жест.

— Спасибо, не стоит беспокоиться, — улыбнулась она.

— Нет-нет, сделайте одолжение. — Он уже тянул из кармана пухлый кошелек. — Что вы предпочитаете?

— Белое вино, пожалуйста, если вы настаиваете, — сдалась Холли.

— Давайте закажу заодно и вашему негоднику мужу, — весело предложил щедрый толстяк. — Что он пьет? — Он оглядел зал в поисках Джерри.

— Видите ли, Патрик, его здесь нет.

— Почему же? Говорю же, негодник! Второй год не приходит! И где он пропадает, разрешите спросить? — Его густой бас перекрывал многоголосый гомон гостей.

— Патрик, он скончался в феврале, — мягко сказала Холли, понимая, что избежать неловкости не удастся.

— Ох ты... — Патрик побагровел еще сильнее и сконфуженно откашлялся. — Мне очень жаль, примите мои соболезнования, — промычал он и отвел глаза. И снова схватился за свою бабочку.

— Спасибо. — Холли считала про себя: сколько времени ему понадобится на поиски предлога, чтобы увильнуть от разговора? Он сбежал ровно через три секунды, промямлив что-то насчет того, что надо бы отнести что-нибудь выпить супруге. Дениз давно уже ушла к своим, так что Холли, оставшись у барной стойки в одиночестве, забрала свой бокал, чтобы поскорее присоединиться к ним. И тут же ее окликнули:

— Холли! Привет!

— Здравствуй, Дженнифер.

Еще одна знакомая — и тоже только по балу. Затянутая в изысканное вечернее платье без бретелек и длинные перчатки, увешанная переливающимися драгоценностями, она небрежно держала двумя пальцами бокал с шампанским. Ее светлые волосы выгорели так, что казались почти белыми, кожа потемнела и огрубела от избытка солнечных ванн в бесконечных отпусках.

— Как дела? Выглядишь шикарно, платье шикарное! — Она отпила шампанского, пристально оглядывая Холли от прически до туфелек.

— Все в порядке, спасибо. А ты как?

— Шикарно, просто шикарно! Джерри сегодня не с тобой?

— Нет, он скончался в феврале. — Холли снова попыталась говорить как можно мягче.

— Господи! Какая жалость! — Дженнифер поставила бокал на стойку и картинно закрыла лицо руками. — И никто мне не сказал раньше! Как же ты теперь, бедненькая? — Она сочувственно похлопала Холли по плечу.

— В порядке, спасибо, — повторила Холли, удерживая на лице улыбку, чтобы не поддаваться на фальшивую скорбь.

— Бедная ты, бедная. — Дженнифер понизила голос и жалостливо смотрела на Холли. — Ты, наверное, совершенно раздавлена горем.

— Да, это нелегко, но я справляюсь. Стараюсь не падать духом.

— Боже, не представляю, как это у тебя получается. Ужас, какой же ужас! — Она пожирала глазами Холли, которая только кивала в ответ, мечтая закончить поскорее этот бессмысленный разговор.

— Что же случилось? Он был болен?

— Да, опухоль мозга.

— Ах, как это *ужасно*! Ведь он был так *молод*! — На пике каждой фразы ее голос переходил в пронзительный писк.

— Да, конечно... Но мы прожили вместе немало счастливых лет, Дженнифер. — Холли упрямо не сбивалась с бодрого тона.

— Твоя правда, но как обидно, что эти годы не продлились гораздо, гораздо дольше. Это, должно быть, невыносимо. Ужасно, *ужасно*, и *так* несправедливо! Какое несчастье, подумать только! И как тебе хватило мужества прийти сюда сегодня, когда вокруг одни пары? — Она оглянулась на означенные пары с таким видом, будто они отравляли воздух в помещении.

— Как ни крути, а надо жить дальше.

— Разумеется, надо! Но ведь это так трудно. Ах, какой ужас! — Она снова закрыла лицо руками.

Холли натянула очередную улыбку и процедила сквозь зубы:

— Да, это тяжело, но, как я уже говорила, приходится собраться с силами и двигаться дальше. Кстати, насчет того, чтобы двигаться дальше: мне, пожалуй пора, друзья меня заждались. — С этими словами она вежливо кивнула и отошла.

— Как ты? — рядом с ней неизвестно откуда возник Дэниел.

— Все в порядке, спасибо, — машинально отозвалась Холли, чувствуя себя ученым попугаем. Покосившись на Дженнифер, она увидела, что та уже, возбужденно жестикулируя, что-то рассказывает подружкам, которые то и дело бросают на них с Дэниелом любопытные взгляды.

— А вот и я, внимание! — донесся громкий голос от дверей. У входа стоял, театрально воздев руки, Джейми, шут гороховый, звезда всех вечеринок. — Я снова облачен в костюм пингвина и готов ВЕСЕЛИТЬСЯ! — Приплясывая на ходу, он пошел по залу здороваться со всеми подряд, страшно довольный, что к нему, как обычно, приковано всеобщее внимание. Мужчин он приветствовал рукопожатием, женщин целовал в щечку, иногда «случайно путая» тех и других. Добравшись до Холли, он на мгновение притих и несколько раз перевел взгляд с нее на Дэниела и обратно. Затем сухо пожал руку Дэниелу, быстро клюнул Холли в щеку, будто боялся подхватить заразу, и поспешил прочь. Как некрасиво с его стороны. Холли с трудом подавила закипающую злость.

Его жена Элен робко улыбнулась Холли с другого конца зала, но подходить не стала. Холли ничуть этому не удивилась. Если уж они не нашли в себе сил проехать десять минут, чтобы навестить ее после смерти Джерри, вряд ли можно ожидать, что Элен соблаговолит пройти десять шагов, чтобы поздороваться. Холли решила плюнуть на них и повернулась к своим настоящим друзьям, которые неизменно поддерживали ее в течение страшного года.

Смеясь, она слушала, как Шэрон рассказывает забавную историю, как вдруг кто-то осторожно тронул ее за плечо. Обернувшись, она увидела грустную-грустную Элен.

— Привет! — весело поздоровалась Холли.

— Как ты? — Тихий голос Элен источал вселенскую скорбь.

— Отлично! Послушай, что рассказывает Шэрон! Ужасно смешная история! — И Холли как ни в чем не бывало продолжила слушать. Через несколько секунд Элен снова тронула ее за плечо.

— Я имею в виду, как ты после…

Холли смирилась с тем, что дослушать подругу ей не светит.

— Ты хочешь сказать, после смерти Джерри? — Холли прекрасно понимала, что людям свойственно испытывать неловкость в подобных ситуациях. Она на их месте чувствовала бы себя точно так же. Однако ей казалось, что если уж человек сам затронул щекотливую тему, то элементарные правила приличия обязывают его вести разговор с достоинством, а не мямлить не пойми что.

Элен смутилась.

— Д-да, но я не хотела…

— Все в порядке, Элен. Я уже смирилась со случившимся.

— Правда?

— Разумеется.

— Я просто так давно тебя не видела, что уже начала беспокоиться…

Холли откровенно рассмеялась.

— Элен, я по-прежнему живу за углом от вас, в том же доме, что и раньше. Номер домашнего телефона у меня не изменился, мобильного тоже. Всем, кто действительно беспокоился, найти меня было легче легкого.

— Конечно, но я не хотела мешать…

— Друзья никогда не мешают, Элен, — сказала Холли беззлобно, но, как она надеялась, доходчиво и отвернулась, снова включаясь в беседу с Шэрон и остальными. Элен покраснела.

— Займи мне место, ладно? Я сбегаю еще раз в дамскую комнату, — попросила Шэрон, нетерпеливо переминаясь с ноги на ногу.

— Опять? — бестактно ляпнула Дениз. — Ты же пять минут назад там была.

— Знаешь, когда тебе на мочевой пузырь давит семимесячный мальчишка, выбирать не приходится, — парировала Шэрон и умчалась в туалет.

— Но ведь на самом деле ему не семь месяцев, правда же? — Дениз приспичило порассуждать. — Строго говоря, ему минус два, иначе получалось бы, что на момент рождения ребенку уже девять и через три месяца надо праздновать его первый день рождения. А так малыши к году уже ходить начинают.

— Что это тебя такие странные мысли посещают? — удивилась Холли.

Дениз задумчиво нахмурилась и обратилась к жениху за поддержкой:

— Какая разница, все равно я права, да, Том?

— Конечно, любимая. — Он нежно улыбнулся ей.

— Подхалим, — поддела его Холли.

Раздался звонок, оповещающий о начале ужина. Все отправились рассаживаться за столы. Холли села и положила сумочку на соседний стул, чтобы занять место для Шэрон. Подошедшая Элен выдвинула этот самый стул с явным намерением обосноваться рядом с Холли.

— Извини, Элен, но здесь сидит Шэрон, она просила меня проследить, чтобы ее место не заняли, — вежливо объяснила Холли.

Элен пренебрежительно махнула рукой:

— Ерунда, я уверена, Шэрон не будет возражать. — И она плюхнулась прямо на сумочку.

Шэрон, добравшись до стола, обиженно надула губы. Холли с извиняющимся видом указала на Элен, когда та отвернулась. Шэрон закатила глаза и сунула два пальца в рот, изображая, что ее сейчас вырвет. Холли захихикала.

— Ты, вижу, в отличном настроении, — недовольно бросил ей Джейми.

— А это запрещено? Если да, то назови причину, — ядовито откликнулась Холли.

Джейми ответил какой-то дешевой остротой, над которой его соседи громко заржали. Ясно дело, он ведь «такой весельчак». Но Холли больше не смешили его шутки, хотя раньше они с Джерри ловили каждое его слово, покатываясь со смеху. И только сейчас она заметила, что он просто-напросто глуп как пробка.

— Ты как, ничего? — тихо спросил Дэниел, садясь рядом с ней.

— Все в порядке, спасибо, — чинно отозвалась она, отпивая глоток вина.

— Ау, Холли, это я! Мне не обязательно вешать лапшу на уши.

— Ой, извини, — улыбнулась она. — Видишь ли, все очень любезны, приносят соболезнования и все такое, но я себя чувствую, как будто снова на его похоронах. Приходится притворяться этакой супергероиней, которой все нипочем. А некоторые, между прочим, жаждут видеть меня *совершенно раздавленной*, потому что *это же так ужасно*. — Последние слова она произнесла, подражая писку Дженнифер. — А есть и такие, кто вообще не знает о Джерри. И сообщать им — более неподходящего места нарочно не выдумаешь.

Дэниел внимательно выслушал ее и понимающе кивнул.

— Я примерно догадываюсь, о чем ты. Когда мы с Лорой расстались, мне еще несколько месяцев приходилось на каждом светском мероприятии объяснять это людям. Одно хорошо, сплетники не дремлют, так что со временем новость облетает всех и неприятные разговоры потихоньку прекращаются.

— А кстати, о Лоре что-нибудь слышно? — Холли обожала обсуждать пороки Лоры, хотя лично не была с ней знакома. Обычно Дэниел рассказывал всякие истории о ней, а потом они с наслаждением наперебой поливали Лору помоями. Это помогало скоротать время, а сейчас Холли годился любой предлог, чтобы избежать светских бесед с Элен.

В глазах Дэниела загорелся ехидный огонек.

— Да, представь себе, до меня как раз дошла свежая сплетня.

— Так выкладывай же ее скорее! — Холли хищно потерла руки в предвкушении.

— Есть у меня один приятель по имени Чарли, который работает барменом в отеле отца Лоры. Так вот, он мне рассказал, что ее жених приставал в баре к какой-то женщине, и она его за этим делом застукала, после чего они разбежались. — Он злорадно рассмеялся. Похоже, разбитое сердце бывшей возлюбленной его несказанно радовало.

Холли на какой-то момент утратила дар речи. Подозрительно знакомая история.

— А… А что это за отель?

— «Голуэй-Инн» называется. Отельчик так себе, зато в хорошем месте, через дорогу от пляжа.

— Ой… — Других комментариев у Холли не нашлось.

— Да-да! — весело продолжал Дэниел. — Здорово, правда? Эх, встретить бы ту замечательную женщину, из-за которой они поссорились! Я бы преподнес ей бутылку самого дорогого шампанского, честное слово!

Холли слабо улыбнулась. Ее разобрало любопытство. Интересно, как мог Дэниел польститься на Лору? Холли с легким сердцем поставила бы все свои деньги против подобного союза. Ей казалось, что Лора совсем не в его вкусе, хотя… что она знает о его вкусах? Но Дэниел такой простой и добродушный, а Лора… Лора, прямо скажем, стерва. Холли бы и рада придумать другое слово, но его все равно не существует.

— Слушай, Дэниел… — Холли смущенно заправила за ухо прядь волос, набираясь смелости, чтобы спросить, чем он руководствуется при выборе женщин.

— Слушаю, Холли. — Он блаженно улыбнулся, готовый ответить на любой вопрос. Разрыв помолвки бывшей девушки с бывшим лучшим другом привел его в радужное настроение.

— Я вот тут подумала... Лора, судя по твоим рассказам, кажется немного... то есть не немного... в общем, если честно, порядочной стервой... — Холли осеклась, пытаясь понять, не слишком ли задела его чувства. Надо бы поосторожнее, слишком много боли причинила ему эта Лора. Дэниел с непроницаемым лицом смотрел не отрываясь на пламя свечи на столе. — И я все хотела спросить: что ты в ней нашел? Как вы, такие разные люди, вообще могли сойтись? С твоих же слов получается, что вы совершенно разные, — старательно подчеркнула она. Не хватало еще, чтобы Дэниел догадался, что она знает Лору не только понаслышке!

Дэниел молчал, и Холли уже забеспокоилась, что перешла границы дозволенного, когда он наконец оторвался от созерцания огонька и повернулся к ней. Губы его сложились в печальную усмешку.

— Видишь ли, на самом деле Лора совсем не стерва. Конечно, поступила она со мной по-свински, но когда мы были вместе, никакой особой стервозности я за ней не замечал. Да, она питает слабость к театральным эффектам. Но оно и неплохо — в наших отношениях никогда не ослабевал накал страсти. Меня это просто с ума сводило. — Он заметно оживился, вспоминая утраченную любовь, заговорил быстрее: — Мне нравилось просыпаться и гадать, в каком настроении она будет сегодня. Я любил наши душераздирающие ссоры и самозабвенные примирения в постели. — Его глаза горели, но уже не злорадством. — Да, она вечно выходила из себя по мелочам, устраивала скандалы, но, наверное, как раз эти ее заскоки меня так привлекали. Я говорил себе, что, если она разводит такую суету вокруг наших отношений, значит, они для нее важны, значит, ей не все равно. Накал страсти... — повторил он, словно убеждая самого себя. — Несмотря на разницу в темпераментах, мы хорошо ладили. Как говорится, противоположности притягиваются. — Улавливая тревогу в глазах своей новой подруги, он поспешил добавить: — Она не обижала меня, правда, Холли. В этом смысле Лора никакая не стерва. Она просто...

— Склонна к театральным эффектам, — закончила за него Холли. Внезапно ей все стало ясно. Что ж, такая штука — любовь... случается с кем попало, не разбирая характеров, привычек и вкусов.

— Тебе ее не хватает, — тихо шепнула она, тронув Дэниела за рукав.

Он словно очнулся ото сна и посмотрел ей прямо в глаза — настойчивым, долгим взглядом. У нее задрожали колени, мурашки побежали по всему телу... от духоты в зале, разумеется.

— Опять мимо, Холли Кеннеди. — Он уже принял свой обычный вид, беззаботный и независимый. — Стопроцентное *не*попадание.

Подхватив вилку с ножом, Дэниел с преувеличенным энтузиазмом принялся кромсать лосося. Холли, отпив холодной воды, переключила внимание на тарелку, которую так вовремя поставил перед ней официант.

После ужина, сопровождавшегося обильными возлияниями, Элен пробралась к Холли, которая уже улизнула на другой конец стола к подружкам. Повиснув у нее на шее, Элен со слезами на глазах рассыпалась в извинениях за то, что не навещала и не звонила.

— Все в порядке, Элен. Шэрон, Дениз и Джон очень меня поддерживали, так что от одиночества я не страдала.

— Но я-то повела себя безобразно, — всхлипывала Элен.

— Прекрати, — отрезала Холли в надежде вернуться наконец к веселой болтовне с девчонками.

Но Элен не унималась. Ей приспичило вспоминать старые добрые времена, когда Джерри был жив и все было замечательно. Она пересказывала эпизоды, когда ей доводилось общаться с Джерри, — вот уж что Холли меньше всего хотелось слушать. Терпение Холли лопнуло, когда выяснилось, что ее подружки уже веселятся вовсю на танцплощадке, пока она тут выслушивает утомительное нытье Элен.

— Замолчи, пожалуйста, — решительно прервала она очередной заунывный монолог. — Не понимаю, зачем тебе понадобилось обсуждать все это со мной именно сегодня, когда я изо всех сил стараюсь приятно провести вечер? Тебя мучает чувство вины? Если честно, я уверена, что, не столкнись мы сегодня на балу, ты бы преспокойно еще год мне не звонила. В *таких* друзьях я как-то не испытываю необходимости. Так что отцепись от меня, сделай милость.

Холли казалось, что она сформулировала свою мысль весьма деликатно, но Элен отшатнулась как от пощечины. Ничего-ничего, Холли за этот год пришлось пережить кое-что похуже. Тут откуда ни возьмись появился Дэниел и увлек ее за руку на танцплощадку, к друзьям. Но как только они вступили в свет прожекторов, закончилась очередная композиция и заиграла песня Эрика Клэптона *Wonderful Tonight*.

Площадка опустела, осталось всего несколько пар. Холли стояла лицом к лицу с Дэниелом. Вот уж чего она никак не ожидала. Под эту песню она танцевала в жизни только с одним мужчиной — с Джерри.

Дэниел непринужденно обнял ее за талию и закружил в танце. Холли двигалась машинально, скованная неловкостью. Всем своим существом она чувствовала, что танцевать с другим — неправильно. Но предательская и такая знакомая теплая волна поднялась внутри, заставив ее вздрогнуть. Дэниел подумал, видимо, что она мерзнет, и притянул ее поближе к себе. Как в замедленной киносъемке, они кружились по залу, пока не кончилась песня. Едва стих последний аккорд, Холли сбежала под предлогом, что ей срочно нужно в туалет. Там она заперлась в кабинке и в изнеможении прислонилась спиной к двери, тяжело дыша. До этого момента она держалась молодцом. Даже когда все вокруг спрашивали ее о Джерри, ей удавалось сохранять спокойствие. Но танец выбил ее из колеи. Пора ей, пожалуй, собираться домой. Она уже нажала было на дверную ручку, чтобы выйти, как вдруг услышала свое имя. Похоже, предметом жарких сплетен стала ее скромная особа.

— Видела, с каким мужиком танцевала Холли Кеннеди? — Возбужденный писк Дженнифер ни с чем не спутаешь.

— Еще бы не видела! — негодующе ответила собеседница. — Не успела мужа похоронить!

— Да бросьте вы, — благодушно вмешалась третья женщина. — Может, они просто друзья.

Вот спасибо, мысленно поблагодарила ее Холли.

— Хотя, — как ни в чем не бывало продолжила та, — что-то не верится.

Вся троица захихикала.

— Видели, как они друг к дружке прижимались?! — воскликнула Дженнифер. — Я лично со своими друзьями так не танцую.

— Стыд и срам! — подхватила вторая, — Подумать только, привести нового любовника, и куда! Туда, куда каждый год приходила с мужем! И тискаться у всех на глазах!

Послышались ахи и охи — дамы явно захлебнулись от наплыва эмоций. В соседней кабинке зашумела вода. Холли затаила дыхание. Самое противное, что они говорят все эти гадости в таком месте, где всякий их может подслушать.

Хлопнула дверь, и воцарилась тишина.

— Ах вы склочные сучки! Заткнете вы когданибудь свои мерзкие пасти?! — налетела на сплетниц разъяренная Шэрон. — Не ваше собачье дело, с кем танцует моя лучшая подруга! А ты, Дженнифер, лучше на себя посмотри! Если ты такая примерная жена, за каким чертом ныкаешься по всем углам с мужем Полин?

Кто-то потрясенно ахнул. Надо думать, Полин. Холли зажала себе рот рукой, чтобы не расхохотаться.

— Вот и не суйте нос в чужую жизнь, а то вам его откусят ненароком! А ну все вон отсюда! — продолжала разоряться Шэрон.

Убедившись, что кумушки покинули помещение, Холли отперла дверь и вышла. Склонившаяся над раковиной Шэрон мгновенно выпрямилась и уставилась на нее со смесью ужаса и сочувствия.

— Спасибо, дорогая.

— Холли, мне так жаль, что ты все это слышала. — Она ласково обняла подругу.

— Ничего страшного. Начхать мне, что они там себе думают. — Холли старалась говорить бодро. —

Слушай, а я и не подозревала, что Дженнифер крутит любовь с мужем Полин.

— Да ничего она не крутит. Зато им теперь несколько месяцев будет о чем трепать языками.

Подруги от души рассмеялись.

— И все-таки пойду-ка я домой. — Холли покосилась на часы, думая о последнем письме Джерри. Ей опять стало грустно.

— Вот и правильно, — одобрила Шэрон. — Кто бы мне раньше сказал, что на трезвую голову этот бал — такая дрянь! И тем не менее ты держалась сегодня просто отлично, поздравляю. Пришла, увидела, победила — а теперь дуй домой читать письмо. Позвонишь потом, расскажешь, что там.

— Это последнее, — вздохнула Холли.

— Вот именно. Так что насладись им как следует. И не забывай, что память живет вечно.

Холли подошла к столу, чтобы со всеми попрощаться, и Дэниел встал, явно вознамерившись ее провожать.

— Ты же не бросишь меня тут одного, — подмигнул он. — Возьмем такси на двоих.

Холли ощутила легкий укол раздражения, когда Дэниел выскочил следом за ней из машины и направился к ее дому. Времени было без пятнадцати двенадцать. Всего четверть часа до полуночи. Осталось надеяться, что он выпьет чашку чаю и быстро уйдет. Едва они вошли, она тут же позвонила в заказ такси и попросила прислать машину через полчаса, давая ему понять, что долгих посиделок не будет.

— Ага, знаменитые послания, — заметил Дэниел, взяв со стола конверт.

Холли с трудом подавила желание вырвать письмо у него из рук. Ей на мгновение почудилось, будто своим легкомысленным прикосновением он стирает следы пальцев Джерри.

— Декабрь, — прочитал Дэниел и бережно провел пальцами по бумаге.

Холли готова была закричать на него, требуя положить конверт на место, но нежелание выглядеть истеричкой все же победило. Наконец он и сам вернул письмо на стол. С тихим вздохом облегчения она захлопотала над чайником.

— Сколько еще осталось? — спросил он, снимая пальто, пристраивая его на вешалку и присаживаясь за кухонный стол, где Холли расставляла чашки.

— Это последнее. — Голос Холли звучал хрипло от сдерживаемых слез.

— И что ты собираешься делать дальше?

— Что ты имеешь в виду? — смутилась она.

— Насколько я могу судить, этот список для тебя — Библия. Что-то вроде десяти заповедей. Куда он велит, туда и поворачивает твоя жизнь. Но что будет, когда ты выполнишь последний пункт?

Что это он, нашел повод блеснуть остроумием? Но нет — ясные голубые глаза смотрели на нее ласково и серьезно.

— Буду просто жить. — Она отвернулась к плите, чтобы снять закипевший чайник.

— А ты сможешь? — Он встал и подошел к ней совсем близко, запах его одеколона щекотал ей ноздри. Дурманящий, мужской аромат.

— Надеюсь, смогу. — От его вопросов ей стало не по себе.

— Тебе ведь придется самостоятельно принимать решения, — мягко сказал он.

— Знаю, — ответила она почти с вызовом, избегая, однако, смотреть ему в глаза.

— А *это* ты сможешь, как по-твоему?

— Дэниел, что ты имеешь в виду? — Холли порядком устала от недомолвок.

Он упрямо сжал челюсти. Похоже, спокойствие давалось ему нелегко, как и ей.

— Я спрашиваю потому, что хочу тебе кое-что сказать. И тебе придется самой принять решение. — Он не сводил с нее глаз, и сердце ее бешено заколотилось. — Не будет ни списка, ни подсказок, тебе останется только слушаться своего сердца.

Холли незаметно сделала шаг назад. Охвативший ее страх мешал придумать, как бы его остановить. Только бы он промолчал, только бы не говорил этого!

— Э-э... Дэниел... Мне к-к-кажется... сейчас не время... то есть... не надо говорить о...

— Время самое подходящее, — твердо произнес он. — Ты прекрасно знаешь, что именно я хочу сказать, и я прекрасно знаю, что ты не могла не заметить мои чувства к тебе.

Холли застыла в полной растерянности. Случайно ее взгляд упал на часы.

Они показывали ровно полночь.

Глава сорок седьмая

Д жерри поцеловал Холли в кончик носа и улыбнулся, когда она поморщилась во сне. Он любил наблюдать за ней спящей, она выглядела такой красивой и хрупкой — настоящая принцесса.

Он легонько пощекотал ее, она медленно и неохотно открыла глаза.

— Доброе утро, соня.

— Доброе утро, милый. — Она покрепче прижалась к нему, пристраивая голову у него на груди. — Как самочувствие?

— Готов бежать Лондонский марафон.

— Вот это я понимаю, быстрое выздоровление, — нежно улыбнулась Холли, приподнимаясь, чтобы поцеловать его в губы. — Что будешь на завтрак?

— Тебя, — он игриво укусил ее за нос.

— Увы, увы, я сегодня в меню не значусь. Может, яичницу?

— Нет, пожалуй, — нахмурился он. — Тяжеловато для меня.

Холли изменилась в лице. Глядя на нее с умилением и болью, он продолжил нарочито бодро:

— Но я бы с удовольствием умял огромную, просто гигантскую порцию ванильного мороженого!

— Мороженое? На завтрак?!

— Именно, — с озорной ухмылкой подтвердил Джерри. — Все детство мечтал о таком завтраке, но матушка, естественно, никогда бы не позволила подобного. А теперь я вырос, и она мне не указ!

— Мороженое так мороженое! — Холли вскочила с постели и потянула к себе его халат. — Можно надену?

— Дорогая, ты можешь носить все, что твоей душе угодно. — Он поаплодировал, когда она прошлась перед ним по спальне как по подиуму в старом халате, который был велик ей на несколько размеров.

— М-м-м, тобой пахнет. — Она прижала ворот к лицу. — Всегда буду его носить! Ладно, я на минутку, сейчас вернусь.

Ее босые ступни быстро-быстро прошлепали по лестнице, и вот она уже шуршит чем-то на кухне. Джерри прислушался. Последнее время, стоило ей отойти от него, она носилась как угорелая, словно боялась надолго оставлять его в одиночестве. Джерри прекрасно понимал, что это означает. Ничего хорошего. Они так надеялись, что лучевая терапия победит опухоль, но ему становилось все хуже. Он уже не поднимался с постели, не в состоянии даже пройтись по дому. Какая бессмысленная трата времени. Одно дело, если бы он ждал выздоровления, а так... От этой мысли у Джерри в который раз сжалось сердце. Он боялся. Боялся своей болезни, боялся медленной смерти, боялся за Холли. Она одна умела успокоить его, отвлечь от мучительных размышлений. Она

482

была такой сильной, надежной, как скала, и Джерри представить себе не мог жизни без нее. Впрочем, как раз это ему и не грозило. Наоборот, это ей придется жить без него. Злость, печаль, ревность и страх за нее день и ночь терзали его душу. Все на свете он бы отдал, чтобы остаться с ней, выполнить данные ей в день свадьбы обеты, да и все остальные обещания, данные когда бы то ни было. Ради этого он боролся как мог, несмотря на превосходство противника и предопределенность исхода. После двух операций опухоль вернулась и стала расти с угрожающей скоростью. Джерри преследовало навязчивое желание запустить руку себе в голову и вырвать к чертям собачьим эту дрянь, которая намерена ни за что ни про что разрушить до основания их жизнь. С ужасом он думал о том, что через месяц-другой Холли останется одна.

За эти трудные месяцы они сблизились еще больше. Джерри знал, что зря, что Холли так будет только хуже потом, но не находил в себе сил изображать отчуждение. Он жил теми часами, когда они до зари болтали о пустяках, хихикая, словно беспечные подростки. Правда, так бывало только в хорошие дни. А случались и плохие.

Но об этом он запрещал себе думать. Недаром же врач постоянно твердил, что ему следует «погрузиться в среду, благотворную во всех отношениях — социальном, эмоциональном, физическом и духовном».

Между тем осуществление его замысла продвигалось успешно. Это занятие развлекало его и позволяло ощущать себя не совсем уж бесполезным бревном. Его ум напряженно работал, изобретая способ остаться с Холли подольше, вопреки неминуемой смерти. Заодно он сможет сдержать данное ей несколько лет назад обещание. Жаль, что только одно и именно это.

Холли громко протопала вверх по ступенькам — похоже, его план работал.

— Зайчик, нет больше мороженого, — огорченно сообщила она. — Может, тебе что-нибудь другое принести?

— Не-а, — покачал он головой. — Мороженого хочется ужасно. Пожалуйста!

— Ой, но это ж мне придется в магазин ехать, — расстроилась она еще больше.

— Не волнуйся, киска, за пять минут ничего со мной не случится.

Она окинула его недоверчивым взглядом:
— Я бы все-таки лучше осталась.

— Глупости, — улыбнулся он и переложил мобильник с тумбочки к себе на кровать. — Если что, я позвоню. Но никакого «если что» не будет.

— Ладно, — сдалась Холли. — Я мигом, за пять минут управлюсь. Ты уверен, что будешь в порядке?

— На сто процентов, — улыбнулся он.

Сбросив халат, она натянула спортивный костюм. На лице ее читалась тревога.

— Холли, ничего со мной не случится, — твердо повторил муж.

— Хорошо. — Она наградила его долгим поцелуем и выскочила из комнаты.

Джерри слышал, как она промчалась по лестнице, хлопнула входной дверью, завела машину и рванула с места как на пожар. Убедившись, что время у него есть, он с трудом сел на край кровати, подождал, пока пройдет головокружение. Затем встал, потихоньку, держась за мебель, добрался до шкафа и вытащил с верхней полки коробку из-под обуви, где у него хранились всякие безделушки, скопившиеся за несколько лет. К ним уже прибавилось девять запечатанных конвертов. Джерри взял десятый, пустой, и аккуратно вывел на нем «Декабрь». Сегодня было первое декабря. Воображение перенесло его на год вперед к событиям, за которыми он уже точно не сможет наблюдать. Он представлял себе Холли — чемпионку караоке, посвежевшую и загорелую после отдыха в Испании, благодаря новому ночнику без синяков на ногах и, хотелось бы верить, довольную своей новой увлекательной работой.

Год спустя она будет сидеть — возможно, вот на этой самой кровати — и читать последний пункт Списка. Джерри крепко задумался над его содержанием... Когда он поставил точку, глаза его наполнились слезами. Он поцеловал открытку, запечатал конверт и спрятал в обувную коробку. Посылку он отправит в Портмарнок родителям Холли. Там, в надежных руках, письма будут спокойно ждать, пока она придет в себя, чтобы получить их. Джерри смахнул слезы и поковылял обратно к кровати, где уже надрывался телефон.

— Слушаю, — ответил он, стараясь дышать ровно. Услышав в трубке любимый голос, он невольно расплылся в улыбке. — Я тоже люблю тебя, Холли...

Глава сорок восьмая

Н ет, Дэниел, так нельзя, — упавшим голосом повторила Холли, отнимая руку.

— Но почему? — не отступался он.

— Слишком рано.

Она сжала ладонями виски, борясь с навалившейся усталостью. Все запуталось до такой степени, что она скоро вообще перестанет что-либо понимать.

— Рано потому, что люди так говорят, или потому, что так говорит твое сердце?

— Ох, Дэниел, не знаю! — Она принялась нервно расхаживать взад-вперед по кухне. — У меня уже крыша едет от всего этого. *Пожалуйста*, не надо задавать столько вопросов!

Сердце ее бешено колотилось, голова кружилась, словно весь ее организм восставал против подобного. Охваченный паникой, он настойчиво предупреждал об опасности. Все это было так нелепо, так неправильно!

— Я не могу, Дэниел. Я замужем! Я люблю Джерри!

— Джерри? — Резким движением он схватил со стола конверт. — Вот это — Джерри! Вот мой соперник. Клочок бумаги. Список. Список, по которому ты строила свою жизнь последний год, избавившись от необходимости думать самостоятельно. Но теперь тебе придется подумать. Джерри больше нет. — Его голос смягчился. — Джерри нет, а я здесь. Разумеется, я не претендую на его место, ни в коем случае. Я только прошу дать мне шанс.

Холли выхватила конверт из его рук и прижала к сердцу. По ее щекам катились слезы.

— Джерри есть, — всхлипнула она. — Он здесь, каждый раз, когда я открываю письмо, он со мной.

Дэниел молча смотрел, как она плачет. Холли выглядела такой потерянной и беспомощной, что ему хотелось отбросить ненужные рассуждения, просто подойти и обнять ее, утешить.

— Это клочок бумаги, — мягко повторил он, приближаясь.

— Джерри не клочок бумаги, — сердито возразила она сквозь слезы. — Он жил, дышал, я любила его. Джерри пятнадцать лет составлял смысл моего существования. Он — тысячи, нет, миллионы счастливых воспоминаний. Он *не* клочок бумаги, — упрямо закончила она.

— А кто для тебя я? — тихо спросил Дэниел.

— Ты добрый, заботливый и невероятно чуткий друг, которого я глубоко уважаю и очень ценю...

— Но я не Джерри.

— А я и не хочу, чтобы ты превращался в Джерри. Оставайся самим собой.

— Что ты ко мне чувствуешь? — Его голос слегка дрогнул.

— Я тебе только что сказала.

— Ты говорила об *отношении*, а я спрашиваю о *чувствах*.

Холли смотрела в пол, не поднимая головы.

— Ты мне небезразличен, Дэниел, но мне нужно время... очень и очень много времени.

— Я подожду, — с грустной улыбкой проговорил он и обнял ее, сильный и надежный друг.

В дверь позвонили, и Холли невольно вздохнула с облегчением.

— Такси за тобой.

— Позвоню тебе завтра. — Он ласково чмокнул ее в макушку и направился к двери.

Дэниел ушел, а Холли все стояла посреди кухни, прижимая к груди конверт и снова и снова прокручивая в голове происшедшее. Наконец, так и не придя в себя, она поднялась в спальню, сбросила платье и закуталась в слишком просторный для нее теплый халат Джерри. Его запах уже совсем выветрился. Как маленький ребенок, она соорудила себе гнездо из одеял, затем включила ночник и долго-долго смотрела на запечатанный конверт, обдумывая слова Дэниела.

Да, Список действительно стал для нее своего рода Библией. Она соблюдала его правила, жила по ним и ни единого не нарушила. Чего бы то ни стоило, она повиновалась каждому слову Джерри. Но ведь это помогло! Благодаря Списку она заставила себя выбираться из постели по утрам, начала новую жизнь, несмотря на то, что в глубине души ей хотелось только одного — съежиться в комочек и умереть. Джерри сумел по-настоящему поддержать ее, и ни в одном поступке, совершенном по его воле, она не раскаивалась. Ни о своей новой работе, ни о новых друзьях, ни о новых для нее мыслях и чувствах Холли не жалела. Но вот перед ней последний пункт Списка. Десятая заповедь, если пользоваться выражением Дэниела. И других не последует. Дэниел был прав — теперь ей придется все решать самой, выбирать собственный путь, не отступаясь, не оглядываясь, не задаваясь вопросом, согласился ли бы с ней Джерри. То есть прикидывать, что бы он сказал, всегда можно, но руководствоваться следует не этим.

Когда он был жив, она смотрела на мир его глазами. И теперь, когда его нет, продолжает делать то же самое. Наконец-то она отдает себе в этом отчет. Да, так удобнее, так создается иллюзия безопасности, но отныне она сама себе хозяйка и силы должна черпать из собственных ресурсов.

Холли отключила оба телефона, домашний и мобильный, чтобы никто не помешал ей насладиться этим особенным, заключительным моментом. Ей нужно попрощаться с Джерри. Она осталась одна и отныне думать будет своей головой.

Медленно, с предельной осторожностью, стараясь не рвать бумагу, она открыла конверт и вытащила открытку.

«Не бойся снова влюбиться. Открой свое сердце, прислушайся к нему и следуй его зову. И помни: целься в Луну…

P.S. Я буду любить тебя вечно».

— О Джерри! — Она бросилась на подушки и разрыдалась.

В эту ночь Холли почти не сомкнула глаз. Стоило ей задремать, как образы Джерри и Дэниела перемешивались в ее сознании, их тела и лица накладывались друг на друга, стирались границы — не понять, где один, где второй. В шесть утра она проснулась совершенно измученная и решила выйти проветриться, чтобы привести мысли в порядок. С тяжелым сердцем она брела по дорожкам парка. Оделась она тепло, но пронизывающий ледяной ветер нещадно хлестал ее по лицу, так что кожа вскоре онемела. А ощущение раскаленной лавы в мозгу, вызванное слезами, головной болью и лихорадочными размышлениями, все не проходило.

Голые деревья напоминали скелеты, выстроившиеся вдоль аллеи. Сухие листья метались под ногами, словно маленькие злобные существа, норовящие подставить подножку. В парке было пусто — горожане снова впали в спячку, трусливо прячась от наступающей зимы. Холли никакой особой храбрости в себе не чувствовала, и прогулка не доставляла ей ни малейшего удовольствия. Порывы холодного ветра казались ей хлесткими ударами — наказанием.

И как ее угораздило вляпаться в такую ситуацию? Только-только она склеила по кусочкам свою разбитую жизнь, как все опять выскользнуло у нее из рук и разлетелось во все стороны. Она-то думала, что нашла друга, надежное плечо, на котором можно всласть выплакаться. А вместо этого оказалась втянута в какой-то дурацкий любовный треугольник. Да, дурацкий! Потому что третий человек тут совершенно неуместен, и ничего ему не светит. Конечно, Дэниел ей по-своему дорог, но ведь и Шэрон, и Дениз — тоже, а уж в них она точно не влюблена. Ее чувства к Дэниелу ничуть не походили на ту любовь, что она испытывала к Джерри. Так что в Дэниела она, наверное, все-таки не влюблена. В противном случае, она бы сама это понимала, а не просила «времени, чтобы подумать». Но тогда — почему она думает? Ведь если не любишь, можно прямо так и сказать, не увиливая... а она, видите ли, «думает». Это же элементарный вопрос, на него отвечают либо да, либо нет, разве не так? Какая странная штука — жизнь.

А Джерри — зачем он поощряет ее искать новую любовь? Он-то каким местом думал, когда писал свое послание? Или он отрекся от нее еще перед смертью? Так вот запросто взял и сдался, смирился с мыслью, что она когда-нибудь будет с другим? Вопросы, вопросы, вопросы. И ответов не сыщешь днем с огнем.

Промучившись пару часов бесцельными размышлениями на колючем холоде, Холли повернула к дому. По дороге ее вырвал из задумчивости звонкий смех. Соседи украшали елку в саду гирляндами из крошечных фонариков.

— Привет, Холли! — помахала ей соседка, выглядывая из-за дерева.

— Я украшаю Джессику, — провозгласил ее муж, обматывая ее ноги проводами. — По-моему, из нее выйдет отличный садовый гном.

Холли грустно улыбнулась обоим:

— Рождество на пороге.

— Да уж. — Джессика, отсмеявшись, перевела дух. — Год так быстро пролетел, правда?

— Слишком быстро, — тихо откликнулась Холли, перешла дорогу и отправилась к себе. Пронзительный визг заставил ее подскочить на месте и обернуться. Джессика, запутавшись в гирлянде, потеряла равновесие и упала вместе с фонариками. Взрывы хохота эхом отдавались по всей улице и провожали Холли до самого дома.

— Значит, так, Джерри, — объявила она, заперев за собой входную дверь. — Я прогулялась, все как следует обдумала и пришла к выводу, что ты писал свое письмо в помрачении рассудка. Если ты серьезно, тогда дай мне какой-нибудь знак, иначе я окончательно уверюсь, что все это — чистой воды недоразумение и ты уже опомнился и передумал.

Холли внимательно оглядела гостиную в ожидании знака. Ничего не происходило.

— Вот и прекрасно, — обрадовалась она. — Ты ошибся, ничего, я понимаю. Просто не стану обращать внимания на последнее письмо. — Она снова осмотрелась и подошла к окну. — Так и быть, Джерри, еще раз спрашиваю…

Елка в саду напротив вспыхнула разноцветными огнями, и Тони с Джессикой пустились в пляс вокруг нее. Внезапно фонарики мигнули и погасли. Соседи остановились в растерянности.

— Будем считать, что ты ответил «сам не знаю», — пожала плечами Холли.

Расположившись за кухонным столом, она набросилась на горячий чай, чтобы хоть как-то отогреть свой несчастный, до костей продрогший организм. Друг признается тебе в любви, покойный муж велит поскорее влюбиться снова. Ты делаешь — что? Правильно, наливаешь себе чашку чаю.

До рождественских каникул осталось всего три недели, а значит, Дэниела ей придется избегать пятнадцать рабочих дней. Ничего, могло быть хуже. Вероятно, к свадьбе Дениз, которая состоится под Новый год, она уже успеет принять решение. Но сначала надо пережить Рождество без Джерри. Страшно подумать.

Глава сорок девятая

—Ну и куда ее ставить? — задыхаясь, спросил Ричард, затаскивая елку в гостиную. След из еловых иголок тянулся за ним от самой машины. Придется заново пылесосить. Холли укоризненно погрозила дереву пальцем. Пахнет оно, конечно, чудесно, но и бардак от него порядочный.

— Холли! — воззвал к ней Ричард.

— Ты похож на говорящее дерево! — хихикнула она. Действительно, из-под елки виднелись только его коричневые ботинки.

— Холли! — прорычал он, слегка пошатнувшись.

— Ой, извини. — Она наконец заметила, что он того и гляди рухнет на пол. — Прямо к окну ставь.

С каминной полки полетели во все стороны фотографии в рамках, свечи и безделушки — это Ричард пробирался с деревом к окну. Ужас!

— Вот и все. — Он отряхнул руки и отступил назад, любуясь своей работой.

— А тебе не кажется, что она какая-то голая? — нахмурилась Холли.

— Разумеется, она же еще не украшена.

— Вообще-то я имела в виду, что веток на ней от силы штук пять, и те с залысинами.

— Я же тебе говорил, что надо купить елку пораньше, а не тянуть до кануна Рождества. Это лучшая из тех, что остались, — все приличные я еще пару недель назад распродал.

— Ясное дело, — обреченно вздохнула Холли.

Она в этом году вообще не хотела никакой елки. Настроение у нее было совсем не праздничное. Будь у нее дети, которые радовались бы рождественским приготовлениям, подаркам, тогда — конечно, а тут... Но Ричард настаивал, и чувство долга велело ей помочь его новому предприятию по продаже елок к Рождеству. Кстати сказать, его карьера «ландшафтного дизайнера» продвигалась весьма успешно. Но дерево выглядело ужасно, и никакой мишурой этого не скроешь. Надо было послушаться Ричарда и купить елку пораньше. Тогда бы у нее стояло настоящее дерево, а не лысая палка с редкими иголочками.

Ей прямо не верилось, что уже канун Рождества. Последние недели она допоздна засиживалась на работе, как и весь коллектив, чтобы до каникул закончить подготовку январского номера. В итоге они управились даже на день раньше. Но, когда Алиса предложила пойти отметить наступающие праздники «У Хогана», Холли вежливо отказалась. Она так с тех пор и не поговорила с Дэниелом: не отвечала на его звонки, избегала «Хогана» как чумы и просила Алису говорить, что она на совещании, если он позвонит в офис. Он звонил, почти каждый день.

Холли не хотела вести себя так некрасиво, но ей требовалось побольше времени на раздумья. Дэниел, конечно, не предложение ей сделал, но ощущение было почти такое.

Голос Ричарда вернул ее к действительности.

— Что, прости?

— Хочешь, говорю, помогу тебе ее украсить?

Тоска обрушилась на нее с новой силой. Они с Джерри всегда наряжали елку вдвоем, никого не пускали помогать. Каждый год они следовали заведенному ритуалу: ставили диск с рождественскими песнями, открывали бутылку вина, доставали украшения...

— Не надо, Ричард, спасибо, я сама. У тебя же, наверное, своих дел невпроворот.

— Да что ты, мне это только в радость будет, — искренне заверил он. — Обычно мы с Мередит и детьми вместе наряжали, а в этом году я остался за бортом...

Вот так-то. А Холли и в голову не приходило, что Ричарду в это Рождество тоже придется несладко. Увлеченная собственными страданиями, она и думать забыла об окружающих. Нехорошо. И она изобразила благодарную улыбку:

— Ну тогда давай!

Ричард просиял, словно ребенок, получивший желанную конфету.

— Только вот, — спохватилась она, — я не помню точно, где все эти шарики валяются. Джерри их где-то на чердаке хранил...

— Нет проблем, — ничуть не смутился Ричард. — У нас дома это тоже входило в мои обязанности. Сейчас найду. — И он решительно отправился на чердак.

Холли открыла бутылку красного вина и включила музыку. Тихо заиграло «Белое Рождество» Бинга Кросби. Ричард вернулся с большим мешком через плечо и в запыленном колпаке Санта-Клауса на макушке.

— Эге-ге-гей!

Холли похлопала в ладоши и протянула ему бокал вина.

— Ты что, — отпрянул он. — Я же за рулем!

— Ну, один-то стаканчик можно!

— Даже не думай! Я никогда не сажусь за руль, выпив.

Холли подняла глаза к потолку, взывая про себя к небесам: как вы там терпите подобное занудство? И залпом осушила его бокал, прежде чем приняться за свой. К уходу Ричарда она уже прикончила всю бутылку и открыла вторую. И тут вдруг заметила красный огонек, мигающий на автоответчике. Сегодня с утра она отключила телефон, чтобы побыть в тишине и покое. Хоть бы сообщение было не от того, от кого она думает... Она нажала кнопку.

— Привет, Шэрон, это Дэниел. Извини за беспокойство, просто у меня остался твой номер — помнишь, ты звонила, чтобы записать Холли на караоке? Так вот... я хотел попросить тебя передать кое-что от моего имени, если не трудно... Я и Дениз просил, но она так занята приготовлениями к свадьбе, что наверняка забудет... — Он помедлил. — В общем, не могла бы ты сказать Холли, что я на Рождество уезжаю в Голуэй к родителям? Завтра же и поеду. Я не дозвонился ей на мобильный, журнал их закрылся уже на каникулы, а ее домашнего телефона у меня нет…

Связь прервалась, и Холли включила следующее сообщение.

— Извини, Шэрон, это опять я… Дэниел то есть. Что-то разъединилось. Так на чем я остановился? Ах да, передай, пожалуйста, Холли, что я несколько дней пробуду в Голуэе, но мобильник у меня с собой, на случай, если она захочет позвонить… Ладно, пойду я, пока снова не разъединилось. Увидимся через неделю на свадьбе. Спасибо заранее… Пока.

Третье сообщение было от Дениз, которая сообщала, что ее разыскивает Дэниел, четвертое — от Деклана, который передавал то же самое, пятое — от бывшей одноклассницы, с которой Холли сто лет не виделась. Она, оказывается, вчера вечером общалась в баре с парнем по имени Дэниел, и представь себе, Холли, он тебя ищет, просит перезвонить ему. Шестое было снова от Дэниела.

— Привет, Холли, это Дэниел. Твой брат Деклан дал мне этот номер. Подумать только, мы так давно дружим, а у меня нет твоего домашнего телефона. Хотя терзает меня смутное подозрение, что он у меня все это время был, а я и не знал… — Нервный смешок, глубокий вдох. — Слушай, Холли, надо нам с тобой поговорить, правда. И, по-моему, лучше бы сделать это не по телефону и до того, как мы встретимся на свадьбе. Пожалуйста, Холли, возьми трубку. Пожалуйста! Не знаю я, как еще до тебя достучаться. —

Выжидательная тишина. — Ладно, понял. Тогда все. До скорого.

Холли машинально прослушала сообщение еще раз.

Она сидела в гостиной, разглядывая убогое деревце под звуки рождественских гимнов, и плакала. Оплакивала Джерри и свою лысую елку.

Глава пятидесятая

—С Рождеством, детка! — с порога приветствовал Фрэнк продрогшую на морозе Холли.

— С Рождеством, папочка, — улыбнулась она, бросаясь в его медвежьи объятия. Дом встретил ее дивными ароматами хвои и готовящихся на кухне яств. Она вдруг ощутила свое одиночество физически, как удар под дых. Рождество напоминало о Джерри. Джерри был воплощением Рождества. Это время они всегда проводили вдвоем, отключившись от рабочего стресса, ссор и недоразумений. Отдыхали, навещали друзей и родных или наслаждались уединением. Как же она по нему скучала — до боли, до дурноты.

Утром она ходила на кладбище, чтобы пожелать ему счастливого Рождества. Первый раз после похорон Холли посетила его могилу, ей все казалось, что это будет так страшно, так тяжело — просто невыносимо. Между тем утро не задалось с самого начала. Ни подарка под елкой, ни завтрака в постель, ни веселой возни — ничего. Джерри хотел, чтобы его кремировали, так что ей предстояло навещать на кладбище безликую каменную стену с табличкой. И у Холли действительно возникло чувство, будто она говорит со стеной. Тем не менее она добросовестно отчиталась перед ним, как прошел год и какие у нее планы на сегодня. Сообщила, что у Шэрон и Джона будет ребенок, мальчик, и они собираются назвать его Джерри. Что она будет крестной малыша, а также свидетельницей на свадьбе у Дениз. Описала Тома, ведь Джерри не был с ним знаком. Много говорила о своей новой работе — и ни словом не упомянула Дэниела. Как странно, думала она, вот так стоять и вести беседы без собеседника. Ей хотелось бы всем своим существом чувствовать незримое присутствие Джерри, знать, что он внимательно ее слушает, но ничего подобного не происходило. Ее слова разбивались об унылую серую стену.

В этот рождественский день она была не одна такая. На кладбище толпились посетители: семейные пары привели пожилых отцов и матерей, чтобы почтить память покойных супругов, молодые женщины бродили в одиночестве, точь-в-точь как Холли, молодые мужчины тоже... Она видела, как молодая мать, примерно ее ровесница, разрыдалась над могильной плитой под удивленными взглядами двух растерянных детишек. Младшему на вид было не больше трех лет. Женщина быстро вытерла глаза, чтобы не травмировать своих малюток. Холли поблагодарила небо за то, что ей позволено беспокоиться только о себе. Как только у человека хватает сил ежедневно скрывать свою боль, заботясь о двух крошечных, беспомощных существах? Это воспоминание потом еще долго не оставляло ее.

В общем, день проходил не лучшим образом.

— Счастливого Рождества, дорогая! — Элизабет выбежала из кухни навстречу дочери с распростертыми объятиями. Холли расплакалась, чувствуя
себя, как тот малыш на кладбище. Ей тоже нужна
ее мамочка. Лицо Элизабет раскраснелось от жары
на кухне, исходящее от нее радушное тепло согрело
сердце Холли.

— Прости, — она смахнула слезы, — я не хотела.

— Ну будет, будет, — ласково прошептала мама,
еще крепче прижимая ее к груди. К чему слова? Вполне
достаточно, что они рядом, вместе.

На прошлой неделе Холли в панике примчалась
к матери посоветоваться насчет Дэниела. Элизабет,
обычно не склонная к возне с выпечкой, как раз занималась сооружением рождественского пирога. Пятна
муки украшали ее волосы, лицо и завернутые по ло-
коть рукава свитера. Кухонный стол был усыпан изю-
мом, орехами и вишнями. Все доступные поверхности
занимали пакеты с мукой, дрожжи, противни, фольга
и тому подобное. Окно и стены украшали переливаю-
щиеся гирлянды, в воздухе витали соблазнительные
праздничные ароматы.

Едва взглянув на дочь, Элизабет заметила, что
что-то не так. Они уселись за стол, сдвинув в сторону
россыпь красных и зеленых салфеток с изображени-
ями Санта-Клауса, оленей и елочек. Полкухни загро-
мождали бесчисленные коробки со всякими вкусно-
стями, упаковки с бутылками пива, вина и так далее.
Родители не поскупились, делая запасы к Рождеству.

— Что тебя тревожит, родная? — участливо спросила мать, придвигая к Холли тарелочку с шоколад-
ными бисквитами.

Увы, у Холли снова пропал аппетит. Она собралась
с духом и подробно рассказала матери, что произошло

у нее с Дэниелом и какого рода решение ей предстоит принять. Элизабет терпеливо выслушала до конца и только потом задала вопрос:

— И что же ты к нему чувствуешь?

— Он мне нравится, мам, правда нравится, но... — Она беспомощно пожала плечами.

— Но ты пока не готова к серьезным отношениям?

— Не знаю, мамочка. У меня ощущение, будто я вообще перестала что-либо понимать. — Она задумалась, подбирая слова. — Дэниел — превосходный друг. Всегда готов поддержать, всегда найдет, чем рассмешить, за что похвалить... — Теребя в пальцах бисквит, она незаметно для себя начала отламывать крошечные кусочки и отправлять их в рот. — Но я не представляю себе, что вообще когда-нибудь буду готова к отношениям с мужчиной. А может, и буду, кто его знает... или, может, то, что есть сейчас, — это максимум, на что я способна. Он не Джерри, мама. Но я и не жду, что он им станет. К Дэниелу я испытываю совершенно другие чувства, но тоже добрые. И хотя мне не верится, что я смогу еще раз полюбить по-настоящему, как-то легче жить с мыслью, что в один прекрасный день у меня это получится.

— Что ж, не попробуешь — не узнаешь, — ободряюще улыбнулась Элизабет. — Главное, не торопить события. Ты у меня умница и сама все понимаешь, но мне-то хочется только одного — чтобы моя девочка была счастлива. С Дэниелом ли, с инопланетянином с летающей тарелки или одна — но счастлива.

— Спасибо, мамочка. — Холли прижалась к матери, доверчиво положив голову ей на плечо. — Я просто пока не знаю, что из перечисленного мне больше подойдет.

Разговор с матерью утешил и успокоил ее, но ни на шаг не приблизил к принятию решения. Сначала предстояло пережить Рождество без Джерри.

Вся семья Кеннеди, за исключением Киары, которая, по-видимому, надолго застряла теперь в Австралии, собралась в гостиной, обмениваясь теплыми приветствиями. Окружив елку, они принялись распаковывать и передавать друг другу подарки. Холли не сдерживала слез. Не было у нее сил скрывать свое состояние, не было сил прикидываться. Но плакала она в равной степени от печали и от счастья. Странное чувство: ты совсем одна и вместе с тем тебя любят.

Холли ускользнула из комнаты, чтобы пару минут побыть в одиночестве, привести в порядок мысли, которые превратились в огромный запутанный клубок и совершенно не умещались в голове. Прокравшись в свою детскую спальню, она подошла к окну, напряженно вглядываясь в темноту. Бурное море угрожающе шумело, в ярости билось о скалы, и Холли пробрала дрожь перед лицом его неодолимой мощи.

— Вот где ты спряталась.

Холли обернулась. В дверном проеме, облокотившись на косяк, стоял Джек. Едва улыбнувшись, она снова отвернулась к окну, делая вид, что ей нет никакого дела до брата, который уже много месяцев не оказывал ей никакой поддержки. Она слушала рев прибоя и смотрела, как черная вода поглощает крупные капли дождя. Джек тяжело вздохнул, подошел, обнял ее за плечи и тихо сказал:

— Прости меня.

Холли не удостоила его даже взглядом. Он медленно кивнул.

— Ты имеешь полное право так со мной обращаться, Холли, я это заслужил. Вел себя как последний идиот. Прости меня, пожалуйста.

— Ты бросил меня в беде, Джек.

Он прикрыл глаза, лицо его передернулось, словно от боли.

— Знаю и очень раскаиваюсь. — Его голос звучал еле слышно. — Я не справился с ситуацией. Мне никак не удавалось смириться с тем, что Джерри... сама понимаешь...

— Умер, — закончила она за него.

— Да.

— Представь себе, Джек, мне это тоже далось нелегко. — Повисла неловкая тишина. — Но ведь ты помогал мне паковать его вещи. Разбирал все вместе со мной, так меня поддерживал... А потом вдруг раз — и исчез. Почему?

— Господи, да меня это просто раздавило. — Он печально покачал головой. — Ты была такой сильной... То есть ты и сейчас сильная, а я... Я сломался, вынося его вещи из дома, где его больше нет. Даже находиться там у вас без него... меня словно катком переехало. А потом я заметил, что вы с Ричардом сблизились, и подумал, что, раз у тебя есть он, я могу и отойти в сторонку ненадолго...

Джек густо покраснел. Высказанная вслух, истинная подоплека его переживаний звучала просто смешно.

— Ну и дурак же ты у меня, ну и дурак! — Холли шутливо ткнула его кулаком в живот. — Как тебе в голову пришло, что Ричард может занять твое место?

— Сам не знаю, — усмехнулся он. — Впрочем, вы двое теперь прямо не разлей вода.

Холли снова заговорила серьезно.

— Ричард очень старался помочь. Если честно, люди не перестают меня удивлять весь этот год. — В последних словах сквозил ядовитый намек. — Дай ему шанс, Джек.

— Мне очень жаль, Холли.

Она кинулась ему на шею и уютно устроилась в таких сильных, таких надежных руках брата.

— Мне тоже. Мне тоже очень жаль, что все получилось именно так. Но ты мне все равно нужен.

— Ага. — Он покрепче прижал ее к себе. — И теперь я всегда буду рядом, обещаю. С эгоизмом покончено, впредь я намерен заботиться о своей маленькой сестренке.

— Благодарю покорно, маленькая сестренка и сама справляется, — со вздохом откликнулась Холли, глядя, как разъяренные волны бьются о камни, вздымая фонтаны брызг до самой луны.

Все уселись ужинать, и у Холли слюнки потекли от изобилия вкуснейших блюд на столе.

— Я сегодня получил мейл от Киары, — объявил Деклан.

Все встрепенулись и принялись наперебой требовать подробностей.

— Она и фотку прислала. — И Деклан пустил по кругу распечатанный снимок.

Холли с улыбкой разглядывала сестру, лежащую на залитом солнцем пляже в обнимку с Мэтью. Киара снова покрасилась в блондинку и сильно загорела. Они с Мэтью выглядели такими счастливыми. Холли переполняло чувство гордости, оттого что ее сестра нашла свое место в мире. Киара объездила весь мир в поисках чего-то невыразимого, неуловимого и вот наконец, кажется, успокоилась. Осталось только надеяться, что и с Холли когда-нибудь случится что-то подобное. Она передала фотографию Джеку, который тоже улыбнулся, изучая довольное лицо Киары.

— Говорят, сегодня снег пойдет, — подала голос Холли, накладывая себе добавки. Ей уже пришлось расстегнуть верхнюю пуговицу брюк, но, в конце концов, Рождество — время подарков и вкусной еды — бывает всего раз в году.

— Снега не будет, — уверенно ответил Ричард, обгладывая косточку. — Слишком холодно.

— Ричард, как это может быть слишком холодно для снега?

Он аккуратно вытер пальцы салфеткой, повязанной вокруг шеи. Холли весь вечер пыталась не рассмеяться, глядя на его черный шерстяной свитер с вышитой спереди нарядной елкой.

— Для снегопада нужна погода помягче.

— Ричард, в Антарктике минус черт знает сколько, это вряд ли назовешь мягкой погодой! А снега там полно, — упрямо возразила Холли.

— Так уж оно устроено, — невозмутимо согласился он.

— Ну, как скажешь.

— А между прочим, он прав, — встрял в разговор Джек. Все даже жевать перестали от удивления. Очень уж нетипичное для Джека высказывание. Он, ничуть не смутившись, пустился в объяснения, как да отчего идет снег, а Ричард помогал ему с научной терминологией. Они украдкой обменивались довольными улыбками — два мистера Всезнайки за семейным столом. Эбби адресовала Холли вопросительный взгляд, но та только недоуменно покачала головой в ответ.

— Пап, хочешь овощей к своему соусу? — светским тоном осведомился Деклан, протягивая отцу блюдо с брокколи.

Все как один посмотрели на тарелку Фрэнка и засмеялись. Как всегда, море соуса.

— Умереть со смеху, — спокойно ответил Фрэнк, но брокколи себе все же положил. — Все-таки мы для этого живем слишком близко к морю.

— Для чего? Для того чтобы питаться одним соусом? — поддела Холли.

— Для снегопада, дурочка. — Отец потянулся через стол и дернул ее за нос, совсем как в детстве.

— Ставлю миллион фунтов, что снег сегодня будет! — Деклан почему-то оживился.

— Начинай копить! Раз твои мозговитые братцы говорят, что снега не будет, значит, снегу не бывать! — подзадорила его Холли.

— Расплачивайтесь, мозговитые братцы! — Деклан жадно потер руки, кивая на окно.

— Боже мой! — воскликнула Холли, вскакивая со стула. — Снег идет!

— Вот и накрылась медным тазом наша теория, — весело сказал Джек Ричарду, и они хором расхохотались, глядя на белые хлопья, парящие в воздухе за окном.

Все бросились вон из-за стола, накинули верхнюю одежду и побежали на улицу, словно перевозбужденные дети. В соседних дворах творилось то же самое: семьи высыпали из домов и стояли в восторге, задрав головы к усыпанному звездами небу.

Элизабет крепко обняла дочь.

— Похоже, будет у Дениз снежный Новый год под стать ее свадебному платью.

Вспомнив о свадьбе Дениз, Холли занервничала. Всего через несколько дней ей придется объясниться с Дэниелом.

Словно прочитав ее мысли, мать шепотом, чтобы никто не услышал, спросила:

— Ты уже решила, что ответишь Дэниелу?

Затаив дыхание, Холли любовалась пушистыми снежинками, кружащимися в лунном сиянии. В этот волшебный миг она и приняла окончательное решение.

— Да.

— Вот и хорошо, — Элизабет поцеловала ее в щеку. — И помни, Господь милосерден, он тебя не оставит.

— Очень на Него рассчитываю, — улыбнулась Холли. — В скором времени мне позарез понадобится Его помощь.

— Шэрон, не трогай, он тяжелый! — закричал жене Джон.

— Я, черт подери, не инвалид, я всего лишь беременна! — огрызнулась Шэрон, раздраженно швыряя чемодан на землю.

— Да, но врач запретил тебе поднимать тяжести, — оборвал дискуссию ее муж. Обойдя кругом машину, он подхватил чемодан и поволок его к отелю.

— Да пошел он, этот врач! — заорала Шэрон ему вслед. — Сам-то он поди никогда беременным не был!

Холли в сердцах захлопнула багажник. Ссоры Шэрон и Джона, не прекращавшиеся всю дорогу, достали ее до самых печенок, и она мечтала только об одном — запереться в своем номере и отдохнуть.

К тому же Шэрон потихоньку начинала пугать ее. За прошедшие три часа ее голос поднялся октавы на три, не меньше, и казалось, она вот-вот взорвется. Причем в буквальном смысле, учитывая размеры ее живота. Так что Холли предпочла бы заблаговременно убраться подальше.

Холли взяла свой чемодан и направилась к отелю, который представлял собой величественное зрелище. Выстроенное в стиле средневекового замка здание со всех сторон обвивал темно-зеленый плющ, посреди двора красовался огромный фонтан. Вокруг расстилались гектары великолепных садов. Лучшего места для свадьбы и не придумаешь. Правда, снежного Нового года Дениз так и не получила — снег растаял, едва выпав. Но те чудесные рождественские мгновения в кругу семьи глубоко запали Холли в душу и на какое-то время подняли ей настроение. Теперь же ей до смерти хотелось очутиться в своем номере и привести себя в порядок. Ее терзал подспудный страх: а вдруг после праздничного чревоугодия вечернее платье на нее не налезет? Делиться своими сомнениями с Дениз она опасалась — неровен час, удар бедняжку хватит. Может, вытачки немножко расставить, и сойдет… С Шэрон она все-таки поделилась, и очень об этом пожалела. Подруга развопилась так, что у Холли уши заложило: дескать, ты еще смеешь жаловаться *мне*, когда на меня вчерашние платья не налезают, не говоря уже о сшитых пару месяцев назад.

С трудом таща за собой чемодан по вымощенному булыжником двору, Холли чуть не пропахала носом землю, когда кто-то об этот самый чемодан споткнулся.

— Извините, — пропел мелодичный голос.

Холли в ярости обернулась посмотреть, из-за кого она едва не свернула шею. Плавно покачивая бедрами, к отелю мимо нее с царственным видом прошла высокая блондинка. Больно знакомая походочка, нахмурилась Холли. Где-то она такую видела... Ой, мамочки!

Лора.

Только не это! Холли пришла в ужас. Значит, Том и Дениз все-таки пригласили Лору. Нужно срочно найти Дэниела и предупредить его! М-да, праздник ему будет основательно испорчен, когда он увидит среди гостей свою бывшую. Срочно к Дэниелу, и, если момент будет подходящий, они смогут заодно закончить тот давний разговор. То есть если, конечно, он вообще станет ее слушать. Ведь Холли избегала его целый месяц. Скрестив пальцы за спиной и моля небо об удаче, она помчалась в отель.

В холле царило самое настоящее светопреставление.

Повсюду толпились раздраженные люди с горами багажа. Голос Дениз перекрывал всеобщий гомон.

— Плевать мне сто раз, что вы ошиблись! Исправьте свою ошибку! Я заказала пятьдесят номеров для своих свадебных гостей еще несколько месяцев назад! Слышите?! Это *моя свадьба*, черт бы вас подрал! И не ждите, что я отошлю десять человек в какой-то задрипанный мотель в километре отсюда! Делайте, что хотите!

Пребывающий на грани инфаркта портье судорожно кивал, пытаясь вставить слово и объяснить ситуацию.

— Не желаю слышать больше никаких оправданий! — разорялась Дениз. — Еще десять номеров для моих гостей, немедленно!

Холли отыскала взглядом Тома, стоящего поодаль с обескураженным видом, и протиснулась к нему через толпу.

— Том!

— Привет, Холли. — Он едва обратил на нее внимание.

— В каком номере Дэниел? — быстро спросила она.

— Дэниел? — Он словно не понял, о ком речь.

— Ну да, Дэниел, твой шафер!

— Ой, не знаю, Холли. — Он отвернулся, чтобы поймать за рукав пробегающего мимо менеджера.

Холли решительно преградила ему путь:

— Том, мне очень нужно!

— Слушай, Холли, я правда не знаю. Спроси Дениз. — И он бросился прочь по коридору вдогонку за менеджером.

Холли с сомнением посмотрела на Дениз. Подруга орала так, будто в нее вселилась сотня демонов. Нет уж, ищите дураков — приставать к ней, когда она в таком состоянии. И Холли нахально влезла в середину очереди у стойки. Спустя минут двадцать пришел ее черед.

— Здравствуйте, скажите, пожалуйста, в каком номере остановился Дэниел Коннолли?

Портье покачал головой:

— Прошу прощения, но мы не имеем права сообщать номера комнат наших постояльцев.

— Да что вы, мы с ним близкие друзья. — Она заискивающе улыбнулась.

Портье вежливо ответил на улыбку, но не сдался.

— Простите, но это запрещено правилами отеля...

— Да послушайте же! — Холли взревела так, что даже Дениз заткнулась от неожиданности. — Это очень важно!

Бедняга лишь упрямо покачал головой, явно не осмеливаясь открыть рот. Наконец он выдавил из себя:

— Простите, но...

— Ааааааааааааааа! — Кажется, от ее протяжного вопля содрогнулись стены.

— Холли. — Дениз осторожно положила ей руку на плечо. — В чем дело?

— Скажите мне кто-нибудь, в каком номере Дэниел!!!

— В триста сорок втором, — запинаясь, проговорила потрясенная Дениз.

— Спасибо! — все так же агрессивно рявкнула Холли, сама не понимая, зачем продолжает злобиться, и рванула в сторону лифта.

Поднявшись на нужный этаж, Холли бегом пронеслась по коридору, высматривая триста сорок второй номер. Найдя вожделенную дверь, она что есть силы заколотила в нее кулаками. Изнутри послышались шаги, и тут только до Холли дошло, что она даже не подумала, что именно скажет. Так, глубокий вдох, выдох... Дверь распахнулась.

Холли так и застряла на вдохе.

Ей открыла Лора.

— Дорогая, кто там? — раздался голос Дэниела, а затем и сам он вышел из ванной.

— Ты?! — взвизгнула Лора.

Глава пятьдесят первая

Холли стояла в дверях, недоуменно переводя взгляд с Дэниела на Лору и обратно. Судя по тому, что оба встретили ее практически в чем мать родила, Дэниел давно в курсе, что Лору позвали на свадьбу. Надо полагать, он просто не предупредил Тома и Дениз, что берет ее с собой, поэтому те и не сказали ничего Холли. С другой стороны, вероятно, они знали и просто не считали необходимым ей докладываться. Холли никому из друзей не рассказывала об их с Дэниелом последнем разговоре. Вот она и попала в неловкое положение — ее присутствие здесь было, мягко говоря, неуместно.

Дэниел в шоке застыл на месте, вцепившись в смехотворных размеров полотенце, обмотанное вокруг бедер. На челе Лоры собирались грозовые тучи. Повисла напряженная тишина. Холли так и слышала, как проворачиваются винтики в трех бестолковых головах. Наконец молчание было нарушено — причем Холли предпочла бы, чтобы это сделал кто-то другой.

— Что ты здесь делаешь? — прошипела Лора.

Холли только бесшумно открывала и закрывала рот, словно выброшенная из воды рыбка. На лице Дэниела отразилась интенсивная работа мысли.

— А вы что... — Он осекся, осознав абсурдность своего вопроса, однако решил все-таки закончить фразу: — Вы знакомы, что ли?

Холли не успела и рта открыть.

— Еще как! — негодующе провозгласила Лора. — И должна заметить, отнюдь не в положительном смысле! Я поймала эту маленькую дрянь, когда она целовалась с моим женихом! — Типичная Лора: сначала сказала, потом подумала.

— С твоим *женихом*?

— Пардон... с бывшим женихом. — Она густо покраснела.

Ехидная улыбка заиграла на губах Холли. Какая прелесть — Лора сама себя посадила в лужу!

— Стиви, не так ли? Добрый друг Дэниела, если не ошибаюсь.

Дэниел обжег обеих уничтожающим взглядом. Лора не осталась в долгу, вне себя оттого, что эта наглая девица откуда-то знает ее мужчину.

— Мы с Дэниелом давно дружим, — пояснила Холли, скрестив руки на груди.

— Так ты явилась, чтобы и его у меня увести? — ядовито осведомилась Лора.

— Уж кто бы говорил!

— Ты целовалась со Стиви? — сердито посмотрел на нее Дэниел. Похоже, он наконец-то разобрался, что к чему.

— Ничего подобного!

— Целовалась-целовалась! — В голосе Лоры звучала детская обида.

— Ты заткнешься когда-нибудь, а? — возмутилась Холли. — Тебе-то какая разница теперь? Ты снова с Дэниелом, как я погляжу, а значит, для тебя все только к лучшему обернулось. — Она повернулась к Дэниелу и спокойно продолжила: — Нет, со Стиви я не целовалась. Мы были в Голуэе, отмечали девичник Дениз, а Стиви напился и приставал ко мне.

— Врешь ты все, — надулась Лора. — Я же вас видела.

— Как и Чарли, между прочим. — Холли подчеркнуто обращалась к одному Дэниелу. — Спроси его, если мне не веришь. Хотя, если не веришь, то мне и вовсе до лампочки. Ладно, я-то пришла поговорить, как обещала, но вижу, вы тут очень заняты. — Она выразительно покосилась на полотенце. — Так что встретимся вечером на свадьбе.

И с этими словами она гордо развернулась и двинулась дальше по коридору. По пути, не удержавшись, глянула через плечо на Дэниела, который все еще ошеломленно смотрел ей вслед, и тут же повернула за угол. Где обнаружила, что зашла в тупик. Лифт находился в противоположном конце коридора. Пришлось подождать, пока они закроют дверь, чтобы второй раз не проходить мимо них, как идиотка. Крадясь обратно на цыпочках, Холли прошмыгнула мимо комнаты Дэниела и в считаные секунды достигла лифта.

Нажав кнопку вызова, она испустила долгий вздох облегчения и устало закрыла глаза. На Дэниела она не сердилась, напротив, даже трусливо радовалась в глубине души, что отпала необходимость с ним объясняться. Выходит, ее бросили, а не наоборот, как она опасалась. Но видно, не очень-то и сильно был Дэниел в нее влюблен, раз так быстро переметнулся обратно к Лоре. Ну и ладно, по крайней мере, Холли не пришлось ранить его чувства. Хотя он, конечно, полный придурок, что снова связался с Лорой...

— Заходить будешь или как?

Холли мигом распахнула глаза — какой тут бесшумный лифт, оказывается!

— Лео! — Она радостно повисла на шее парикмахера. — А я и не знала, что тебя тоже пригласили!

— Кому же еще доверят причесывать королевскую кобру?

— Что, все так плохо?

— Да нет, она просто бесится, что Том видел ее до свадьбы. Вопит, будто это дурной знак и все такое.

— Дурной знак — это когда человек начинает принимать всерьез всякие дурацкие суеверия.

— А тебя я, кстати, сто лет не видел. — Лео недвусмысленно покосился на ее волосы.

— Виновата, — смутилась Холли, пытаясь прикрыть рукой отросшие корни. — Последний месяц была так занята на работе, что ни минутки свободной не выдалось.

— Что я слышу! — насмешливо поразился Лео. — Кто бы мог подумать, что Холли Кеннеди когда-нибудь будет трудиться как пчелка! Ты часом не переродилась?

— Пожалуй, что-то вроде того, — задумчиво согласилась она.

— Так уж и быть, пойдем. — Он вышел за ней на ее этаже. — Гульбище начнется не раньше чем через пару часов, так что я успею поколдовать над тобой. Спрячем эти ужасные корни.

— Ой, а тебе точно не трудно? — растроганно спросила Холли.

— Трудно, не трудно — ты что же, хочешь испортить свадебные фотографии Дениз, с таким-то безобразием на голове?

Холли опустила голову с упомянутым «безобразием», чтобы скрыть озорную ухмылку. Другое дело, нормальный Лео. А то что-то он так раздобрился — она уже забеспокоилась было о его душевном здравии.

Холли поймала сияющий восторгом взгляд Дениз в тот момент, когда кто-то постучал ложечкой по бокалу и гости начали по очереди произносить тосты. Сама она последние полчаса нервно теребила складки платья, снова и снова прокручивая в уме свою речь и ни слова не слыша из того, что говорят другие.

Надо было записать на бумажке, а то она от волнения совершенно забыла начало. Когда Дэниел сел под общие аплодисменты, у нее душа ушла в пятки. Теперь ее очередь, и на сей раз побег в туалет исключен. Шэрон сжала ее дрожащие руки в своих и заверила, что все будет хорошо. Холли криво улыбнулась, ничуть в это не веря. Отец Дениз попросил внимания и передал слово Холли. Все как один повернулись к ней — бескрайнее море лиц. Ища поддержки, она переглянулась с Дэниелом. Он послал ей заговорщицкую улыбку, и страх сразу же отступил. Чего бояться, здесь все свои. Вон Джон сидит за столиком с его и Джерри общими друзьями. Джон ободряюще махнул рукой, и, как по волшебству, заученная речь вылетела у нее из головы. Сами собой полились совсем другие слова:

— Прошу прощения, я немного волнуюсь. Но это от счастья. Я так рада сегодня за Дениз, мою лучшую подругу. — Она посмотрела на сидящую рядом Шэрон. — То есть одну из двух моих лучших подруг.

Послышался одобрительный смех.

— Я горжусь и восхищаюсь тем, что она нашла свою любовь в лице такого замечательного человека, как Том.

Холли улыбнулась, заметив, как Дениз украдкой смахивает слезу. Дениз, женщина, которая никогда не плачет.

— Полюбить человека, отвечающего тебе взаимностью, — это само по себе чудо. Но еще лучше, еще важнее найти в нем родственную душу. По-настоящему родственная душа — это тот, кто понимает тебя, как никто другой, любит, как никто другой, кто всегда рядом, что бы ни случилось. Говорят, ничто не длится вечно, но я твердо верю, что для некоторых любовь бессмертна. Как вам известно, у меня немалый опыт по этой части, и я имею все основания полагать, что Том и Дениз относятся к числу этих избранных счастливцев. Дениз, милая, сегодня я хочу сказать тебе: ваше чувство будет жить вечно. — С трудом проглотив комок в горле, Холли перевела дыхание. — Знаете, когда Дениз попросила меня выступить сегодня с речью, я была глубоко польщена и напугана до смерти.

И вновь добродушный смех разнесся по залу.

— Кроме шуток, я очень благодарна новобрачным, что они пригласили меня разделить с ними этот волшебный день. Я пью за них, за то, чтобы в их жизни побольше было таких светлых, счастливых дней, как сегодня.

Все зашумели, зааплодировали, потянулись к своим бокалам...

— Однако... — Холли повысила голос и подняла руку, требуя еще минуту тишины. — Однако многие из присутствующих здесь осведомлены о некоем Списке, который выдумал необыкновенный, дорогой нам человек. — Восторженные крики за столиком Джона, к которым присоединились и Шэрон с Дениз, вызвали у нее улыбку. — Так вот, одно из правил этого Списка гласит: никогда, ни при каких обстоятельствах не надевать безумно дорогих белых платьев.

Джон с друзьями взвыли от хохота, а невеста сложилась пополам, держась за живот, при воспоминании о том злополучном вечере, когда к списку было добавлено новое правило.

— От имени Джерри, — продолжала Холли, — я, во-первых, прощаю тебе нарушение этого правила, потому что выглядишь ты просто ослепительно, а во-вторых, прошу всех поднять бокалы за Тома, Дениз и ее чудовищно, неприлично дорогое белое платье — поверьте, я знаю, о чем говорю, ибо меня пинками гоняли по всем свадебным салонам Ирландии!

Гости с воодушевлением принялись чокаться, повторяя на все лады: «За Тома, Дениз и ее дорогущее белое платье!»

Как только Холли села, Шэрон обняла ее со слезами на глазах.

— Ты была неподражаема!

Холли просияла, когда все друзья Джона и Джерри поднялись, как по команде, и дружно отсалютовали ей, прежде чем осушить свои бокалы. Праздник начался.

Сморгнув наворачивающиеся слезы, Холли смотрела, как Том и Дениз танцуют свой первый танец новобрачных, и вспоминала это чувство — когда душу переполняют восторг и надежда, беспредельное счастье и гордость, когда не знаешь, что ждет тебя в будущем, но готова сворачивать горы на своем пути. И на сердце у нее потеплело: нет, она не будет плакать — только беречь и лелеять дорогие воспоминания. Каждая секунда жизни с Джерри была блаженством, но настала пора двигаться дальше, начать жизнь с чистого листа. И наверняка судьба не поскупится на новые чудеса, на полезные уроки, помогающие набраться мудрости и терпения. Конечно, это будет трудно, теперь-то она поняла, что ничто не дается легко в этом мире. Трудно — но все же чуть-чуть легче, чем несколько месяцев назад. А еще через несколько месяцев станет еще чуть-чуть легче. Потихоньку, шаг за шагом.

Она получила в дар бесценное сокровище — жизнь. Иной раз она обрывается преждевременно, это больно и страшно, но в конечном итоге самым важным оказывается, не сколько она продлилась, а как ты ее прожил.

— Разрешите пригласить вас на танец?

Холли подняла глаза. Перед ней, улыбаясь, стоял Дэниел.

— Конечно. — Она охотно приняла протянутую руку.

— А позволено ли мне будет сказать, что вы сегодня прекрасны как никогда?

— Позволено. Благодарю. — Грациозно склонив голову, Холли лукаво подмигнула ему, сама в кои-то веки довольная тем, как она выглядит. Дениз выбрала для нее элегантное сиреневое платье с корсетом, удачно скрывающим рождественский животик, и длинным разрезом сбоку на юбке. Лео на славу потрудился над ее волосами, заколов их наверх и оставив на свободе несколько локонов, как бы случайно выбившихся из прически. Она чувствовала себя красавицей. Прекрасной принцессой Холли, как ни забавно это звучит.

— Ты сегодня так хорошо говорила, — шепнул Дэниел, ведя ее в танце по залу. — Я повел себя как эгоист в тот вечер, извини. Ты же сказала, что не готова, а я не хотел ничего слушать...

— Все в порядке, Дэниел. Я еще очень, очень долго не буду готова. Спасибо тебе, что не стал особенно мучиться из-за меня. — Она насмешливо кивнула на Лору, сидящую в одиночестве с обиженным видом.

— Понимаю, тебе, наверное, кажется, что слишком уж быстро я ее простил, да? Но когда ты не ответила на сотню-другую моих звонков, даже такой тугодум, как я, догадался, что ты не готова к близким отношениям. А дома на праздниках я случайно встретил Лору, и потухшее пламя вспыхнуло снова! Ты была права, я так и не забыл ее. Но поверь, если бы я не был на сто процентов уверен, что ты в меня не влюблена, то ни в коем случае не потащил бы ее с собой на свадьбу.

— Извини, что пряталась от тебя, — виновато улыбнулась Холли. — Зациклилась немного на себе, но это уже позади. А ты все равно дурак, дурак и еще раз дурак... — Она с сомнением покачала головой, глядя, как Лора строит им недовольные гримасы.

— Сам знаю, и нам с ней многое предстоит обсудить, — вздохнул Дэниел. — Но, как ты изволила выразиться, для некоторых любовь бессмертна.

— Ой, только не надо меня цитировать, — фыркнула Холли. — Впрочем, ладно, лишь бы ты был счастлив. Хотя не представляю, как у тебя получится... — Она испустила театральный вздох, рассмешив Дэниела.

— Я счастлив, Холли, правда. — Он украдкой бросил нежный взгляд на Лору. — Похоже, я просто не могу жить без театра и без накала страстей. А уж страсти Лоре, при всех ее недостатках, не занимать.

Но я хочу спросить тебя о том же — ты счастлива? — Дэниел пристально смотрел ей в глаза.

Холли ответила, чуть помедлив:

— Да, сегодня вечером я счастлива. А завтра — посмотрим, когда завтра наступит. И то, что оно наступит, никуда не денется, уже хорошо.

Холли, Шэрон, Джон, Дениз и Том, обнявшись, считали хором вместе со всеми:

— Пять... четыре... три... два... один! С НОВЫМ ГОДОМ!!!

Гости зашумели, зааплодировали. С потолка им на головы посыпались воздушные шарики всех цветов радуги.

Холли покрепче обняла друзей со слезами радости на глазах.

— С Новым годом, — шепнула Шэрон, целуя ее в щеку.

Холли положила одну руку на живот Шэрон, другой сжала ладонь Дениз.

— Удачи нам всем в наступающем *новом* году.

Эпилог

Холли копалась в газетах, ища свадебные фотографии Тома и Дениз. Все-таки не каждый день женятся первый диджей Ирландии и звезда «Девушек в большом городе». По крайней мере, так считала Дениз.

— Эй, вам тут не библиотека! — окликнул ее хмурый продавец. — Либо покупайте, либо положите на место.

Холли вздохнула — это мы уже проходили — и начала собирать по экземпляру каждой газеты со всего стенда. Получилась такая куча, что ее пришлось нести к кассе в два приема, — продавец и не подумал предложить помощь, кто бы сомневался. Впрочем, очень надо, вот еще! И точно как в прошлый раз, за ней образовалась очередь. Холли мысленно показала ему язык: сам виноват! Дал бы ей спокойно просмотреть газеты, она бы никого и не задерживала. Бросив на стопку последние газеты, она добавила еще несколько шоколадок и пакетиков с конфетами.

— Ой, и еще пакет, пожалуйста. — Холли сделала глупое лицо, сладко улыбнулась и похлопала ресницами.

Старик посмотрел на нее поверх очков, как на нашкодившего щенка, и сердито гаркнул:

— Марк!

Появился все тот же прыщавый юнец.

— Открой вторую кассу, сынок.

Очередь разделилась пополам.

— Спасибо, — вежливо поблагодарила Холли и пошла к выходу. Не успела она протянуть руку к двери, как та открылась с другой стороны, толкнула ее, и все покупки разлетелись по полу — опять.

— Прошу прощения, — сказал вошедший, наклоняясь, чтобы помочь ей все собрать.

— Ничего страшного, — заверила она. Оборачиваться ей не хотелось, взгляд вредного старика и так ощутимо сверлил затылок.

— Это вы! Любительница шоколада! Вот мы и встретились снова.

Перед ней был тот самый дружелюбный покупатель со странными зелеными глазами, который однажды уже помог ей точно в такой же ситуации.

— Холли, если не ошибаюсь? — Он поднял с пола огромную плитку шоколада и протянул ей.

— Верно. А вы Роб, не так ли?

— У вас хорошая память, — улыбнулся он.

— У вас тоже.

Она запихнула в пакет газеты и сладости, поднялась на ноги.

— До нового столкновения, — весело попрощался Роб и пошел занимать место в очереди.

Холли, все еще удивленная, задумчиво проводила его взглядом. Затем, набравшись смелости, подошла.

— Роб, вы случайно не свободны сегодня? Может быть, выпьем кофе? Нет-нет, если вы заняты, ничего страшного… — Она смущенно прикусила губу.

Он улыбнулся и тут же неуверенно покосился на ее обручальное кольцо.

— Об этом не волнуйтесь, — она кивнула на свою руку. — Теперь это только дорогая память.

Он понимающе кивнул.

— В таком случае, я с удовольствием.

Они вышли из магазина и направились в «Большую ложку» через дорогу.

— Кстати, я должен перед вами извиниться, что сбежал в прошлый раз.

— Подумаешь, я тоже после первого коктейля сбегаю через окно в туалете, — подмигнула Холли, и они дружно рассмеялись.

Сидя за столом в ожидании, пока он принесет кофе, она расслабленно откинулась на спинку стула. Похоже, ей встретился хороший человек. За окном холодный январский ветер нещадно гнул ветви деревьев, но они не ломались. Сравнивая себя прежнюю и себя нынешнюю, Холли думала о том, чему научилась за прошедший год.

Вот сидит женщина, которая получала советы от любимого мужчины, следовала им и, как могла, старалась вернуть себя к жизни. Теперь у нее есть замечательная, интересная работа, и она вполне уверена в своих силах.

Вот сидит женщина, которая совершала ошибки и порой плакала в понедельник утром или по ночам в постели. Женщина, которая не раз тяготилась собственным существованием и с трудом заставляла себя встать и одеться. Женщина, которая не реже чем через день бывала недовольна своей прической и, глядя в зеркало, укоризненно вопрошала себя, почему ей так лень сходить лишний раз в спортзал. Женщина, которая иногда сомневалась, стоит ли ей вообще отягощать собой эту землю. Женщина, у которой время от времени все шло наперекосяк.

С другой стороны, у этой женщины столько светлых воспоминаний, она познала настоящую любовь и теперь готова продолжать свой путь, учиться, бороться и любить. Пусть не сейчас, пусть через год или через десять лет, но она послушается последнего напутствия Джерри. Что бы ни припасла для нее судьба, она откроет свое сердце и последует его зову.

А пока что будет просто жить.

СЕСИЛИЯ АХЕРН
P.S. Я люблю тебя

Главный редактор «Издательской Группы Аттикус»

С. Пархоменко

Главный редактор издательства «Иностранка»

В. Горностаева

Редактор Е. Головина

Технический редактор Л. Синицына

Корректоры И. Чернышова, Г. Левина

Компьютерная верстка Т. Коровенкова

ООО «Издательская Группа Аттикус» —
обладатель товарного знака «Издательство Иностранка»
119991, Москва, 5-й Донской проезд, д. 15, стр. 4

Подписано в печать 15.05.2008.
Формат 80×100$^1/_{32}$. Бумага писчая.
Гарнитура «Original GaramondC». Печать офсетная.
Усл. печ. л. 26,4. Тираж 20 000 экз. Заказ № 429.

Отпечатано в ОАО «ИПП «Уральский рабочий»
620041, ГСП-148, Екатеринбург, ул. Тургенева, 13.
http://www.uralprint.ru   e-mail:book@uralprint.ru

ПО ВОПРОСАМ РАСПРОСТРАНЕНИЯ ОБРАЩАТЬСЯ:

В Москве: ООО «Издательская Группа Аттикус»
тел. (495) 933-76-00, факс (495) 933-76-20
e-mail: sales@machaon.net

В Санкт-Петербурге: «Аттикус-СПб»
тел./факс (812) 783-52-84
e-mail: machaon-spb@mail.ru

В Киеве: «Махаон-Украина»
тел. (044) 490-99-01
e-mail: sale@machaon.kiev.ua